JN041621

暴力論

高原到

講談社

装幀　水戸部 功

はじめに

暴力とはなにか？　暴力の闇の奥には、いったいなにがひそんでいるのか？

本書をつらぬくこの問いかけは、前世紀末に私が犯した愚行に遠い淵源をもっている。

大学を出て人なみに就職してはみたものの、私は東京でのサラリーマン生活に端《はな》から異和感をつのらせていた。真新しい高層ビルの空調のきいたオフィスで、仕事のあいまにぼんやりと窓外の街なみを眺めながら、ちがう、と心中でつぶやきつづけた。三年は豚になってガマンしろ。勝負はそのさきだ。先輩にそうアドバイスされたが、豚になどなれるはずがない。三年も豚小屋に監禁されたら、勝負はもうついてしまうとも思った。私は周囲に溶けこめない自分を一匹のエイリアンのように感じていた。そしてその疎外感を自慰のために弄《もてあそ》ぶほど愚かで幼稚だったのだ。

入社二年めの春、五十人ほどの大所帯だった営業部全員が出席する宴会が催された。当時はそういう半ば強制的な飲み会が頻繁にあった。たいてい悪酔いする者が出て、上司に噛みついたり、同僚や部下を口汚くなじったりといった醜態をさらした。その夜、泥酔して醜態をさらしたのは私だった。醜態どころではなかった。過度のアルコールで無感覚になった胸の奥から、バリバリと肉を掻きわけて、凶悪なエイリアンがいきなり躍りでてきたようだった。

　宴会がお開きになったあと、散《ばら》けて二次会へ流れようと、居酒屋からエレヴェーターで一階に降りてビルの外に出たはずだが、むしりとられたページのように記憶が飛んでいる。その場にいた同僚や、取調を受けた刑事から事後に聞かされたことを総合すると、私はまず、近くにいた上司に殴りかかり、逃げる相手を追って大声で吠えたらしい。異変を察したビルの警備員が割って入ろうとしたが、私はその若者を突き飛ばした。手のつけられない暴れように、別の警備員が警察に通報し、近くの派出所から二人の警官が飛んできた。説諭しようと口をひらいた警官の顔面を、私は拳で思いきり殴りつけた。とたんに足払いのような技をかけられ、路上に仰向けにひっくりかえった。私の胸の上に馬乗りになった警官は、「逮捕する！」と叫んだあと、もう一人の警官にむかって「ひでぇよ、歯が折れちまった」と嘆いた。——

　翌朝、私は二日酔いにふらつく頭で、留置所の三人房で目をさました。スーツ姿のままだったが、ネクタイとベルトは自殺防止の名目で取りあげられていた。同房だったのは私と同年代の、大麻所持で逮捕された男と四億円の恐喝の従犯容疑者だったが、たがいの「罪状」を告白しあったあと、二人は、いちばん酷《ひど》いのは私だと口をそろえて非難した。殴り倒した相手の頭がガードレールかなんかにぶつかって死んだりしたらどうすんだ、と彼らは言った。もうとりかえしがつかねぇぞ。たしかにそうだ。私は恐懼《きょうく》してうなずくほかなかった。

　私はその後、二泊した留置所内でも、課長に身柄を引き取ってもらって出所してからも、半年後に退社したあとも、三十年近くたった現在にいたるまで、この出来事についてくりかえし反省しつづけた。その反省の芯には、つねに二つの「顔」があった。居酒屋を出てから留置所で目がさめるまで、そのあいだの記憶はきれいさっぱり消え失せているのに、その記憶の暗闇から、警備員と警官の顔だけが白く切りぬかれたようになまなましく浮かびあがってくるのだった。警備員は顎の線が繊細で、美しいといってもいい若者だったが、私の目交《まなか》いに滲《にじ》みでてくるときは、いつも目を潤んだように泳がせておびえている。日に灼《や》けて精悍だが、まんなかにキュッと集まった造作にどこか幼さを感じさせる警官は、黒縁のメガネ越しに光る大きく瞠《みは》った目で、私をひた、と見すえている。

ひょっとしたら、私が殺していたかもしれない人たちだった。彼らの「顔」があらわれるたび、私は申し訳なさに身悶え、おのれの愚劣を深く恥じた。だが思いださずにはいられないのだった。私が彼らの「顔」を思いだしているのではないからだ。彼らの「顔」こそが、自らの蛮行を恥じる私をくりかえし生みだしているのだった。

戦争やテロ、性暴力やジェノサイド、マイノリティ排斥やヘイトクライム。それら苛烈な暴力に血ぬられた近現代史に衝撃をうけ、暴力とはなにか？　という問いをおずおず発しようとするとき、私の脳裡にはつねにあの二つの「顔」が浮かびあがってきた。

暴力の現場には、「顔」がとり憑いているのではないか？　いや、「顔」の出現／抹消こそが、暴力の本質なのではないか？――私にそう考えさせたのは、大岡昇平の「俘虜記」に書きつけられた、若き米兵の「顔」だった。「俘虜記」の「私」は、眼前にあらわれた米兵を見て銃の安全装置を外しながらも、その若者の「顔」の生動に惹《ひ》きこまれる。銃が火を噴けば、その「顔」は消える。だが撃たなければ、待ち伏せに気づいた米兵が「私」を殺すかもしれない。大岡の遺した膨大な作品中第一の傑作を問われたら、私はこのデビュー作に迷わず指を屈する者だが、「俘虜記」は、戦争の核心に「顔」を見出し、その生動と消滅の巨細《こさい》を徹底的に反省しつくすことを通じて、暴力のはらわたを抉《えぐ》りだそうとした作品だ。

もちろん私は、圧倒的な敵軍に包囲殲滅されつつある絶望的な戦場と、平和ボケした戦後日本の怠惰な日常を同一視する愚を犯そうとは思わない。全体主義的な国家によって戦地へむりやり駆りだされた兵士の心に撓《たわ》められた激しいテンションと、自分勝手な疎外感をつのらせた青二才の暴発が同列にならべられようはずはないし、生きるか死ぬかの瀬戸ぎわに冴《さ》えかえった白刃のような認識と、宴会で泥酔したあげくの混濁が、およそ意識の明度において対極にあるということも十分わきまえてはいる。そのうえで、だがやはり私は、自らの恥ずべき愚行と大岡の描出する戦争の核心を、「顔」という回路で結《ゆ》わえてみたいという誘惑に抗うことができない。

いいかえれば、戦争やテロといった非日常的な暴力を、いまここの日常から切り離して、いわば「あっちの世界」の惨事として客観的に論じることの危険に自覚的でありたい。民族浄化や無差別乱射事件は、私たちの日常と切り離された荒野で起きる突発事ではない。むしろ、私たちの日常のあらゆる細部にこびりついたどす黒い暴力のシミこそが、これら激越な暴力をひそかに準備し、支えている。学校でのいじめ、職場におけるハラスメント、陰湿な性差別、広場でのヘイトスピーチ、ネット上の暴言――私たちの日常に吹き荒《すさ》ぶこうした暴力を糾合し、一方向へ水路づけたときに出現するのが、たとえばナチスのホロコーストではなかったか。そして逆に、非日常的な暴力を根源的に批判するための基点となるのも、私たちの日常の生を措《お》いて他にあるまい。その意味で、暴力を非日常へと追放するのは、それじたいが暴力の延命と拡大に手を貸す暴力にほかならない。一見、非日常の極みに見える暴力と、いまここの日常をひとつに縒《よ》り合わせることが必要なのだ。

「俘虜記」の「私」は、戦場で敵兵に銃を擬するというギリギリの極限状態にありながら、若い兵士の「顔」の生動に、戦前や戦後の日常へつながる扉をかいま見ていたのではないか？　それが彼に撃つことをためらわせたのではないか？　人間にとって「顔」ほど日常的なものはないが、「顔」ほど超越的なものもない。大岡の戦争小説が、なかでもとりわけ「俘虜記」がぬきんでているのは、「顔」にたいする深く徹底した反省を通じて、非日常と日常を結わえる暴力のへソの緒をしっかと射当てているからではないか？

『暴力論』と題された本書において私は、暴力の問題を、主に戦後日本において書かれた小説を通じて追究している。小説は、言葉で個々の人間の「顔」を描きだすアートである。同時に小説は、個々の「顔」から出発しつつ、ある普遍性の領野へ突きぬけてゆこうとするアートでもある。それぞれの作品に固有な強度において、日常と非日常を架橋しようと試みるのが小説だといってもよい。テロや戦争や原爆やジェノサイドといった暴力を主題とする小説を読みながら、そしてそれらに出現／消滅する「顔」の群れを追いかけながら、日常の平凡な情景が凄惨な暴力の修羅場へ劇的に変貌してゆくさまに、私は何度息を呑んだことか。

各章について簡潔なコメントを付しておく。

Ⅰ 私見では、大江健三郎こそが日本近代最大の作家である。一九九四年にノーベル文学賞を受賞したこの巨星には、しかし初出から半世紀以上も単行本化されなかった「政治少年死す」という呪われた作品がある。二〇一八年に刊行のはじまった『大江健三郎全小説』（講談社）に「政治少年死す」が入ると知ったとき、私はこの作品について絶対に書かねばならぬと決意した。テロリストが生まれる、まさにその瞬間を描きだすという不可能事にチャレンジしたこの問題作を、私は大江文学を未来にむけて読みひらく営みの中心に位置づけようと試みた。

Ⅱ ジョージ・オーウェルの『一九八四年』は、フェイクニュースやポストトゥルースが流行語となったトランプ政権時に脚光を浴びた。このディストピア小説の古典的傑作と踵《きびす》を接するように、暴力の問題に独特な光をあてつづけた武田泰淳が『第一のボタン』という未完のディストピア小説を書いているのは、興味深い符合に思われた。核戦争後の世界を死刑囚が語るという両作が共有する構造のなかに、「顔」の出現／抹消にまつわる重要な問題系が秘められているという直観。それが私に「暴力の二つのボタン」を書かせた。

Ⅲ 文学には詩や小説だけでなく、批評という重要なジャンルがある。そのことを私に教えてくれたのは柄谷行人だった。『マルクスその可能性の中心』や『日本近代文学の起源』や『内省と遡行』を夢中になって読むなかで、あるひっかかりが生まれた。柄谷が説明ぬきにくりかえす「近代文学の終焉」とはなんなのか。批評家としてデビューすることになったとき、若いころから引きずってきたこの問題に、私は決着をつけたいと念じた。原爆に文学が負け、そしてその敗北を公認したとき、日本近代文学は終わった。この仮説に最初の示唆をあたえたのは、原民喜の「夏の花」のラストに唐突にあらわれる、「顔」のない死体の山だった。

Ⅳ 原爆は、被爆者たちから「顔」をむしりとったばかりではない。言葉をも強奪したのだ。――「原爆乙女」たちが出演したアメリカのテレビ番組「これがあなたの人生だ」をネットで視聴して、私はそう痛感した。だが「原爆乙女」という傷ましい呼称には、被爆者差別だけでなく性差別も深い影を落としている。被爆者に寄りそう形で書かれた井伏鱒二の『黒い雨』も、それを原作とした今村昌平の映画も、男性被爆者による女性被爆者の心身両面にわたる搾取にひそかに加担してしまっている。これは暴力の問題の根っこに巣くう性差別の根深さを物語っていよう。

Ⅴ アジア太平洋戦争を体験した作家が書いた戦争小説のひとつのクライマックスは、大岡昇平のデビュー作「俘虜記」が鮮烈なテンションで描出した、接近してくる米兵との遭遇シーンである。大岡の戦争小説は、そのすべてが戦場に忽然《こつぜん》と出現した「顔」の生動を反復描写するものだ。敵兵や僚兵、あるいは戦地に住む人びとの「顔」を見たことがない戦後世代の作家は、では、いかにすれば戦争小説を書くことができるのか。――現代日本文学のトップランナーである奥泉光の戦争小説から私が汲みあげたかったのは、その問いかけへの応答である。

Ⅵ 独ソ戦とホロコーストをSS将校の一人称で語ったジョナサン・リテルの『慈しみの女神たち』を読んだときの衝撃は忘れられない。二段組で上下巻合わせ千ページの邦訳をつづけざまに二度読み、それではおさまらず、錆《さ》びついていたフランス語を懸命に復習しながら原書に読み耽った。休日は一日十時間、それだけを読んだ。読み終わったとき、それまで一度も感じたことのなかった「批評を書きたい」という強烈な欲望が生まれた。一年かけて仕上げた「ケセルの想像力」は、第五十九回群像新人評論賞の優秀作に選ばれた。「虐殺の言語学」は、私にとって転機となったその作品を大幅に改稿したものである。

暴力とはなにか？　暴力の闇の奥には、いったいなにがひそんでいるのか？

この問いかけを鋭角に追究した「暴力批判論」のベンヤミンは、法を措定し維持する「神話的暴力」に、「神的暴力」という謎めいた概念を対置した。「神話的暴力は、剝き出しの生（das bloße Leben）にたいする、暴力自身のための血ぬられた暴力であり、神的暴力は、あらゆる生（alles Leben）にたいする、生ある者のための神的で純粋な暴力である」。

「剝き出しの生」に罪を宣告する「顔」なき法の暴力を、突破し破壊する「神的暴力」。「あらゆる生」の罪を除きさり、「生ある者」の魂を解放する「神的暴力」。――その到来を夢想するベンヤミンの脳裡にも、あざやかに生動する「顔」たちの星座が明滅していたのではなかろうか？

本書は、ナチスの暴力を逃れようとして果たせず、ピレネーの山村で自死したこの稀代の批評家へのはるかなオマージュである。

暴力論　目次

暴力論

第一部　暴力の発生

I

テロリストが、生まれる

「セヴンティーン」「政治少年死す」試論

私には、客観的であることはできなかったのだ。

フランツ・ファノン

1 「セヴンティーン」／「政治少年死す」

二十五歳の若き大江健三郎が、安保闘争直後の日本社会に爆弾のように投げこんだ連作——「セヴンティーン」「政治少年死す」——がたどった数奇な運命についてはよく知られている。一九六〇年、西側資本主義陣営と東側共産主義陣営の対立が東アジアにおいて固定され、つとに冷戦体制に組みこまれていた日本でも、いったん安保闘争の大潮が引くや、右派自民党陣営と左派社会党陣営の対峙があたかも永劫不変の制度であるかのように置き残されたとき、その不動の構図を、社会党委員長浅沼稲次郎の腹部もろとも短刀で突き破ろうとした十七歳のテロリスト・山口二矢《おとや》があらわれた。十月十二日の山口による暗殺事件と、翌月二日の鑑別所での自死に触発されて書かれた連作は、早くも同年十二月、さらに翌年一月に『文學界』にあいついで掲載された。直後の二月一日、皇太子らの斬首を戯画的にスケッチした深沢七郎の「風流夢譚」(『中央公論』一九六〇年十二月号)が皇室への冒瀆であるとして右翼少年が中央公論社社長宅に押し入り、家政婦を刺殺する嶋中《しまなか》事件が起こる。その騒擾《そうじょう》のさなか、「烈士」として右翼のイコンと化しつつあった山口を虚構化し、家でも学校でもバカにされてひたすらオナニーに耽《ふけ》る「おれ」という卑俗な語り手を造型したうえ、「おれ」が「純粋天皇」にむけて射精しつつ首を吊るという衝撃的なラストシーンによって、天皇や山口を汚していると見なされた大江は右翼の脅迫にさらされ、警察が護衛をつける緊迫した事態となった。文藝春秋新社は『文學界』一九六一年三月号に謝罪広告を掲載して騒動の収拾をはかった。「政治少年死す」は大江がノーベル文学賞を受賞したあとも単行本化されることはなく、『大江健三郎全小説3』(講談社、二〇一八年七月)に収録されるまで、じつに五十七年もの長きにわたり「呪われた作品」として封印されつづけてきたのである。

一方、同じ事件に材をとったドキュメンタリーに沢木耕太郎の『テロルの決算』がある。闇に葬られた「政治少年死す」とは対照的に、『テロルの決算』は一九七九年の大宅壮一ノンフィクション賞を受賞し、三十歳をこえたばかりの若いライターの名を一躍世に知らしめる出世作となった。同じ山口二矢というテロリストに触発されていながら、大江と沢木の作品がこれほどまでに異なる道をたどったのはなぜか。その理由はジャンルや時代の違いだけには還元できない。沢木は「あとがき」でこう書いている。

山口二矢について書いてみたい、とながく思いつづけてきた。しかし、不意に歴史の表舞台に姿を現わし、言葉少なに走り去ってしまったこの夭折者を、どのようにしたら描くことができるのか、私にはわからなかった。だが、脇役にすぎないと思っていた浅沼稲次郎の存在が、次第に大きく見えるようになって、初めてその「かたち」が具体的なものとして浮かんできた。

沢木自身が認めているように、『テロルの決算』は山口について書きたいという欲望から生まれたにもかかわらず、山口の生涯やテロ事件の顚末《てんまつ》をしのぐ分量と密度で、犠牲者である浅沼の長く曲折にみちた政治人生に紙幅を割いている。無産運動家として奮闘した大正期から、翼賛政治になすすべもなく流された戦中期、そして戦後になるや社会党のリーダーとして毛沢東や周恩来と会見し、「アメリカ帝国主義は日中共同の敵である」と揚言するにいたった浅沼の歩みは、百メートル走を全力で駈けぬけたような山口の生きざまとは対照的に、完走寸前で倒れたマラソンランナーのような苦悶と悲哀にみちている。沢木の描く浅沼は、「人物」の重みを感じさせるといってもよい。弱さと強さをあわせもつ人間味あふれる「人物」がたどりついた政治的決算の場に、刃をかまえて一直線に飛びこんできたテロリストの軌道を衝突させることで、非道な暗殺はドラマチックな悲劇の相貌をおびる。この巧みな「かたち」ゆえに、世間は右翼の凄惨なテロ事件を描いたこの書物を受けいれるのみならず、それに大きな喝采を送りさえしたのだ。

だがここには、看過しえない問題がある。それは、『テロルの決算』の巧みな「かたち」そのものから生じており、したがってその「かたち」のなかではけっして解けないアポリアだ。沢木は執筆から三十年後に文庫版の「あとがき」で、山口に強烈に惹かれた理由として「私は幼い頃から『完璧な瞬間』という幻を追いかけていたのであり、その象徴が『夭折』ということだったのではないか」と書いている。『テロルの決算』という作品で沢木が真に書きたかったのは、弱冠十七歳で大物政治家を刺殺し、自らも首を吊って夭折した山口二矢という少年だったことが再度明言されている。だが『テロルの決算』から浅沼の生涯を抜きとり、山口の生と死だけを残したら、この書物は痩せさらばえて倒壊してしまう。山口の右翼思想の「決算」たるテロ事件は、浅沼の政治人生の最後の「決算」に組みこまれ、その内部で収支を合算されることなしには成立しえない。『テロルの決算』はそういう「かたち」で事件を「決算」した作品なのだ。

アポリアを可視化しよう。当の「完璧な瞬間」を、沢木自身が黙ってやりすごしているシーンがあるのだ。日比谷公会堂の舞台上に刃を握って飛びあがった山口が、演説する浅沼に激突するクライマックスにさしかかり、沢木は事件から三週間後の十一月二日、自死の当日に記録された山口の供述調書の内容をそっくりそのまま引用している。ここにいたるまで沢木は山口の右翼的言動を書き手としての自らの声に組みこむかたちで、いわば間接話法で語ってきたのだが、最も重大なポイントで、語りを山口自身の声が語る直接話法に切り換えているのだ。引用の冒頭はこうである。「舞台に駆け上がる時、瞬間的に『やめようか』という考えが脳裡を走りましたが

『やるんだ』とすぐ打ち消して走りました」。ここでいわれている、「やめようか」という逡巡と、「やるんだ」という決意のあいだに稲妻のように閃《ひらめ》く「瞬間」。沢木の筆が立ちどまらずに脇をすりぬけてしまうこの「瞬間」にこそ、おそらくテロリストの誕生という謎のいっさいが隠されている。山口二矢という十七歳の少年は、ここでテロリストへと駆け上がったのである。浅沼の政治人生がけっして容喙《ようかい》しえない山口固有の「決算」は、まさにここで行われたのだ。沢木はこの瞬時の「決算」の内実を精査しようとしない。だが、この「瞬間」を逃しては「完璧」も「夭折」も意味をなさない。「完璧」も「夭折」も、この「瞬間」のなかからのみ生まれてきたからだ。

この「完璧な瞬間」をどこまでも微分し、その「瞬間」のなかの「瞬間たち」を、ことばで徹底的に埋め尽くそうとこころみること。そのさい、テロリスト自身の直接話法や作家の視点を経由した間接話法のどちらでもなく、書く者と書かれる者の「内面」をメビウスの環のように連結しつつ、テロリストの「内面」に憑依してゆくこと。あるいは逆にテロリストがおのれの「内面」を占拠するにまかせること。つまりは自由間接話法で語りだすこと。——大江健三郎がチャレンジしたのはまさにこれだった。世に喝采で迎えられた『テロルの決算』とは逆に、「政治少年死す」が石もて社会から追われたのは、書く者と書かれる者を截然と隔てる客観的な「かたち」を刃=筆で突き刺し、ぶち破ってゆく大江の過激な「文学的テロ」に、右翼ばかりか左翼すらも、他の作家や批評家にくわえ読者大衆までもが、あまりに不穏な事件性を嗅ぎとったことが一因であったにちがいない。

＊

あらためて連作を通読した者が驚かざるをえないのは、「セヴンティーン」と「政治少年死す」の印象が——後者は「『セヴンティーン』第二部」と銘打たれているにもかかわらず——大きく異なっていることだ。少年が右翼の暴力にめざめるまでをあつかった「セヴンティーン」にたいし、「政治少年死す」は左翼政治家を刺殺するテロリストの誕生を描いている、というストーリー上の違いだけではない。シーンの構成やナラティヴの構造、文体にいたるまで両者は根本的に異なっており、連作という形式を担保しているのは「おれ」という一人称の語り手だけではないかと訝《いぶか》られるほどだ。いや、当の「おれ」すらまるきり別人にすりかわってしまっているような感触すらある。端的にいえば、「セヴンティーン」は百メートルを全力疾走するような直線的で爽快な作品だが、「政治少年死す」は山あり谷ありの曲折を越えて這いすすんでゆくマラソンのような苦渋にみちた作品なのだ。もちろんこれは、前者が原稿用紙で百枚ちょっとであるのにたいして後者が百五十枚近いという物理的長さを指していっているのではない。「瞬間」を言葉で微分する、その仕方がまったく異なっているのだ。別の比喩を用いれば、前者がダイナミックな手持ちカメラで一発撮りされたアクションムービーだとすれば、後者は複数のカメラがとらえたアクションを複雑に編集し、相互に干渉させることで、アクションそのものを微分し解体しようというメタムービーなのである。

さきに『テロルの決算』の構造にふれて、山口の百メートル走は浅沼のマラソンをともなわずには自走しえないと述べておいた。大江の想像力は、沢木がキャラクターの相互依存という折衷案で解決しようとしたアポリアを、ゴルディオン・ノットのごとくすぱっと断ち切り、自立した作品どうしが相互干渉する「連作」という独特な形式を採用することで、直線的な暴力《アクション》とそれを追うカメラの群れの対立を、小説の語りの問題として主題化したのである。

二作の流れをまずは**表1**で俯瞰しておこう（アラビア数字は節を指す）。

これを見れば一目瞭然だが、「セヴンティーン」は〈疎外→誘惑→自覚〉という直線的でシンプルなフレームにおさまっている。構想時に大江の念頭にあったというサルトルの「一指導者の幼年時代」と同じフレームだ。それにたいして「政治少年死す」は、いきなり〈闘争の終わり〉からはじまり、指導者への不満や、左翼知識人／自然の豊かさ／女性的なるものという、《右》からの離反を誘うあれこれに動揺させられる屈折した過程を経て、ようやく暗殺と自死へみちびかれる。ここには「セヴンティーン」のストレートな続編を予期していた者をいささか困惑させずにはいない、奇妙な猥雑さが存在する。

内容のレヴェルだけではない。前者の語りは一貫して十七歳の「おれ」の統御下にあるが、後者にあっては、全篇にわたって語りの不自然なゆらぎがつづくのだ。**表1**で★を付したのは、そのゆらぎがはっきりとあらわれている節である。2節は**A党員**、**B党員**、**C党員**、**おれ**という四者の議論をレーゼドラマで再現している。3節は左翼学生たちにたいする「おれ」の暴力を、「おれの**映画**」という解離症めいた形式で描きだす。テロ行為そのものに切りこむ連作中最大のクライマックスであるはずの7節は、なんと「おれ」の語りをいっさい放棄し、匿名の他者から

表1

	セヴンティーン	政治少年死す
1	「おれ」の家庭での孤独／疎外	安保闘争の終わり
2	「おれ」の学校での孤独／疎外	皇道党への不満★
3	《右》の誘惑	ヒロシマ平和大会破壊★
4	《右》少年としての自覚	左翼作家との対決
5		大東塾の集団自決への同一化
6		農場での労働と妊婦への憧れ
7		暗殺シーンの報告★
8		警察での取調と葛藤
9		死亡広告★

の「おれ」宛ての手紙によって暗殺シーンやその後の社会的反響が語られるという、極端な迂回がほどこされている。最後の9節は、「おれ」の自死後にやはり匿名で書かれた、もはや句読点すらふりすてた現代詩めいた数行の「広告」で唐突に断ち切られている。

同じ作家が、同じ少年を追って、きわめて短期間のうちに書いた二作が、どうしてこれほどまでに違うのか？　テロリストが生まれる「瞬間」を書くという無謀ともいえるチャレンジの内奥に、さらには後にノーベル文学賞を受賞することになる文豪の「呪われた作品」がはらむ鋭角な現代的意義に、迫ってゆくための扉はおそらくここにある。

はじめに私の答をいっておこう。「政治少年死す」の晦渋《かいじゅう》は、「セヴンティーン」の牧歌性への自己批評として要請された。あたかも、「飼育」や『芽むしり仔撃ち』の幸福な牧歌性から手を切り、苦悶と暴力にみちた現代社会という荒野へ歩みだしていった作家のはるかな道程を先取りし凝縮するかたちで。その意味で、「セヴンティーン」「政治少年死す」の連作は、大江健三郎の巨大な文学的営為の、まさに核心にある。[1]

2　性的人間／政治的人間

「セヴンティーン」の「おれ」は、まずはオルガスムの自己閉鎖回路たる「自瀆《じとく》」に憑かれた愚かな少年として読者の前に姿をあらわす。

おれはいつでも勃起しているみたいだ、勃起は好きだ、体じゅうに力が湧いてくるような気持だから好きなのだ、それに勃起した性器を見るのも好きだ。おれはもういちど坐りこんで体のあちらこちらの隅に石鹼をぬりたくってから自瀆した。十七歳になってはじめての自瀆だ。

鍵をかけた風呂場でひとり性器を愛撫する「おれ」は、「孤独で静かで幸福な目眩の深淵」のさなかで呻《うめ》き声をもらし、「おれの精液の運動をおれの掌いっぱいに感じ」ることで、快楽の与え手と受け手が自己の内部でぴたりと一致する至福を味わう。だが、自己が自己の内部から快楽を汲みあげるオナニズムは、自己が自己から快楽を搾《しぼ》りとる暴力でもある。ポテントなおのれを消尽してたちまちしょんぼりと萎えた「おれ」は、自分の猥褻さを嘲笑しその醜悪さを指弾する他者たちの眼を想像せずにはいられず、精液にまみれた裸を彼らに無防備にさらしているように感じて、恥辱に身を灼《や》かれる。勃起と射精がもたらす束の間の全能感《オムニポテント》は、「おれにはこの世界が他人のもので、自分にはなにひとつ自由にできないと感じられる」という持続的な不能感《インポテント》と切り離せない。

男根の勃起と萎縮のリズムに自らの存在の明滅をぴたりと同期させる一方で、「政治ときたら何から何まで他人どもがやる仕事だ」と独りごちる語り手の姿には、「セヴンティーン」連作執筆時期の前年（一九五九年）に発表された重要なエッセイ「われらの性の世界」で提起された「性的人間」／「政治的人間」というダイコトミーが、あからさまなかたちで投影されている。大江自身の説明を引く。

政治的人間は他者と硬く冷たく対立し抗争し、他者を撃ちたおすか、あるいは他者を自己の組織のなかに解消して、その他者に他者であることをみずから放棄させる。（中略）

逆に**性的人間**はいかなる他者とも対立せず抗争しない。かれは他者と硬く冷たい関係をもたぬばかりか、かれにとって本来、他者は存在しない。かれ自身、他のいかなる存在にとっても他者でありえない。（傍点とゴチックは原文）

他者との厳しい対立を本質とし、絶対者を拒絶する「政治的人間」。なすすべなく他者に同化し、絶対者に屈従する「性的人間」。この二類型は個人のレヴェルだけでなく社会や国家のレヴェルにまで敷衍《ふえん》しうる。アメリカという強大な牡《オス》に徹底的に隷従する戦後日本は性的人間の国家にほかならず、そのなかで生きる若い作家として、政治的人間の闘争力を去勢された日本の青年たちの「不幸」をリアルな性的イメージをつうじて描く。これが自分の目的であり方法であると大江は宣言する。

このとき見落としてはならないのは、一見したところ相互排他的な対概念のように思える二類型が、引用部で**性的人間**だけがゴチックとなっていることが端的に証しているように、根本的な非対称性をかかえているということだ。両者は、安手の日本文化論などで語られる西洋的な個人主義と日本的な集団主義といった対立とはまったく異なっている。そうした日本文化論は、個人の自由や責任よりも集団性を重視する点に日本の特質を見て、それを西洋近代からの遅れと非難するか、逆にウルトラモダンな美質と称揚するか、あるいは価値中立的な差異ととらえるという退屈なパターンを倦《あ》かず反復する。大江自身も、性的人間の集団と化した安保体制下の日本に、成熟した個である政治的人間が出現することへの期待を隠しておらず、その意味で大江も凡庸な日本文化論に足をとられているようにも見える。だがその印象は誤っている。

「性的人間」／「政治的人間」は、抽象的でスタティックな概念ではなく、文化や個人の「かたち」そのものを創りだしては解体する、ダイナミックで具体的な欲望の流れを指しているのだ。そして大江にあっては「性」へむかう欲望こそが根源的であり、「政治」への欲望はそこから二次的に浮かびあがってくる幕間劇《インタールード》にすぎない。さきの引用からみちびかれる奇妙な帰結はこうだ。性的人間が誰にとっての他者にもなりえない以上、政治的人間は政治的人間としか対立できない。その意味で彼は有限かつ相対的な存在にすぎないが、性的人間は同じ性的人間ばかりか、政治的人間の硬さや冷たさをもスポンジのごとく吸収してしまう絶対的なフレキシビリティをひめている。たとえていえば政治的人間は、おのれと対峙しうる強力な敵をさがして荒野をさまよう、鎧《よろい》に身をかためた騎士のような存在である。しかし、つぎつぎに敵を撃ちたおしてゆく冒険の果てに、孤高の騎士はもはや自分が闘うべき相手を失い、ひたすら快楽のみに溺れるスライムのような群衆に四方を包囲されているのを見る。そのとき彼が剣を捨て、性的人間の群れへ融け入ってゆく欲望に屈服しないといえるだろうか？　こういってもよい。ひとは鎧をまとわずにいることはできる。だが、快楽を脱ぎすてることはできない。政治的人間はつねにアモルフな快楽への誘惑にさらされているのだ。大江も認めているとおり、無謬《むびゅう》のはずの共産党に率いられたソ連や中国の人民でさえ「政治的人間を志向しながら性的人間におちいる罠を自分の足もとにつねに用意しているのである」。

とはいえ、性的人間のプライオリティを強調するあまり、「性」の領域を無際限に拡大したり、そこに根源的な美を見いだしたりする錯誤は避けねばならない。「性」とは、最も端的にいいあてれば、身体の内部から発した多様な分泌物が突発的かつ大量に体外に流れでること以外のなにものでもない。この事実に異性愛とLGBTQ+といった区分は非関与だ。性的人間とは、マクロな観点においては自他の区別をなくしたどろどろの集団へ溶けていく存在だが、ミクロに見ればどろどろした分泌物を体内から体外へ間歇《かんけつ》的に放出しつづける存在の謂《い》いである。

「セヴンティーン」の「おれ」にとって躓《つまず》きの石は、「性」の本質的要件たるこの放出の間歇性にほかならない。「ああ、生きているあいだいつもオルガスムだったらどんなに幸福だろう」と嘆く「おれ」は、しかしその至福にはけっして手がとどかないのを知っている。どろどろした分泌物をたえまなく体外へたれ流す存在は、死者以外にありえないからだ。かといって「おれ」は、体内から間歇的にあふれだす液体を抑制することもできない。性的人間とは、自意識によるコントロールを越えた身体的な濁流に手もなく呑まれる者の名だからだ。体育の時間、八百メートル走を断トツのビリで駈けおえた「おれ」は、自分が苦しさのあまり小便をもらしてしまったことを、「森の嵐のようにどよめく全世界の他人どもの嘲笑のなかで」発見する。とはいえ、小便をいつまでもしないですますことのできる人間は、これまた死者以外にありえない。

「政治的人間」の鎧が希求されるのは、ここにおいてだ。体内からあふれでるどろどろした粥《かゆ》状の流れを堰《せ》きとめると同時に、他者のまなざしに屈服し、その蔑視と嘲笑に心身をつらぬかれてしまうのを妨げる堅固な鎧。それが《右》の鎧である。同級生の誘いでサクラとして参加した皇道派の演説会で、逆木原国彦の怒号に感応した「おれ」は、突然の歓喜におそわれて身震いする。

おれは《右》だ！　おれは他人どもに見つめられながらどぎまぎもせず赤面もしない新しい自分を発見した。いま他人どもは、折りとった青い草の茎のようにじゅくじゅくと自瀆で性器を濡らす哀れなおれ、孤独で惨めなおどおどしたセヴンティーンのおれを見ていない。おれを一目見るやいなや《なにもかも見とおしだぞ》といっておれを脅かす、あの他人の眼で見ていない。大人どもはいま独立した人格の大人同士が見あうようにおれを見ている。おれはいま自分が堅固な鎧のなかに弱くて卑小な自分をつつみこみ永久に他人どもの眼から遮断したのを感じた。《右》の鎧だ！

ドゥルーズ＝ガタリ『アンチ・オイディプス』のインパクトのもと、思想や文学やプロパガンダといった文字テクストはもちろん、映画・絵画・ポスター・マンガなど雑多な資料を渉猟しながら、ワイマール共和国から第三帝国にいたる《右》の男たちの歪んだ心身を分析したクラウス・テーヴェライトは、『男たちの妄想』において以下のように指摘する。幼時に母親からの分離に失敗し、どろどろした得体のしれない流れに呑みこまれる不安に蝕《むしば》まれた「生まれきらない男たち」にとって、ワイマール共和国は「赤い洪水（共産主義の脅威）」と「赤い看護婦（娼婦による汚染)」に浸された怖ろしい「泥沼」でしかない。だがその「泥沼」は、男たち自身の下半身の開口部からあふれだす分泌物や排泄物とその不浄さによってつながっている。したがって白色テロルに身を投じるファシスト兵士たちは、屹立する壁(国防軍の戦車)や柱(ナチ党大会のサーチライト)といったつねに勃起状態にある超越的な男根に同一化することで、外部から押しよせるアモルフな流れを堰きとめようとする。同時に、脆弱な自意識に《右》の鎧(SSの黒い制服)をまとわせることで、体内から流れだす汚水がもたらす不潔な快楽から身をまもり、自らを乾燥した清浄な状態にたもとうとする。

ファシズム分析の古典とされる大作『男たちの妄想』が西ドイツで出版されたのは一九七七年だが、それより二十年近く前に大江健三郎は、「皇道派の制服はナチスの親衛隊の制服を模したものだが、それに身をかためて街を歩く時も、おれは激しい幸福感をおぼえ、甲虫のように堅牢に体いちめんに鎧をまとい、他人から内部の弱く傷つきやすい不恰好なものを見られることがないのを感じると天国にのぼったような気持がした」とテーヴェライトの主張を先取りして書くことができた。また、テーヴェライトの影響のもとで書かれたジョナサン・リテルの『慈しみの女神たち』は、進撃する国防軍の背後で治安維持の名目のもと百万人規模のユダヤ人や共産党員を虐殺したアインザッツグルッペンの一員としてロシアを転戦し、スターリングラードの転機以降はヒムラー直属の監察官としてアウシュヴィッツでのガス殺を見とどけたSS将校マクシミリアン・アウエを語り手にすえることで、「虐殺者の言葉」を捏造したと映画『ショア』の監督クロード・ランズマンらに厳しく批判されたが[2]、この問題作の半世紀近く前に、日本の若き作家の想像力は、つとに「虐殺者の言葉」のはらわたにつかみかかっていたのである。

驚くのはまだ早い。「セヴンティーン」において、《右》少年の誕生を「性的人間」から「政治的人間」へのダイナミックな変身のうちに描ききった大江は、「政治少年死す」でその変身を自ら突き破り、性と政治のダイコトミーを引き裂くような痙攣《けいれん》的な跳躍へと踏みだしてゆくのだ。「政治少年死す」は「セヴンティーン」にむけられた自己批評であるというすでに述べたテーゼの核心には、つぎの一語が位置している。「暗殺者的人間」。「政治少年死す」のクライマックス、進歩党委員長暗殺と独房での自死にはさまれた8節に突如飛来するこの奇怪な造語が、連作全体の読解の重要な鍵である。

暗殺の成功後、独房で「おれはすでに右翼の子である証拠をえた、そしてあとにはもう、天皇の栄光とおれの至福があるばかりだ」と考える「おれ」の閉じられたファンタスムに、もはや現実や歴史はなんの力も行使しえないかに見える。だがむしろ、このすべてが終わったはずの地点から、真の「変身」がはじまるのである。「暗殺者的人間」について省察する「おれ」が最初に想起するのは、三十年前にピストルで政治家を射殺した伝説的な暗殺者の暗鬱な風貌だ。「暗殺者的人間」とは、暗殺という不可逆的な暴力に手をそめた者を指している。ここにはしかし奇妙な冗長性がある。たんに「暗殺者」と呼べばいいものを、なぜあえて「暗殺者的人間」などというのか？　この謎は、「政治少年死す」では一度も使われていない「性的人間」／「政治的人間」の両概念を思考の場に召喚することを通してしか解きえない。

「暗殺者的人間」は単独者であり（取調で「おれ」は「独りぽっちでやったということが、誰にでもなく私にいちばん重要なことなんです」と強調する）、他者を攻撃し死にいたらしめた点で、他者に隷従する「性的人間」の群れとは対極にある。同時に彼は、すでに敵をこの世から永遠に消し去ってしまったという点で、他者との対立を本質とする「政治的人間」とも決別している。自瀆の閉鎖回路に耽る「性的人間」が、《右》の鎧をまとって怒号する「政治的人間」を経て、法を超出した単独者たる「暗殺者的人間」へと変貌した。――「おれ」の軌道は〈即自－対自－即対自〉と運動する弁証法のフレームにきれいに収まるかに見える。

だが弁証法のつねとして、この整ったフレームからは「おれ」にとって本質的な過剰ないしは欠如が殺《そ》ぎ落とされている。孤独な省察をはじめるやいなや「おれ」がとり憑かれてしまう不安を、このロジックは捨象しているのだ。「暗殺者的人間のバッジ」をつけたまま生きつづけることの困難さについて、伝説的暗殺者は夢のなかで「おれ」に警告する。

> ある朝、眼がさめてみたら甲虫になっていたという小説をカフカというユダヤ人が書いているんだが、私も、ある朝、眼がさめてみたら暗殺者的人間でなくなってしまっているのじゃないかと、そればかり惧れてきたねえ。暗殺は一回こっきりだから、いったんなくしたバッジをとり戻すことはできない。あいつは臆病だ、とか、あいつは忠義でない、とか、あいつは色魔だ、とかそんな評判ひとつで暗殺者的人間でなくなるんだからねえ、気をつけてくださいよ！（傍点は原文）

大江がカフカに言及するのは珍しく、この一節を安易に読みとばすわけにはいかない。柄谷行人はカフカの作品世界の「リアルさ」は、読者から客観的な距離を奪いとり、ものの絶対的な現前に直面させることから生じるといっている（「夢の世界」）。「距離」は「因果」といいかえてもよい。「変身」が荒唐無稽な話でありながら異様なリアリティを感じさせるのは、突然「甲虫」に変身したザムザも、その変わり果てた姿を目撃した家族も上司も下宿人も、誰ひとり「なぜ？」という問いを発することなく、「甲虫的人間」の出現という不可解な偶然をまるごと肯定したうえで、ただやみくもに行動しているからだ。天皇にたいする至誠の結果として自らのテロルを肯定しようとする「暗殺者的人間」にとって、ある朝、眼がさめてみたら「甲虫＝政治的人間」や「色魔＝性的人間」になんの理由もなく変身している危険があることは、自らのアイデンティティを根こそぎゆらがせる悪夢である。だが現実のなかで生きる、歴史のなかで生きるということは、「距離」や「因果」を欠いたまったくの偶然性に身をさらし、それをそのまま呑みこんだうえでやみくもに行動することにほかならないではないか。

ならば、偶然の変身につねにすでに脅かされている「暗殺者的人間」にとり、自己をまったき成就にみちびく唯一の道は、自死以外にない。「おれはヘマもやってすぐに暗殺者的人間のバッジをなくすだろう」と身悶える少年は、「自殺しよう、おれは汚らしい大群集を最後に裏切ってやる」と誓う。テロルのあとの余生は、自らのテロルの至純至誠を蝕む毒でしかないという思想は、浅沼委員長刺殺後すぐに同じ刃で自決する決意を固めていたという山口二矢の胸中にもあっただろう。敵に一撃をあたえると同時に自分も死ぬというファナティシズムは、その究極の形態ともいえる神風特攻隊にたいする山口の共感（自殺当日の供述調書に「大東亜戦争で国のため子孫のため、富や権力を求めず黙って死んで行った特攻隊の若い青年に対し、尊敬しております」とある）を説明する。やはりカミカゼを賞賛していたと伝えられる9・11同時多発テロの実行犯にも、あるいはヨーロッパや中東で射殺覚悟で銃を乱射したりためらいもなく自爆ベルトに点火したりするテロリストたちにも、同じファナティシズムが分けもたれていることに注意を喚起しておこう。他殺と自殺が合一してはじめてテロルが完成するとみなす「暗殺者的人間」の思想は、特攻隊の凄惨な記憶へと遡行しつつ、「政治少年死す」のクライマックスで激しくハレーションして、二十一世紀の現代へと飛び散っているのだ。

　自殺したらどうなるのか？　「おれの右翼の城、おれの右翼の社、それは永遠に崩れることがない、おれは純粋天皇の、天皇陛下の胎内の広大な宇宙のような暗黒の海を、胎水の海を無意識でゼロで、いまだ生れざる者として漂っているのだから、ああ、おれの眼が黄金と薔薇色と古代紫の光でみたされる、千万ルクスの光だ」（傍点は原文）という、暗黒と光輝、宇宙大と無限小の両極に引き裂かれたイメージが「おれ」をみたす。ここでもテーヴェライトのキーワード「生まれきらない男たち」を先取りするかのような「いまだ生れざる者」という言葉が見えるが、ひとまずそれは措《お》く。外部から圧《お》しよせる共産主義の赤い奔流と、内部から間歇的にほとばしる分泌液に汚染されないために、「おれ」は《右》の鎧をまとったのだった。暗殺によって唯一無二の光輝をおびた鎧は、しかし泥沼のような現実のなかで不断に劣化し、錆びついてゆく運命を避けられない。鎧の光輝をたもつためには、まずは精液や糞尿を体外にたれ流すことのない存在へと変容しなければならない。つまり死なねばならない。しかしたんなる死体であれば、迫りくる赤い怒濤にたやすく呑みこまれてしまうだろう。だから「暗殺者的人間」は死んではならない。彼はつねに勃起し、永遠のオルガスムのうちに屹立しつづけなければならない。「天皇」という一語が発せられるのは、正確にこの地点である。超越者たる天皇のために死ぬことで、「おれが死んだあとも、おれは滅びず、大きな樹木の一分枝が枯れたというだけで、おれをふくむ大きな樹木はいつまでも存在しつづける」。――天皇制の胎内の清浄な海に、意識をもたない一匹の精虫として漂い安らうことで、「暗殺者的人間」は他者たちのまなざしに屈服する怖れから最終的に解放されるのだ。

ひるがえって、そもそも天皇制とは万世一系の血のつながりにのみアイデンティファイされた制度であった。天皇制の本質は「性」なのである。その「性的制度」はしかし、ときに隠微で潜在的な、ときに激しく顕在的な力を歴史の舞台で発揮しつづけてきた「政治的制度」でもあった。「性」と「政治」を交差させつつもそれらを超出する単独者たる天皇に、「性」と「政治」に足もとを脅かされつつもそれらから逃れて単独者たらんとする「暗殺者的人間」が吸引されるのはなんら不思議ではない。天皇のために殺し天皇のために死ぬことで、歴史と超歴史のはざまに揺曳《ようえい》する天皇制の胎内で永遠のオルガスムを享受する。これが「暗殺者的人間」がたどりついた決着であった。

だが、ここで終わりではない。まだ私たちの眼前には、あからさまな謎が書きつけられたままだ。「純粋天皇」。これはいったい、なんなのか？　歴史的事実としての天皇制と、あるいは個々人としての天皇と、「純粋天皇」はどのように重なっているのか？　あるいはいかなるズレをはらんでいるのか？

その謎に迫るためには、「セヴンティーン」「政治少年死す」を再読し、この連作に秘められた多様な問題系を丹念にたどりなおす必要がある。

3　恥辱／暴力

特定の文字や語や名前にたいするマニアックな嗜好を大江文学の特質のひとつとしてあげることに異論を唱える者はあるまい。[3]「セヴンティーン」「政治少年死す」連作の読解においてフォーカスすべきは、初期から中期の大江作品へ大量に散種されている「恥辱」という文字／語のフェティッシュな反復である。「恥じる」「辱め」「屈辱」「羞恥」「はずかしい」など種々に変異しつつも、核となる遺伝子は保持しつづける「恥辱」という文字／語のテクストへの出現回数をカウントしたのが**表2**である。

デビュー直後に書かれた「人間の羊」は、アメリカに支配される戦後日本の状況を、外国兵の暴力的なまなざしへ裸の尻を曝《さら》して屈従する日本人の群れというグロテスクなイメージに結晶させた、驚くほど完成度の高い作品である。ぶ厚い肉塊のまんなかに深い溝が穿《うが》たれ、奥に暗く匂う穴を息づかせている「尻」という巨大な性的器官をテクスト表面へ執拗に剝《む》きだすことで、性

表2

タイトル	発表年	頁数（枚数）	回数	回数／頁
人間の羊	一九五八	14（約40）	18	1.29
セヴンティーン	一九六〇	36（約110）	30	0.83
政治少年死す	一九六一	49（約150）	13	0.27
個人的な体験	一九六四	145（約430）	67	0.46
万延元年のフットボール	一九六七	232（約700）	96	0.41

＊「頁数」は『大江健三郎全小説』（講談社）による。「枚数」は「頁数」から概算した四百字詰め原稿用紙枚数を指す。

的人間の国家たる戦後日本の閉塞を寓意しようとした「人間の羊」には、じつに一頁に平均一回以上の頻度で執拗に「恥辱」が刻みこまれている。他方、『個人的な体験』と『万延元年のフットボール』は、大江文学中期の豊饒きわまる開始を告げるメルクマールであるとともに、数多い大江作品のなかでも最高の文学的達成を誇る傑作としてノーベル文学賞受賞の契機ともなった長篇だが、なるほど「人間の羊」には及ばないにせよ、平均して二頁に一回近く出現する「恥辱」の夥《おびただ》しい散種は、当の文字／語にたいする大江の並みならぬ執着をうかがわせるに足るものだ。

これらの長篇において見逃せないのは、激しい暴力が突発する前後に、あたかもその暴力を準備し、挑発し、煽動するように「恥辱」が紙面を跳梁《ちょうりょう》していることだ。『個人的な体験』では、主人公の鳥《バード》が〈二つの頭部〉というわが子にくわえられた理不尽な暴力に直面するシーンや、栄養を断って死なせるという医師の提案に消極的に同意するシーンや、延命のための外科手術を積極的に拒むシーンに、「きわめて個人的な熱い恥の感情」「恥かしさの感覚の癌」「熱い恥かしさの感覚の炎の輪」といった言葉が赤あかと鏤刻《るこく》されている。『万延元年のフットボール』でも、語り手の根所蜜三郎が肛門に胡瓜をさしこんで縊死した友人を回想するシーンや、谷間の住人たちが朝鮮人の経営するスーパーマーケットを略奪するシーンや、蜜三郎の弟・鷹四が妹との近親相姦を告白するシーンで、「兇暴な恥辱感」「『恥』という言葉の罠」「激甚に恥じながら」といった苛烈な表現が暴れ狂っている。

創作だけでなくエッセイや社会的発言においても一貫して暴力の問題を追究してきた大江にあって、不条理な暴力の突発を縁どる言語的符牒は、なるほどその長いキャリアの初期から中期、そして後期にかけて見逃せないズレをはらんでいる。人間というものの脆《もろ》さや愚かさを深く恥じいる「恥／痴」から、**壊す人**への懐かしさが狂気へと振れてゆく「壊／懐」へ、さらには根拠地での魂をめぐる葛藤と破局を象徴する「根／魂」に至るといったふうに、その遷移を図式的に整理することもできよう。だが後期作品においても、たとえば『取り替え子《チェンジリング》』で吾良の天衣無縫な美しさを破壊した「アレ」と呼ばれる秘密や、『水死』におけるウナイコの強姦と堕胎といった受難の語りには、あからさまに書きつけられてはいないにしろ、初期・中期において大江的暴力を燃えあがらせてきた「恥辱」がいわば無声音で吹きこまれているように感じられる。

それを踏まえて**表2**をふりかえると、奇妙なことに気づく。《右》の暴力への覚醒を描く「セヴンティーン」はなるほど「恥辱」の濁流に呑まれている。だが数多《あまた》の大江作品中、最も生々しく暴力《テロル》の核心に迫っているはずの「政治少年死す」にあって、暴力の着火剤たる「恥辱」の濃度は、「人間の羊」や「セヴンティーン」はおろか、『個人的な体験』や『万延元年のフットボール』にくらべても有意に低い。だがこの一見奇妙な事実こそが、さらに先へすすんでゆくためのジャンピングボードである。

＊

「恥辱」についてアガンベンはこう書いている（『アウシュヴィッツの残りのもの』）。

恥じることが意味するのは、つぎのことである。すなわち、引き受けることのできないもののもとに引き渡されることである。しかし、この引き受けることのできないものは、外部にあるものではなく、まさにわたしたちの内密性に由来するものである。それは、わたしたちの内部の奥深くにあるもの（たとえばわたしたちの生理学的な生そのもの）である。

古代ギリシア人は、言語《ロゴス》とともにある人間的な生を「ビオス」と呼び、たんに生理学的に生きているだけの状態を指す「ゾーエー」と区別した。百万人もの人びとが虐殺され、生存者も心身にけっして癒えることのない傷を負わされたアウシュヴィッツは、収容者たちからビオスを暴力的に奪い、彼らの生を剝きだしのゾーエーへおとしめる地獄だった。

ゾーエーに還元された生、アガンベンがベンヤミンの「暴力批判論」から借りた術語では「剝き出しの生 das bloße Leben」の極限的な形象が、収容所の最深奥に棲まう回教徒《ムーゼルマン》 Muselman である。回教徒《ムーゼルマン》とは、収容所の苛酷きわまる現実に疲弊し、もはや言葉も意志も活力も失ってただ死へと摩耗してゆくのを待つばかりとなった存在にあたえられた名である。なぜこのような奇妙な名があたえられたのか、確かなところはわかっていない。だがこの名づけにおいて「恥辱」の感覚が働いていたことは疑えない。なぜなら、収容所を生きのびた者たちは口をそろえて回教徒《ムーゼルマン》を誰も見たがらなかったと証言しているからだ。回教徒《ムーゼルマン》は見る者に耐えがたい「恥ずかしさ」を感じさせたがゆえに、彼らを見ることを誰もが拒んだのだ。

この「恥辱」の底知れぬ深さを示すため、アガンベンはつぎの事例を挙げている。ナチスの残虐をドイツ人たちに見せつける目的で解放直後のベルゲン・ベルゼン収容所に入った英軍のカメラマンが、放置された何千もの惨殺体を克明に撮影するうちに、まだ生きている回教徒《ムーゼルマン》らしき存在を一瞬フレームにおさめた。だが、正視に堪えないというようにすぐさま死体の山へカメラをそらしたのだ。虐殺されたユダヤ人の死体の山はナチスの蛮行への批判と悔悛をうながす。だが、言葉と顔を失いつつもなお生きている回教徒《ムーゼルマン》は、見る者に耐えがたい恥辱を強いる。なぜか。タマネギの皮を剝《む》くように私たちから言葉を剝《は》ぎとってゆくと、うつろなその芯に、声もなく意識もない盲目的なケモノの生が剝きだされる。そのケモノこそが「私」の生の最も深いところにひそむ「私」、「私」以前の「私」なのだ。生のうつろな芯たる回教徒《ムーゼルマン》は、この引き受けがたい「非 - 私」を引き受けよと見る者に無言で迫ってくるのだ。

言語活動と人格《ペルソナ》＝仮面の現われによって画される公的領域においてのみ、真の主体化の経験がおとずれるとアーレントは考えた。逆にいえば、言葉も顔もない、たんに人間のかたちをしたケモノといった存在は、人間の生の私的領域への切りつめの極北として――ケモノの向こうには死体というモノしかない――脱主体化の限界である。しかし生還者と回教徒《ムーゼルマン》の邂逅、言語と「剝き出しの生」の交差点、主体化と脱主体化の臨界面、人間への生成変化と動物への生成変化の閾《いき》には、引き受けがたいものを引き受けよと迫りくる耐えがたい「恥辱」とともに、引き受けがたいものを引き受けようとする「証言」の可能性が生じるとアガンベンは主張する。アウシュヴィッツについて人間が語ることはできない。むろん非 - 人間はなにも語りえない。だが、もはや人間とはいえない、かといって非 - 人間と割り切ることもできない余剰、すなわち「残りのもの」が、ビオスとゾーエーの狭間に眼に見えぬ破線で書かれている。そこにこそ、「証言する」という能動態でも「証言される／証言させられる」という受動態でもなく、「証言という出来事が生起する」といったかたちで中動態的にしか語られえない言語の根源的なトポスを発見しようとするアガンベンの分析は、アウシュヴィッツをめぐる膨大な書物の群れのなかで、掛け値なしに最も貴重な数頁だろう。

しかし、ハイデガーがいうように「恥ずかしさ」が人間存在の根源的情態性なのだとしたら、それはアウシュヴィッツのような特異点にだけ関与しているとはいえまい。卑近な例をあげよう。両親のセックスをたまたま眼にした子どもは耐えがたい「恥ずかしさ」に襲われないだろうか？　オナニーの現場を母親に見られた息子は死にたいほどの恥辱にふるえないだろうか？　この「恥ずかしさ」は、親子という最も親密で最も人間的な関係が、言語以前のケモノじみた生／性と結びついているという「剝き出しの事実」を突きつけられるところに生じる。ビオスの外壁が突き破られ、人間の内奥に蠢《うごめ》くゾーエーが自他のまなざしのもとに暴きだされるのである。

「セヴンティーン」はこうした「恥ずかしさ」に、読む者が辟易《へきえき》してしまうほどのしつこさで喰らいついてゆく。家族に見られぬよう風呂場に鍵をかけてオナニーに耽る「おれ」は、「自瀆することを他人に知られることの死にたいほどの恥ずかしさ」に身を焦がしている。だがこの恥辱感はいくつもある感情のうちのひとつではなく、「おれ」の根源的情態性なのだ。なぜなら「おれ」は、いつかどこかで誰かに自瀆を見られるかもしれないと怖れているのではなく、つねにすでに世界中の他人に自瀆を見られてしまっているという屈辱のなかで生きているからだ。「おれのことを、他人どもは、あいつは自瀆常習者だ、あの顔の色やら眼のにごりを見ろよなどといって、厭らしいものでも見るように唾を吐いて見ているのだろう」と絶望する「おれ」は、しかし他者のまなざしにたいする恐怖からひとときでも逃れるために、さらに自瀆に耽らざるをえない。オカズとして「おれ」が思いえがくのは、「父親と母親がうんうん唸りながらやっている」場面であり、「あいつらの尻の穴は二つともまるはだかで臭いぬくもりのある蒲団のなかの空気にじかにふれて嬉しがっているのだ」という、普通の神経ならあまりの「恥ずかしさ」にかえって性欲が萎えきってしまうようなイメージである。「おれ」は両親の性交という自分がけっして見たくないものを、見たらおのれの欲望が消し飛んでしまうものを、激しい恥辱に身を灼かれるためだけに自瀆の場に召喚しているのだ。前節で見た性的人間とは、こうした恥辱の収容所に棲《す》まう動物の謂いである。聞きかじりの左翼的な言説を弄《ろう》しては、自衛隊で看護師をしている姉にあっさり論破される「おれ」は、言語が開示する政治的空間へと歩みでることができない以上、ビオスを奪われた剝きだしのゾーエーとして恥垢まみれでのたうちまわるほかはない。

この恥辱の収容所から逃れるすべは二つある。一つめは、言葉を獲得して政治的人間に生まれかわることだ。「おれ」が主体化のきっかけを得たのは、皇道派の逆木原国彦の街頭演説で《右》の言葉に打たれたことだった。「あいつらの糞野郎めがだよ、国を売る下司の女衒の破廉恥漢がだよ、日本の神の土地の上に家をたてて女房子供をやしなっているのはおかしいじゃないか？ソ連・中共のけだものの国に行って日本人廃業すればいいじゃないか、おれはとめないよ、けつを蹴とばしてやるよ」と下劣な言葉で左翼を攻撃する逆木原の演説が、「すべておれ自身の内心の声だった、おれの魂が叫んでいるのだ」という啓示をもたらした。虐げられた「魂」の「証言」を、「おれ」の代わりに逆木原が叫んでくれたのだ。もちろん、ケモノに切りつめられた性的人間に「魂」などあろうはずもない。「魂」はもともと「おれ」の内部に存在したのではなく、逆木原によって外部から吹きこまれたガジェットにすぎない。ともあれ、《右》の言葉で自らを鎧った「おれ」は、「自瀆している自分を見つけられたなら恥辱のあまり自殺するだろう」という強迫観念と手を切ることに成功する。トルコ嬢の眼前に勃起した男根を突きつけ、歓喜のうちに精液をほとばしらせた「おれ」は、完全に他人の眼を克服したことを自覚する。

恥辱の収容所から脱出するもう一つのすべは、暴力である。その道は、さしあたりまずは、自瀆を嘲笑う不特定多数の他者へむけられた粗雑で幼稚な殺意というかたちで予感されている。「殺してやりたい、機関銃でどいつもこいつも、みな殺しにしてやりたい、ああ、おれに機関銃があったらなあ！」と鏡のまえで独りごちる「おれ」、物置に閉じこもって短刀で暗闇をめった突きしながら「おれの敵はどこにいるのだ、殺してやるぞ、殺してやるぞ、えい、えい、やあっ！」と気合いをかける「おれ」は、しかし機関銃などどこを探しても手に入るはずがなく、刺し殺すべき敵など見つかりっこないと諦めている。この未熟でアモルフな殺意をリアルな世界へと水路づけたのが、逆木原の怒号だった。「あいつらは売国奴だ、恥しらずでおべっかつかいで二枚舌の無責任で、人殺しで詐欺師で間男野郎で、ヘドだ。おれは誓っていいが、あいつらを殺してやる、虐殺してやる、女房娘を強姦してやる、息子を豚に喰わせてやる、それが正義なのだ！」。この暴言に奮いたった「おれ」は、安保闘争の国会デモに突入し、「学生どもにむかって憎悪の棍棒をふるい、女どものかたまりにむかって釘をうちつけた敵意の木刀をたたきつけ」る《右》の狂犬へ、ほとんど一夜にして変身をとげる。

恥辱に内閉する性的人間から、現実とむきあい他者と闘争する政治的人間へ。こうしたブレイクスルーの惨めな「挫折」が、『われらの時代』をはじめとする初期作品のオブセッションとなっているのを見るのはたやすい。この閉塞感をブレイクスルーの「成功」によって打ち破るのが、大江の中期作品の特徴だということもできよう。三島由紀夫が揶揄した『個人的な体験』の「ハッピーエンド」とは、「鳥《バード》」のブレイクスルーのいささか唐突な「成功」を指しているし、『万延元年のフットボール』の結末の、施設へあずけていた障害児を引き取りつつアフリカで通訳の仕事をするという蜜三郎の決断も、傷だらけではあるがやはり同種の「成功」を奏《かな》でている。無力な「羊」がこうむった恥辱を告発するはずの「証言」が流産してゆくさまを描く「人間の羊」。飛べない「鳥《バード》」や穴に隠れる「ネズミ」が、障害をもった息子や自死した弟のための「証言」を引き受けるまでの困難な道程を描く『個人的な体験』と『万延元年のフットボール』。恥辱と言葉、動物と人間、ゾーエーとビオスをめぐる「挫折」と「成功」を鏡像のようにうこれら初期と中期の作品群を、裏面でつないでいるのが暴力である。外国兵の横暴を警察に届けでようという教員を恥辱のあまり殴りつける「羊」の暴力は、「鳥《バード》」や蜜三郎・鷹四兄弟をとりまく暴力と粘っこい目くばせを交わしあっている。その目くばせの中心に、言葉と暴力を綯《な》い合わせる《右》の翼によって恥辱から離陸してゆく「セヴンティーン」を置けば、それなりに一貫した批評的布置が結像するように見える。

だが、それは虚像にすぎない。「セヴンティーン」のかたわらに「政治少年死す」を挿入してみれば、この批評的布置はすぐさま脱構築されざるをえないからだ。先に**表2**で確認したように、「政治少年死す」では「恥辱」という文字／語の使用頻度が他の作品より、とりわけ前篇である「セヴンティーン」にくらべて有意に低い。これは言葉と暴力によるブレイクスルーが「成功」した結果だと考えたくなる。だがテクストに眼をこらせば、「セヴンティーン」における「恥辱」と、「政治少年死す」における「恥辱」は、その座を大きく転換していることに気づく。それにともなって〈恥辱－言葉－暴力〉の三つどもえの関係も鋭く変容しているのだ。まさにこの転換こそが、「政治少年死す」に半世紀以上もの封印を強いたのである。

＊

「セヴンティーン」における「恥辱」は「おれ」の根源的情態性だった。その惨めな閉域から脱出するために、「おれ」は《右》の言葉と暴力を手にしたのだった。「政治少年死す」ではしかし、「恥辱」はもはや「おれ」の属性ではない。それは《左》の、「裏切り者」の、ひいては「戦後日本」そのものの惨めな堕落を決定づける証憑なのである。

以下にいくつか抜き書きしてみよう（数字は『大江健三郎全小説3』の頁数。傍点は原文、ゴチックは引用者）。

a　《愛国者諸君、あの全学連どもは、**恥知らず**、暴力団と叫んでいるぞ！》（58）

b　《原爆資料館の日本民族の**恥**をさらす醜怪な写真その他を見るにつけても、天皇陛下にこのようなケガラワシイものをお見せしてはならぬ、広島行幸を一身をカケてもおとめしなければならぬ。決心固くいたしました》（63）

c　「介錯役さえ許されていた盟中の一人が無断で脱走脱落したんだ、十四烈士は水のごとく淡々として一点の動揺もおこらなかったがねえ。その野郎はどぶ鼠のようになあ、いまも日本の隅っこで**恥辱**に震えながらこそこそ逃げかくれているだろうよ」（72）

d　**汚辱感**のなかの糞だらけの戦後（80）

e　天皇のために**恥辱**を準備する売国奴を刺殺する、それはいうまでもない、天皇の栄光のためではないか（90）

aは、左翼団体が主催する「平和大会」を妨害するために広島へ乗りこんだ「おれ」たち青年行動隊を後押しする、街宣車のアジテーションである。全学連による「恥知らず」「暴力団」という叫びは、「恥辱」という負性を《右》の「おれ」たちはすでに「暴力」によって克服しており、いまや《左》のインテリこそが「恥辱」にまみれていることを示唆している。**c**は、山口二矢と同じく「烈士」として《右》から神格化されている、敗戦直後の大東塾による集団自決にふれた逆木原の講話である。覚悟の上の切腹から逃げだした「どぶ鼠」になすりつけられる「恥辱」の二文字は、十七歳で自決して果てた大東塾生・野村辰嗣と自らを同一視する「おれ」とは対極にある、卑劣な裏切り者の汚名である。**d**・**e**は、《左》や裏切り者の心身を毒々しい赤で染めぬく「恥辱」が戦後日本の総身に屍斑のようにひろがり、天皇を危うくしているという認識を示している。

だが、これら「敵」どもになすりつけられた「恥辱」の一覧表にあって、なんといってもショッキングなのは、被爆者を〈日本民族の恥さらし〉と愚弄する**b**である。「政治少年死す」の発表から二年後の一九六三年に、頭部に異常のある長男の誕生と広島の原水爆禁止運動を経験した大江が、障害をもった息子との共生という個人的体験を核時代の恐怖という普遍的状況へ結ぶかたちでライフワークを織りあげていったという誰もが知っているヒストリーと**b**の落差は、ほとんどスキャンダラスですらある。**b**は《右》の先輩に「おれ」が書き送った手紙の一節だが、これだけではすまないのだ。「政治少年死す」の4節には、原爆や被爆者にたいして、現在ネットに匿名で書き散らかされているような類いの「恥知らず」な暴言があふれている。「もし広島が赤どもの牙城になったならもう一度こんどはおれが原爆を投じてみな殺しにしてやる」「《毎年、原爆の日八時十五分に、平和大橋の巨大男根群に、ミルク一合ずつ発射させる装置たのむ》」「原爆にやられたぼろぼろ人間の写真を見て、こいつらよりおれが原爆のことをよく知っているんだと考え優越感をおぼえた」。——

こうした暴言に大江の本心を読むような愚か者はさすがにいまい。ここに大江の無意識を見いだそうとする批評も筋が悪すぎてまともに扱うに値しない。だが逆に、虚構なのだからなにを書こうが作家の勝手だとやりすごすのも愚かしさでは同断だ。批評が見るべきは、これらのスキャンダラスな言葉が、モデルとなった右翼少年の生死とはなんの関係もない被爆者への吐き気をもよおすようなヘイトスピーチが、テクストにどうしても書きつけられなければならなかった必然性だ。

被爆者に唾するような「ぼろぼろ人間」という嘲罵は、収容所の最深奥に棲まう者に投げつけられた回教徒《ムーゼルマン》という名と、字面や音感にこびりついた不快な感触において通じあっている。「醜怪」で「ケガラワシイ」と形容される「ぼろぼろ人間」は、天皇の眼がけっしてとらえてはならない「恥」である。彼ら悲惨な犠牲者が、なぜ日本の「恥」なのか。原爆の放った高熱と爆風と放射線によってタマネギの皮を剝《む》くように人間的生を剝《は》ぎとられ、ゾーエーといううつろな芯を剝きだしにせざるをえなかった被爆者たちは、回教徒《ムーゼルマン》と同じように、彼らの犠牲を忘却しつつ戦後をのほほんと生きている者たちに、引き受けがたいものを引き受けよと激しく迫ってくるからだ。敗戦の象徴である被爆者たちの「醜怪さ」「ケガラワシサ」は、日本人であることを誇りに思う「おれ」のアイデンティティの真芯にある「汚れ」だからこそ、下劣なヘイトスピーチで無限に遠ざけられなければならないのだ。

　原爆炸裂の時刻に数千もの男根オブジェがミルクを射精するというバカげた妄想は、「おれ」がいまでも根本的には幼稚なオナニストにとどまっていることを告げている。つまり広島で「おれ」が「日本民族の恥」と罵っている対象は、現実の被爆者というよりむしろ、自分がかつてそうであり、言葉と暴力によって抑圧しつつも、いまでも自分の内部におぞましいものとして触知せざるをえないケモノじみた「剝き出しの生」、すなわち「性的人間」なのである。「ぼろぼろ人間」という形象は、自らの内奥に抑圧したアブジェクションが、外部の他者へのプロジェクションというかたちで回帰したものにほかならない。「おれ」のほうが被爆者よりも原爆のことを知っているという冒瀆的な思いあがりも、「おれ」がいつどこで自瀆しようが見逃してはくれない他者のまなざしの全能性がたんに裏返されたものにすぎない。

こういってもよい。「セヴンティーン」の「おれ」を雷鳴のように打った逆木原の悪口雑言は《左》や《外国人》にたいするヘイトスピーチの凡庸な一例にすぎないが、「政治少年死す」で「おれ」が口にする被爆者の罵倒は、現在に至るまであらゆるヘイトスピーチを貫通している本質的機制――自らの内奥に抑圧した引き受けがたい「醜怪さ」「ケガラワシサ」を他者の本質として投影する――を暴露しているヘイトスピーチなのだ、と。

「政治少年死す」が《右》だけではなく《左》からも忌まれた理由はここにある。逆木原のヘイトスピーチには安心して耳を傾けることができる。それはたんに道具として使われた言葉だからだ。逆木原の言葉を裏返しにすれば、そのまま《左》の言葉として通用するからだ。そこでは言葉は話者に従属し、話者の政治的立場によって自らの色を変える道具にすぎない。だが、「おれ」のヘイトスピーチは政治的立場を問わず聞く者に吐き気をもよおさせる。それは言葉がどろどろの血だまりや臭いたてる糞便に変わるグロテスクな瞬間を、当の言葉を発した者と聞く者双方に突きつけるからだ。道具としての言葉が自壊し、言葉の「剝き出しの生」が露出してしまうからだ。二十一世紀の世界を席巻するヘイトスピーチが、政治的主張とはまったく非関与な、衆目のなかで大便をひりだしたりオナニーに耽ったりするにひとしい言語以前の汚物であることを「政治少年死す」ははるかに予見していた。だからこそ、政治的立場の左右を問わず誰からも嫌われたのである。

＊

このとき〈恥辱−言葉−暴力〉の関係はどうなるか？　暗殺前夜の心理的葛藤を描く6節を見てみよう。襲いかかってくる激しい恐怖に打ちのめされた「おれ」は、《右》の言葉と暴力を捨て、恥辱にみちた「性的人間」にもどることを夢想する。

おれは自瀆しようと性器をもてあそびはじめたが、それは百回の自瀆につかれてしまった物のように、決して息づき膨らみ硬くなり柿色をしてこない。青黒くぐにゃぐにゃと股倉のなかで**恥かしがっている**。（中略）おれは最低で、それは確かにおれの十七歳の誕生日の夜に似ていた、おれは怯えきったインポテのセヴンティーンなのだ（ゴチックは引用者）

だが「政治少年死す」は、〈性的人間→政治的人間〉という「セヴンティーン」の道筋を、〈政治的人間→性的人間〉とたんに逆回転させる作品ではない。前節で見たように「暗殺者的人間」へ変身してゆく作品だ。二作のあいだに深い断絶を刻んでいるのは、〈恥辱−言葉−暴力〉の布置の更新である。

「セヴンティーン」の「おれ（「おれA」とする）」は、恥辱の収容所から「言葉」と「暴力」という二重の脱出路を通って「政治的人間」へ変貌した。しかし「政治少年死す」の「おれ（「おれB」とする）」は、「おれA」の変身に、始まったばかりの2節において早くも欺瞞《ぎまん》を嗅ぎつける。「おれB」は、「おれA」を救ってくれた恩人であり《右》の「言葉」をあたえてくれた逆木原国彦を、もはや指導者というより偶像でしかないと断じる。そして「おれにとって偶像は直接に天皇であったから、右翼の偶像としての逆木原国彦は必要でなかった」とあっさり見かぎってしまう。百八十度の価値転換に見えるが、じつはこれは必然のコースである。理由は簡単だ。「言葉」と「暴力」はそもそもたがいに相容れない異物だからだ。もちろん「言葉の暴力」は存在する。「言葉」は人間を深く傷つけ、ときには悲惨きわまる死へと至らしめる激しい力をひめている。だがやはりそれは物理的な「暴力」とは本質的に異なっている。誰かを刃物で刺すという行為そのものは、いかなる意味でも「解釈」ではありえない。それにたいして「言葉の暴力」は、「言葉」であるかぎり必然的に「解釈の暴力」であるほかはない。アウシュヴィッツのガス室は存在しなかったという主張は「解釈の暴力」の典型である。しかし、ユダヤ人たちが押しこまれた密閉空間に猛毒のチクロンBを投入するという行為そのものは、けっして「解釈」を許さない。それは「あらゆる解釈を拒む暴力」である。

「おれA」が気づかず、「おれB」が気づいたのは、「言葉」と「暴力」のこの差異である。逆木原に信服する「おれA」は、そのまま生きながらえたならば、街頭で《左》や《外国人》にたいするステレオタイプな非難をくりかえしつつも、過激な暴力へ走ろうとする若者たちにやんわりと自重をうながす逆木原同様の老獪《ろうかい》な右翼となっただろう。だが、すでに見たようにヘイトスピーチの機制そのものを暴露するヘイトスピーチを口にするようになった「おれB」は、「言葉」がどろどろの血だまりや臭いたてる糞便へと崩れ落ちるさまを見てしまっている。「おれB」は

「言葉」の力にたいする根源的な猜疑に苛《さいな》まれざるをえない。人間の芯で無意味に蠢いているゾーエーのおぞましさを、「言葉」はさまざまな解釈のお札を貼りつけることで自分から遠ざけようとする。「政治少年死す」において「恥辱」の密度が「セヴンティーン」より有意に低いのは、「醜怪さ」「ケガラワシサ」は敵の属性だとする解釈によって「恥辱」が抑圧されているからだ。だがそれは一時凌《しの》ぎにすぎない。「おれＢ」がどれほど激しく敵を罵倒しようと、全世界の眼に見つめられつつ自瀆するという恥辱を生きる「性的人間」は、解釈の裏をかいくぐっておのれへ回帰してくる。「剝き出しの生」の回帰を断ち切る唯一の手段は、もはや「言葉＝解釈」に淫せず、それを物理的に抹消することだ。ＳＳの犬どもが回教徒《ムーゼルマン》を大量虐殺したように、「おれＢ」も敵を殺さねばならない。人間の生の最も暗い部分である、内臓という物言わぬゾーエーを切り裂くことで。――

こうして「おれＢ」は「暗殺者的人間」に変身した。だがむしろ、真の問題はここからはじまる。前節で見たように、「暗殺者的人間」は「性的人間」／「政治的人間」への転落につねに怯えている存在だった。「恥辱」というキーワードを手に、その怯えをさらに掘りさげてみよう。

進歩党委員長を刺殺して「暗殺者的人間」となった「おれＢ」の孤独な内省において、「恥辱」という言葉はたった一度だけあらわれる。死刑の予想が裏切られ、東京少年鑑別所、いわゆる練鑑に身柄を移された「おれＢ」は、不良少年らとごたまぜにされるかもしれないという恐怖にふるえる。「おれを小さいころから殴ったり虐めたりした子供の敵がここに蟻塚をつくっていっぱい棲んでいるのだ、おれはたちまち殴り倒され踏みつけられるだろう、おれの右翼の魔法などかからず天皇のことを天チャンなどといって屁とも思っていない若い野蛮人どもにおれは**恥辱**をうけるだろう！」（傍点は原文、ゴチックは引用者）と怯える「おれB」は、初めて牢獄から逃げだしたいと切望する。「暗殺者的人間」は絶対的な唯一者ではなかった。逆木原ゆずりの小賢しい「右翼の魔法」など、聖上に屁を浴びせかける野蛮な「蟻」どもによって「恥辱」の底に沈められてしまうだろう。だが、暗殺が一回かぎりの究極的行為である以上、「暗殺者的人間」から「性的人間」に転落してしまったら、もはや二度と「恥辱」から抜けだすすべはない。「性的人間」のこのおそるべき回帰から逃れるためには、もはや「右翼の魔法」といった「言葉＝解釈」ではなく、「暴力」によってこの世の「性的人間」を絶滅するほかはない。このロジックが「おれB」を独房での自決に突きすすませたのである。戦争中に犯した絶滅作戦の罪に問われた元SSたちが「解釈の暴力」によって自らの保身をはかったのにくらべ、大江の主人公は、暴力からほとばしるロジックをはるかに厳密かつラディカルに追求しおおせたといってよい。

＊

ここまで検討してきた「セヴンティーン」と「政治少年死す」における〈恥辱－言葉－暴力〉の関係の変化を、**図**で可視化しておこう。

図

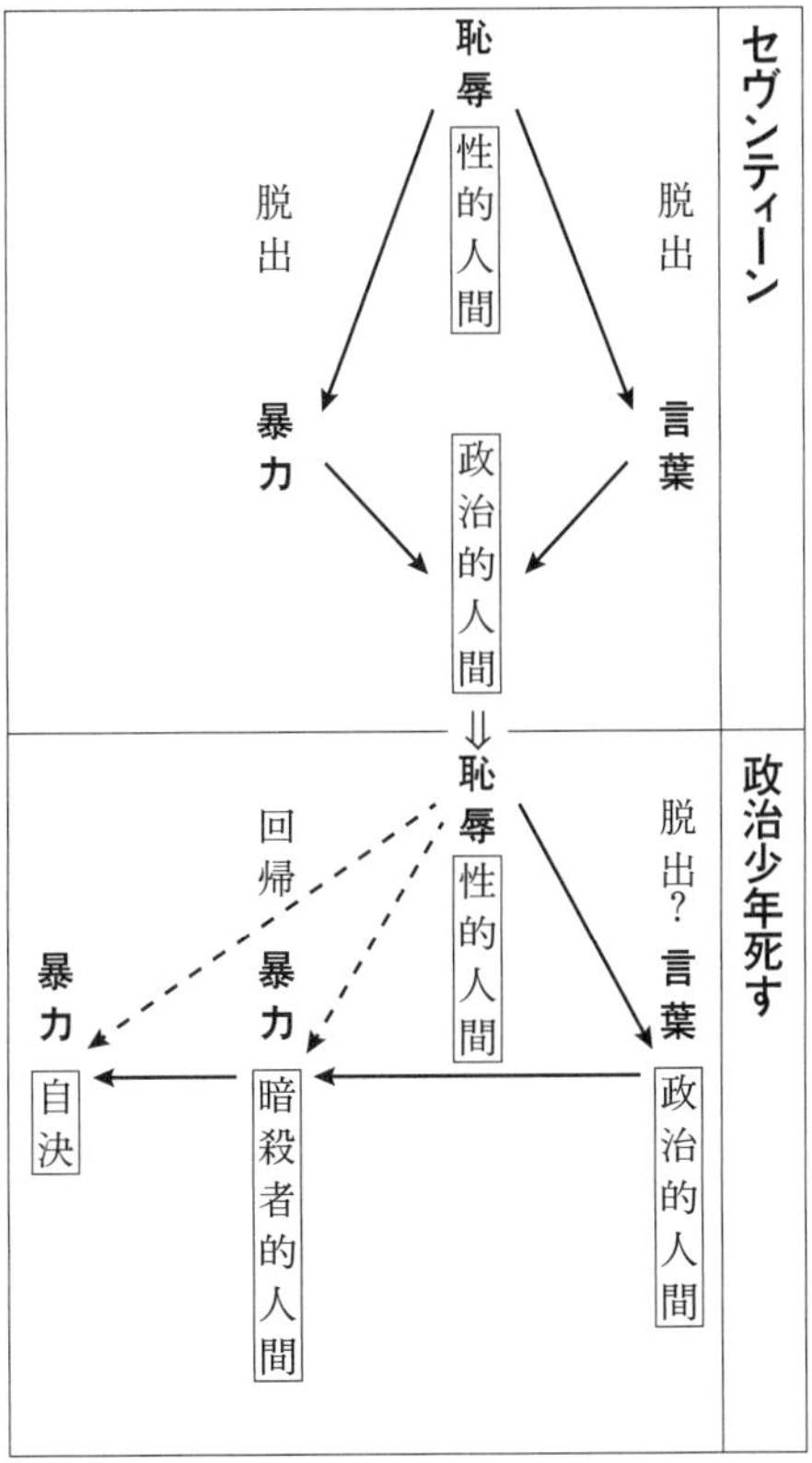

これで問題は解かれただろうか？　否だ。前節でも最後に乗りあげた問題がまだ残っている。「おれB」が〈恥辱－言葉－暴力〉の更新されたロジックにしたがって自殺というラディカルな行為に突きすすむとき、そのロジックの外部にあるように見える「純粋天皇」が、なぜ絶対者として降臨しなければならないのか？

次節に入るまえに、補助線を一本引いておこう。天皇制に賛成か反対かには関わりなく、私たちは天皇という存在に、ある「気恥ずかしさ」ぬきには向きあえないのではなかろうか？　大日本帝国憲法下であれ日本国憲法下であれ事情は変わらない。神格化された天皇であろうと、象徴としての天皇であろうと、それら人間離れした存在が私たちとうり二つの顔かたちをもった生身の人間にすぎないという事実は、天皇を見る私たちだけでなく、天皇その人にもある「気恥ずかしさ」を負わせずにはいまい。

普段は抑圧されているその感覚が社会の表面へあからさまに剝きだされたのが、癌を患って病床にあった天皇の「下血」が何ccという量まで含めて連日報道された昭和の末期であった。あの報道が私たちに執拗に示しつづけたのは、天皇が私たちと同様、下半身の開口部からどろどろした体液を間歇的に流しつづける存在だという、有史以来日本の公的領域においては周到に伏せられてきた事実だった。カントーロヴィチの術語を借りれば、天皇制という「政治的身体」から昭和天皇の「自然的身体」が剝がれ落ちてゆく詳細な経過が、テレビや新聞といった大メディアの総動員態勢によって日本人全員に時々刻々と示されつづけたあの異様な日々に、私たちは日本人たる自らの内奥にひそむ「恥ずかしさ」に直面することを強いられたのではなかったか？　祭事やイベントやコンサートやスポーツの「自粛」というかたちで屈折的に表現された「恥ずかしさ」は、若き日の大江が書きつけた「性的人間の国家」の回帰のあらわれではなかったか？　それはまた、「政治少年死す」の掲載を日本人全員にむけて謝罪した大手出版社の「恥辱」の、国を挙げての再演ではなかったか？　政治的存在でありながら性的存在でありつづける天皇（制）のはらむそうした「恥ずかしさ」を、「純粋天皇」という特異な観念によって乗りこえようとするところに、「暗殺者的人間」の自決のヘソの緒はつながっているのではなかろうか？
おかしなことをいいだすようだが、私は三島由紀夫が昭和の最後まで生きのびてあの「下血」報道にふれたら、笑いだしたのではないかと想像する。大岡昇平は笑わなかった。中上健次も笑わなかった。川端や谷崎、漱石や鷗外が笑ったとは思われない。おそらく日本近代文学の傑出した才能のなかで、大江と三島のみがあの報道を笑う感度をもっていた。それはむろん、笑うことが天皇（制）の危機に真摯に向きあう唯一のすべだということを、この二人のみが知っていたということを意味している。その笑いの感度こそが、文学者としての資質も政治的立場も対極にあると見なされている――そしてそれはけっして間違っていない――大江と三島を、そろって「純粋天皇」という奇怪な観念へ赴かせたのである。

4　乾いた言葉／湿った言葉

『すばる』二〇〇一年三月号に掲載された、井上ひさし・小森陽一との鼎談「大江健三郎の文学」で、大江は四十年前の「セヴンティーン」「政治少年死す」連作執筆当時をふりかえりつつ、こう発言している。

三島さんの死の時にも思ったのは、戦後を生きてきて超国家主義的なものを意識的に採用して、自分で超国家主義的な人間になってしまう人間というものは、全部フェイクだと感じてきました。三島さんが、本当に超国家主義的な人間として充足して死んだとは思わないんですよ。（中略）しかし、三島さんよりずっと前に、山口二矢だけは、完全に超国家主義的な形で、天皇と自己同一化する試みをやってみせ、成功した。三島さんは、その後で同じことをやってみたけれども、うまくいかなかった。

大江の眼に三島由紀夫は、山口二矢が完全なかたちで成就した天皇への自己同一化を、十年後にふたたび試みて失敗した贋物《フェイク》として映っている。だが贋物《フェイク》は大江の自己認識でもあった。五年ほどのちにふたたび連作についてインタビューされたとき、すでに七十歳を越えているにもかかわらず、大江は「作者の私自身をこの若者に心底重ねている小説なんです。したがって、少年の自殺は私自身の、なしえないことの造型なんです」とそれこそ少年のような率直さで答えている（『大江健三郎　作家自身を語る』新潮社、二〇〇七年）。日本文学／アニメ研究者のスーザン・ネイピアがいうように、大江と三島はともに戦後日本という「荒地」を批判し、性と犯罪と暴力というアブジェクションを起爆剤とする想像力を駆使して、ある絶対的なものへ到達しようとする志向において双子のように似ている（*ESCAPE FROM THE WASTELAND*, Harvard University Press, 1991）。だが彼らの相似の核心は、絶対的なものへの自己同一化に失敗しつづける贋物《フェイク》性にこそある。その失敗の稀有な強度が、日本近代文学における彼らの傑出を証明する一方で、たがいがたがいを無化せんとする執拗な闘争の渦中へ二人を引きずりこんだのだ。柄谷行人は「三島に最も敵対していた大江健三郎は、たぶん最もそれに近接していた」（「大江健三郎のアレゴリー」）と指摘している。安藤礼二も「六〇年代の三島由紀夫と大江健三郎は、互いが互いの分身のようによく似ており、互いが互いの鏡像のようにまったくの正反対の姿をしていた」(「純粋天皇の胎水」)と書いているが、これ以上ないほど激しく対立しながらも、分身のようによく似てもいるという逆説は、たがいの命を的《マト》にかけあう「暗殺者」どうしの切迫した関係に似てはいないか?[4]

二人のぬきんでた作家の想像力は、「テロリスト」と「天皇」をめぐる巨大な問題圏《プロブレマティーク》において、なにをどのように描いているのか? どこで秘かに手を握り、どこで厳しく敵対しているのか? そしてそれぞれどこで坐礁しているのか? これらの問いを手がかりに、戦後文学のみならず、「テロル」と「天皇」の複雑で動的なもつれによって織りなされてきた日本近代の内奥にもぐってゆく、新たな掘削路がかいま見えはしないか?

＊

大江と三島の想像力がテロルへ急迫するとき、そこで共有されているのは「被包囲強迫」とでも呼ぶべき息苦しい不安である。一九六一年一月、大江がそののち半世紀以上も封印される運命の「政治少年死す」を発表したまさにそのとき、三島は短篇「憂国」を世に問うている。三島自らが「ここに描かれた愛と死の光景、エロスと大義との完全な融合と相乗作用は、私がこの人生に期待する唯一の至福である」と満腔の自負をよせる「憂国」は、自選を含むアンソロジーにくりかえし採録されただけでなく、作家自身の製作・脚色・監督・主演で映画化されて日仏でセンセーションを巻きおこすなど、自他ともに認める三島文学の代表作のひとつとなった。天皇への至誠という大義に殉じて自決する若者というテーマを共有しながら、なぜ「憂国」は光輝を一身に浴び、「政治少年死す」は闇に葬られたのかという問題はひとまず措く。ここで興味深いのは、二作品のこうした極度の近接と極度の乖離――「暗殺者的距離」とでも呼ぶべきだろうか――のさなかで、大江と三島がたがいの生涯においてほとんど唯一とでもいうべき親密さを示しあっていることだ。三島が「セヴンティーン」「政治少年死す」連作に強く関心を惹かれ、「大江っていう小説家は、じつは国家主義的なものに情念的に引きつけられている人間じゃないだろうか」と周囲にもらすばかりか、そう手紙を書いてよこしすらしたと明かす大江は、三島の読みは正しいと認めている（『大江健三郎　作家自身を語る』）。強烈なライバル意識をぶつけあう二人がかいま見せたこの異数の親密さは、しかしたんに国家主義といったイデオロギーの水準でのみ測量されるべきではない。そのイデオロギーを形成している下部構造、すなわち作品全体がある強固なファンタスムへ構築される以前の、言葉のいわばマテリアルな配置の相似にこそ注目すべきだ。

具体的にいえば、「鍵」である。「セヴンティーン」の「おれ」も「憂国」の武山中尉も、外部の世界に遍在して自分たちを恥辱の泥沼へ突き落とそうとする「他者＝敵」のまなざしを遮断するために、物語の冒頭で鍵をかける。いや、正確にはこういうべきだ。彼らが鍵をかけなければ物語は始動しない、と。

三島は「徹頭徹尾、自分の脳裡から生れ」た作品だとしているが、じつは「憂国」は大江の連作同様、現実の事件にもとづくモデル小説である。天皇親政を柱とする「昭和維新」を呼号する陸軍青年将校らが、千五百もの兵を率いて高橋是清大蔵大臣や斎藤実内大臣らを同時多発的に殺傷し、数日にわたり帝都の政治中枢を占拠した日本近代最大のテロ、二・二六事件の渦中にあって、叛乱軍の汚名を着せられた僚友を「敵」として討つ辛苦に堪えかねて切腹した青島健吉中尉と、日本刀で喉を突いて後を追った喜美子夫人が、作中の武山信二中尉・麗子夫人のモデルとなっている。このいささかアナクロニックな実話から、三島の想像力は、至上の悦楽にみちた最後の性交と刃の激痛にのたうちまわる自決を精細きわまるリアリズムで描ききることで、超人的な信念と完璧な美をそなえた男女の「エロスと大義との完全な融合と相乗作用」を汲みあげている。このとき、史実から離脱して絶対的なロマンティシズムへと天翔《あまがけ》る想像力に点火する鍵《イグニッション》が、鍵をかける行為なのだ。

廿八日の日暮れ時、玄関の戸をはげしく叩く音を、麗子はおそろしい思ひできいた。走り寄つて、慄へる手で鍵をあけた。磨硝子のむかうの影は、ものも言はなかつたが、良人にちがひないことがよくわかつた。麗子がその引戸の鍵を、これほどまだるつこしく感じたことはなかつた。そのために鍵はなほ手に逆らひ、引戸はなかなか開かない。

戸があくより早く、カーキいろの外套に包まれた中尉の体が、雪の泥濘に重い長靴を踏み入れて、玄関の三和土に立つた。中尉は引戸を閉めると共に、自分の手で又鍵を捩つてかけた。それがどういふ意味でしたことか、麗子にはわからなかつた。

鍵からすべてがはじまる。たがいがたがいの裸体を凝視し、そのあらゆる秘所を脣と舌で隈なく味わう性の楽園と、切り裂かれた腹と喉からほとばしる血飛沫が二人の清冽な身体を赤く染める死の供犠が。夫妻にとってエロスと大義の至高の融合を具現するこの秘密の饗宴は、彼らが執り行う性交や切腹の厳粛な儀式を汚そうとする「他者＝敵」の悪意から、限りなく隔てられていなければならない。だから武山中尉は儀式を主宰するまえに鍵をかけたのだ。だが麗子が夫の行為の「意味」に気をとられていることが示すように、鍵をかけるという行為は、それまで存在すら意識されていなかった「他者＝敵」のまなざしをむしろ強烈に喚起する。「敵」を寄せつけないために鍵をかけるのではない。鍵をかけることによってむしろ「敵」が呼びあつめられるのだ。外部に「敵」が蝟集しているからこそ、内部はいよいよ至上の楽園として享受されるのだから。ここで他者は楽園の破壊者であると同時に、楽園を楽園たらしめる共犯者である。そればかりか、鍵をかけるとは、他者のイメージを最も遠い外部と最も近い内部に同時に分光する、きわめて両義的な行為なのだ。武山中尉が遮断しようとするのは、皇軍どうしの相撃という大惨事を招いた、腐敗し死に瀕した日本の醜状である。だが、密室の甘美きわまる性の宴を暗がりでじっと見つめていたのは、「いやらしいほどいきいきとした姿」で武山中尉の腹から弾け出てくる腸と、喉に突きたてた刃を「めちゃくちゃ」に動かす麗子の眼先へ「吹き上げる血の幻」、すなわち異臭をはなつ醜怪な死であった。ラストで麗子は夫がかけた玄関の鍵をあけはなつが、それは自分たちが腐乱死体で発見されるのを怖れたためだった。腐敗という「敵」は、鍵をかけた戸の外側ばかりでなく、内側にもひそんでいることを麗子は知っていたのだ。

「セヴンティーン」の「おれ」も1節の冒頭ですぐさま鍵をかける。「石鹸の泡の中から性器がむっくり起き上がってきたので、おれは風呂場の入口の扉に鍵をかけに行った」。内から鍵をかけることで、敵対的な家族のまなざしが外部性として生じ、そこから遮断された自瀆の楽園が立ちあがる。だがすでに見たように、「おれ」はどこに閉じこもろうが「世界じゅうのあらゆる他人から意地悪な眼でじろじろ見つめられている」という強迫観念から逃れられない。いや逆だ。閉じこもるからこそ覗かれるのだ。自瀆の楽園は、他者のまなざしをロックアウトすることで、逆におのれの最も恥ずべき姿をじろじろ見つめる眼の大群を呼びよせるのだ。このメカニズムを卑俗なかたちで反映しているのがラブホテルだ。強固な鍵で外部の眼から完全に遮断されているラブホテルの室内は、窃視者の遍在を想像させずにはいない鏡の群れに囲まれているではないか。

「被包囲強迫」とはこのような機制の自律的昂進を指す。「おれはアーリア人だ」と自分にいいきかせることは、世界にたいして内鍵をかけることである。すると外部を包囲するユダヤ＝ボルシェヴィキという「敵」が出現する。だがその「敵」は内部にもひそんでいる。鍵をかけてしまえば、「おまえは本当にアーリア人か？　じつはユダヤ人ではないのか？」と難詰してくる内なる眼につねに身をさらさなければならなくなるからだ。ユダヤ＝ボルシェヴィキというアーリア人から最も遠い「敵」は、アーリア人の最深奥から不断に疑いのまなざしをむけてくる。外と内の両面から包囲してくる「敵」を、はるかかなたのモスクワと帝都ベルリンにおいて同時に殲滅しなければならぬ。このロジックは、自分の内奥にある引き受けがたいものを他者の本質として投影し、自らの恥辱を他者になすりつけて攻撃するという、前節で抽出したロジックとも親和的だ。そもそも鍵をかけるという行為は恥辱感と固く結びついている――「恥shame」は古英語「scamu」に由来するが、その原義は「自分を隠す」である――のだから。第一次大戦の屈辱的敗北は、連合国の軍事力だけでなくドイツ内部にひそんでいた裏切り者の「背後からのひと突き《ドルヒシュトース》」によってもたらされたと主張するヒトラーが、世界中から攻めよせる敵に包囲されるばかりか、ゲーリングやヒムラーら身内にも裏切られて、総統地下壕で恥辱のうちに自殺せざるをえなくなったのは、「被包囲強迫」の昂進に自らすすんで呑まれていった報いであった。[5]

　ヒトラーのドイツだけではない。大日本帝国が無謀な戦争にひた走ったのは、米英ソという外敵による被包囲感だけでなく、陸軍など国内の過激派に内から包囲されたからだった。現代のテロも同断だ。「被包囲強迫」は、ＩＳの処刑ビデオで日本人二人を含む無辜《むこ》の市民をつぎつぎに断首したジハーディ・ジョンをはじめとする「ホームグロウン・テロリスト」をも侵していたにちがいない。移民たちに凶弾を乱射する白人のテロリストたちも、内外で連係する「敵」に祖国が挟撃されていると妄想しているのだ。

　矯激な暴力を突発させるこの「被包囲強迫」のメカニズムに、大江と三島の文学的直観は明確にフォーカスしていた。『芽むしり仔撃ち』で谷間の村に取り残された少年たちは、逃げだした大人たちと、彼らが置き残した疫病に内外から二重に包囲されていなかったか？『洪水はわが魂に及び』で、機動隊に包囲されて核シェルターに閉じこもる「自由航海団」のメンバーは、身内にひそんでいた裏切り者にたいする凄惨なリンチ殺人に手をそめていなかったか？「鍵のかかる部屋」に九歳の少女と閉じこもる若い官僚は、「誓約の酒場」というサディスティックな外部と少女性愛《ペドフィリア》の誘惑にみちた内部との挟み撃ちに、安穏たる世界の崩壊を予感してはいなかったか？[6] 生涯かけて書きついだ膨大な頁をなべて火にくべるような『天人五衰』のラストシーンに突如出現する「何もないところ」は、冷戦という状況に内鍵をかけて閉じこもり、対外的にはソ連や中国と敵対しつつ、アメリカナイズされた繁栄に浮かれて伝統的価値を自ら切り崩してゆく戦後日本のうつろさを象徴したものではなかったか？ そして三島の不可解な蹶起《けっき》と自決こそ、その「被包囲強迫」から突発したテロルではなかったか？

*

テロルは「被包囲強迫」から生まれる。この直観において大江と三島はほとんど同じ地点に立っている。だがテロルを、テロリストをどう描くかという点については、二人は対極といってよいほど遠く離れている。ひと言でいえば、三島がテロリストを「乾いた言葉」で描くのにたいして、大江は「湿った言葉」で描くのだ。

三島の長篇『奔馬』の右翼テロリスト・飯沼勲は、決定的な一瞬において山口二矢をそっくりそのままコピーしている。彼が金融産業の巨魁・蔵原を暗殺する瞬間は「右肱をしっかり脇腹につけ、短刀の柄を握つた右手の手首を、刃が上向かぬやうに左手で押へつけたまま、勲は体ごと蔵原の体に打ちつけた」と描写されているが、これは「右手で柄を握り、左手の親指を下にして掌で柄の頭を押さえ、腹の前に刀を水平に構え、浅沼に向かって夢中になって突進しました」と供述している山口にぴたりと重なる姿であり、「政治少年死す」の「右手は親指が切先に向うようにしっかり短刀を握り左手は親指を逆に向けるようにやはりしっかりと短刀を握っ」たまま「左肩からぶつかって行こうとしている」「おれ」とも相似形をなしている。大日本愛国党の同志たちに失望して孤独な暗殺者となった山口と同様、身内である父と恋人という身内に手酷く裏切られるという「被包囲強迫」の呪縛から、勲は短刀を握ってひとり閃光のごとく奔《はし》りでたのだった。

しかし、山口二矢のテロルをともにモデルにしていながら、『奔馬』の言葉と「政治少年死す」の言葉は、ほとんど異国の言語といいたくなるほど違っている。『奔馬』においては、神のごとく世界を俯瞰する超越的な作者の視線が、認識者・本多繁邦と行動者・飯沼勲を中心にあらゆる登場人物の内面を透視しながら全篇の進行を緻密に組織しており、その統御の完璧さは、架空の人物の作という設定で中盤に挿入される「神風連史話」や、人物名の下に発言内容がぶらさがるレーゼドラマの形式で書かれた結末近くの法廷シーンでも微塵もゆるがない。初対面の堀中尉に望むところを訊《き》かれて「太陽の、……日の出の断崖の上で、昇る日輪を拝しながら、……かがやく海を見下ろしながら、けだかい松の樹の根方で、……自刃することです」などといきなり口走ってしまう「切腹ヲタ」が、周囲から浮くどころか強烈なカリスマを発揮して暗殺団を組織できるのは、勲はもちろん、彼をとりまく人物のいちいちに作者の言葉が固く張りつめた糸のように直線的にさしこんでいるからだ。もし作者との呼応に少しでもたるみのある人物がいれば、勲の発言は奇矯どころか狂人の譫妄《せんもう》と嘲笑されても不思議はあるまい。

「政治少年死す」では事態はまったく逆である。語り手はひとまず一人称の「おれ」だが、「おれ」は小説のナラティヴを超越的に統御するどころか、語り手の座をめぐる激闘にむしろ虚弱なプレーヤーとして巻きこまれている。本章の冒頭で「語りの不自然なゆらぎ」に注意を喚起しておいたが、「ゆらぎ」の顕著な場面をあらためてここに呼びだしてみよう。左翼学生たちに殴りかかる「おれ」を活写する一文だ。

> おれの現実は後退しおれの**映画**が始まる、暴れ者の主役おれは恐怖におびえた学生の眼の大写しのスクリーンに体当りする、女子学生の髪をつかんで駈けるおれの手に髪一束、背後に悲鳴、ぎゃあああ、ああ、カメラでおれを狙うやつを見つけ会場の隅に追いつめ、棍棒をカメラにうちおろす、頭でカメラを覆う、ばかだ、頭を殴りつけると気をうしないカメラをおとし自分の体の重みでカメラをつぶす、ぐしゃりと音がする、おれは演壇にむかって走る、鳩と花束のかざりつけを全学連どもが会場の天井の横木に吊りさげている、その紐を跳びだしナイフでごしごしやる、不意に鳩と花束は金属質の喜びの歌をうたって、全学連どもが怯えてかたまっている黒いかたまりの頭上に墜落する、ぐわん、ぐわらあん、真昼の市街を警察車のサイレンが四方八方から洪水のようにおしよせる、おれは会場出口に向って走る、そこここで多数の学生どもにくみふせられた党員が殴ったり蹴られたりしている。（傍点とゴチックは原文）

句読点含め四百五字、原稿用紙一枚を超える長字数で構成されているこの異様な一文は、語る主体であるはずの「おれ」が、**映画**の主人公、すなわちカメラに撮られる客体へと存在のモードを唐突に切り換えるところからはじまる。文末を切りすてた体言止めと動詞の現在形の連打が、じつに二十一個もの読点が刻む長短のリズムに鼓舞されてオーヴァードライヴしてゆく一文は、「おれ」から「女子学生」、「カメラでおれを狙うやつ」、「全学連」、「鳩と花束」、「警察車のサイレン」、「党員」へつぎつぎと主語をすげかえながら、紙上をジグザグに暴走する。ここにはまた「ぎゃあああ」「ああ」「ぐしゃり」「ごしごし」「ぐわん」「ぐわらあん」と大量のオノマトペがむぞうさにぶちまけられているが、そもそもオノマトペは概念的内容とはまったく無縁な、音や様態の感覚的かつ恣意的なコピーとして純文学が長く蔑視してきた異端の語群だったはずだ。そのオノマトペをラノベやマンガのごとく紙上にどばどばとばらまくことで、文の裂けめからぐしゃりと噴きだす熱く湿った血のような暴力が、文学の内部にちんまりとおさまる暴力とはまったく異質な暴力が、ケモノのように身をふるわせて奇態な雄叫びをあげている。くわえて「大写し」「かざりつけ」「かたまり」といった、なぜ強調されねばならぬのかまったく不明な語群におどろおどろしげに打たれている傍点が、荒れ狂う読点の濁流に溶けいり、いちめんに飛びちった汗や体液のごとく言葉の激烈なアクションを強調している。

　この破格の文体と『奔馬』の流麗な文体の違いを雑駁にとらえれば、三島の「美文」VS.大江の「悪文」という耳通りのよい図式になる。だが手垢のついたこの図式を、私は「固く乾いたまっすぐな言葉」と「軟らかく湿った折れ曲がる言葉」という対立軸にズラしてみたい。そのことによって両者の文体的差異がより高い解像度で可視化されると考えるからだ。[7]

どの任意の一頁をひらいてもよいが、ひとまず最もドラマチックな「暗殺」と「自決」にフォーカスしてみることとしよう。『奔馬』の暗殺シーンは、さきに引用した部分にほとんど尽きている。そこで三島は心理や比喩をあたうかぎり省き、ひたすら勲の刃が蔵原の腹をつらぬくさいの物理的衝撃を客観的に描写することに集中している。強調されるのは蔵原の身体の「緊張した固さ」であり、まっすぐな刃を呑みこむ「重み」であって、なるほど返り血を浴びてはいるにせよ、勲の心はどこまでも乾いている。

「政治少年死す」の暗殺シーン（7節）は、それとは似ても似つかぬ何重もの屈曲にみちたものだ。暗殺行為と固く一体化している勲にたいして、「おれ」は自分がそもそもなにをしでかしたのか匿名の手紙によって教示してもらわねばならぬほど、おのれの犯行から遠く引き離されている。**1チャンネル**と題された前半部では、テレビの実況ヴィデオと刺殺の瞬間をとらえた四枚の写真が映しだしているものが詳細に解説されてゆくのだが、匿名の書き手がつづる文字列は手堅い客観性などそっちのけで、被害者のバナールな意識の流れにどっぷりと浸かりこんだかと思えば、とってかえして暗殺者に「凶暴な獣」や「春画の若衆のオルガスム」や「地獄絵の餓鬼」をコラージュするといった具合に、軟体動物よろしくテロ現場をうねうねとめぐりゆく。後半の**2チャンネル**ではさらにタガが外れてしまう。広津和郎らの事件にたいするコメントに「某右翼結社員」や「某主婦」の支離滅裂な感想や舌足らずの投書が脈絡もなくぶちこまれるばかりか、ついには「天皇陛下だってしるんだよ　あれを　あれをさ。バアチャン、アレダヨ」などという「変態の詩」まで唐突に引用されてしまうのだ。もはや大江の「文体」ではない。大江の「悪文」

とすらいえない。ここでは「文体」や「悪文」といった文学上の通念が完全に溶けおちてしまっている。ドイツの日本文学研究者日地谷＝キルシュネライト・イルメラは簡潔ですぐれた「政治少年死す」論（『大江健三郎全小説3』）において、7節の手紙の書き手を皇道党の先輩・安西繁と推測している。なるほど物語の流れからはそう読むのが自然かもしれないが、7節の破天荒な溶融《メルトダウン》は、物語の格納容器を突き破り、言葉の雑多な破片《デブリ》を収拾不能なかたちで四方八方に撒き散らしている。飛躍を怖れずにいおう。この匿名で雑多で淫らな手紙は、インターネット上に氾濫する言葉にあまりにも似ている。したがってこの手紙の書き手は、ネット上で脱領土化する言葉の流れそのものだというべきだ。じっさい、**2チャンネル**を**2ちゃんねる**と重ねずに読むことなど可能だろうか？　大江がインターネットを数十年も前に予感していたなどというつもりはない。「文体」の溶融《メルトダウン》をもくろんだ若き大江健三郎の無鉄砲なチャレンジが、「われらの時代」の「文体」なきメディアと時を超えて混線しているのだ。

つづいて自決シーンを見よう。『奔馬』のそれはあまりにも有名だ。

　勲は深く呼吸をして、左手で腹を撫でると、瞑目して、右手の小刀の刃先をそこへ押しあて、左手の指さきで位置を定め、右腕に力をこめて突っ込んだ。
　正に刀を腹へ突き立てた瞬間、日輪は瞼の裏に赫奕と昇つた。

刃をおのれの腹に突きたてるまでのすべての動作を端然と統御して、勲という主語／主体の自律性はゆるがない。固く乾いた刃が腹をまっすぐ割いた瞬間、勲の主体は消失し、かわりに絶対的主権者が世界全体を光輝でおおって君臨する。「赫奕」「日輪」という固く乾いた漢語がダイレクトに象徴するのは、むろん純粋天皇にほかならない。

同じく純粋天皇の降臨を言祝《ことほ》ぎつつ、**死亡広告**と題された「政治少年死す」の最終節はこうなっている。

純粋天皇の胎水しぶく暗黒星雲を下降する永久運動体が憂い顔のセヴンティーンを捕獲した八時十八分に隣りの独房では幼女強制猥せつで練鑑にきた若者がかすかにオルガスムの呻きを聞いて涙ぐんだという
ああ、なんていい……
愛しい愛しいセヴンティーン
絞死体をひきずりおろした中年の警官は精液の匂いをかいだという……

大江の第一エッセイ集『厳粛な綱渡り』の巻頭にも再掲されているこの「詩」——大江は「政治少年死す」事件の顚末にはふれることなく、このテクストを二十代において書いた唯一の「詩」として引用している——は、湿ったイメージでびしょびしょに濡れそぼっている。「胎水」「呻き」「涙」「精液」、そして二度くりかえされる「……」のしぶき。それらのぬめりをまとった「暗黒星雲」「憂い顔」「幼女」「オルガスム」「絞死体」など、アモルフな軟らかさ以外なんら共通性のない雑多なイメージが、厳粛たるべき**死亡広告**をぐにゃぐにゃに鞣《なめ》す。「愛しい愛しいセヴンティーン」という一見誰のつぶやきかわからない一行が重要だ。これはおそらく、「おれ」の死を至誠の証しとしてご嘉納になった純粋天皇がただ一度きり玉音を発して実現した、「おれ」との和《やわ》らかな合唱《コーラス》なのである。じっさい「愛」ほど「軟らかな湿り」にみちた営みがあるだろうか？　暗殺前夜の「おれ」が発した絶望的な叫びを想起してみればよい。「ああ！　おれは天皇の光なしに暗黒世界を生きのびては行けない、おれはすぐに乾いて死んでしまうだろう、……」(傍点は引用者)。

——こうして私たちは、三度《みたび》この問いのまえに立つ。「乾いた言葉」と「湿った言葉」をともに吸引する、純粋天皇とはいったいなにものか？

5　純粋／天皇

問いを引き絞っておく。私たちは、「性」と「政治」を束ねる超越者として、「暗殺者的人間」を吸いよせる純粋天皇をあおぎ見た(2節)。また、「恥辱」と「暴力」を結ぶブースターに純粋天皇を擬しもした(3節)。そして、「被包囲強迫」が生みだすテロルをめぐる「湿った言葉」と「乾いた言葉」が収斂してゆく地点に純粋天皇を幻視した(4節)。

柄谷行人のつぎの言葉は、純粋天皇についてひとつの示唆をあたえてくれる(「一九七〇年＝昭和四十五年」)。

三島の考えでは、昭和天皇は、その当時の天皇主義者が予期したように、昭和二十年で死ぬはずであり、それによって「神」となるべきだった。ところが、天皇は「人間宣言」をし国民統合の象徴として生き延びた。三島はこの天皇個人を軽蔑していた。戦後に「転生」した天皇はにせものにすぎないからだ。しかし、それは、「世界最終戦争」となるべき戦争のあとにも生き延びている自らを軽蔑していたのと同じである。それが真に絶対的な「美」（神）であるためには、「金閣寺」と同様に焼かれなければならない。彼の自殺は、戦後の天皇の殺害と同じことを意味する。

昭和天皇が「神」の贋物《フェイク》であるように、三島は「美」の贋物《フェイク》にすぎない。それらを絶対的な「神／美」へ反転させるためには、天皇の殺害の等価物である割腹自殺を決行しなければならない。この柄谷の洞察を「政治少年死す」の結末にもパラフレーズしてみよう。つまり、天皇をイメージしつつオナニーすることも、ある意味で天皇の殺害とはいえないだろうか、と問うてみるのだ。

「不敬」といった陳腐なことがいいたいのではない。どれほど強烈で、荘厳で、優美なイメージを思い浮かべようと、畢竟オナニーとは自己完結した快楽にすぎない。しかし、臣民／国民とのあいだにひらかれた絶対的な関係性こそが、天皇と呼ばれる存在の本質ではなかったか。そうした絶対的関係性の切断であるオナニーは、天皇と「おれ」の絆が贋物《フェイク》でしかないこと、つまりは戦後の天皇が贋物《フェイク》でしかないことの告発なのではないか。大江もかつては「天皇陛下が、おまえに死ねとおおせられたら、どうする?」という教師の問いに、「切腹して死にます」と答える軍国少年だった（「《戦後世代のイメージ》」）。天皇に奉ずる死という恐怖と魅惑にみちたファンタスムを抑圧することで戦後を生き延びた大江にとって、アメリカに隷従する戦後日本の皮相さは、そしてそこで西洋志向の知識人として生きる自分のありようは、超越者との絶対的関係性を断ち切って自己閉鎖的な快楽に耽るオナニストに重ねあわされるものではなかったか。自らの分身である「おれ」を、自分にはなしえなかった天皇に奉ずる死へと赴かせた理由は、おそらくそこにある。自瀆と自決が同時に犯される「政治少年死す」の結末は、贋物《フェイク》でしかない自分と贋物《フェイク》でしかない天皇を刺し違えにすることで、たとえ虚構にすぎぬにせよ、そのかなたに失われた絶対的関係性を仰望したいという希求のあらわれではなかったか。「天皇が私の共犯です」という「おれ」の「不敬」きわまる供述は、その希求にむけて放たれた叫びではなかったか。ひるがえって、三島の切腹はオナニーではないと断言できる者がどこにいようか。三島がリアルな世界で実行したプロットを、大江はその十年前に封印された作品にほぼ同じかたちで書きこんでいたのだ。

現実の天皇を否定しさったところに、純粋天皇が出現する。だが、三島をして自決にはしらせ、大江の力作を闇に葬った純粋天皇が、現実とはなんら接点のないたんなるファンタジーであるわけはない。「純粋」とはそもそも極度の両義性をはらみ、その両義性を力源とする激しい運動を誘発する危険な観念である。「純粋」は、夾雑物や汚穢《おえ》といった「不純」を徹底的に否定し、自らのうちで自らそのものとぴたりと重なりあう同一性をどこまでも追求しようとする。だが「純粋」の渇望は見果てぬ夢にすぎない。他者や汚れが払拭されたかに見えた瞬間、すでにそこには、自らが自らと隙間なく重なりあう同一性からの差異《ズレ》が、「本当に不純はのぞかれたのか?」と疑ってかかる意識として生じてしまうからだ。新たに意識された不純《ズレ》を抹消するために、「純粋」はさらなる否定と肯定の運動へ自らを駆りたてずにはいない。だがいうまでもないことだが、懐疑《ズレ》としての意識とは人間の自我《コギト》そのものだ。自我《ズレ》を消し去ろうという運動が「純粋」への渇望なのだとすれば、つまるところそれは、死へとすべてをさらってゆく純粋な暴力なのではなかろうか?

そう、「純粋」という観念こそが暴力の重心なのだ。「性」や「政治」といった夾雑物に侵蝕されることへの怖れが「暗殺者的人間」を死へと追いやったことを想起しよう(2節)。おのれの内奥にしみついた汚穢が他者へと剝きだされていることへの恥辱が、自他への暴力を激発させるのではなかったか(3節)。「純粋」を希求するとは、世界にたいして内鍵をかけることである。しかしそれは逆説的に、「不純」を糾弾する自我という「不純《ズレ》」を内部に生じさせ、「被包囲強迫」の環を締めつけるのだ(4節)。

そして私たちは、最も「純粋」な日本人のことを、「天皇」と呼んできたのではなかったか? 近親間のサークルで連綿と受けつがれてきた「純血」の体現者である「天皇」は、極限的には単性生殖生物への回帰にむかってゆくような、日本人の無意識的な自己破壊衝動を象徴しているのではないか? そしてむしろ、二・二六の反乱将校たちの「純粋」に不快感をあらわにし、戦後には「人間宣言」までしてのけた昭和天皇や、「韓国とのゆかり」に言及し、一元一世の「純粋さ」を自ら放棄した平成の天皇のような、個々の肉をまとった天皇たち、いわば「天皇的人間」たちの存在が、「純粋」という観念の駆動する破壊力を阻《はば》む緩衝材となってきた歴史もあるのではないか？

＊

山口二矢のテロルと自決に「純粋」の瞬間的な顕現を見た二人の傑出した作家は、それぞれのしかたで「純粋」の魔力を追究した。『文化防衛論』で三島由紀夫は、「雑多な、広汎な、包括的な文化の全体性に、正に見合ふだけの唯一の価値自体として、われわれは天皇の真姿である文化概念としての天皇に到達しなければならない」と書き、二・二六事件を理解できなかった昭和天皇が踏み外した「文化概念としての天皇」とは、エロティシズム、アナーキズム、テロリズムにあいわたる「みやび」と「剣」の融合体であると揚言する。三島はこの「純粋天皇」に、アイロニーを通じて接近しようとした。ドゥルーズの『ザッヘル＝マゾッホ紹介』によれば、サディズムは高次の法をどこまでも否定し、ついには自然そのものの破壊にまでいたるアイロニーを本質とする。サドの言葉＝アイロニーは乾いている。それは固くまっすぐな剣として、あらゆる法規範や自然の秩序を刺しつらぬく。自衛隊に絶望したがゆえに自衛隊に蹶起を呼びかけ、天皇を殺害するために天皇陛下万歳と三唱して死んだ三島の行為は、戦後日本の喉もとに乾いた剣を突きつけるアイロニーにほかならない。

「鬼と明治天皇の肖像とをミックスしたような架空の純粋天皇」からの「**忠とは私心があってはならない**」（傍点とゴチックは原文）という啓示で暗殺を決意する少年を描いた大江健三郎は、マゾヒスティックなユーモアによって「おれ」のテロルと自死をかたどった。他者たちのまなざしに苛まれつつも、むしろそれに鼓舞されて身体の穴という穴から湿った体液をたれ流す「おれ」は、法の厳格な適用による苦痛をぬめりをおびた快楽へと反転させる、ドゥルーズの定義するマゾヒストそのものである。「憂国」にはまったく存在しないユーモアが、大江の連作においては軟体動物のように湿った身をくねらせているのがその証左だ。

だが、サディストでありながらも同時にマゾヒストであることは可能なのだろうか？　そのいわば不純きわまる刃こそが「純粋天皇」を刺しつらぬける唯一の武器ではないか？　三島と大江の苦闘は、アイロニーとユーモアを、両者の極限において一致させるという不可能事の追求ではなかったか？

三島のアイロニーは、山口二矢の背中をとらえて潰《つい》えた。おそらく三島が自身のアイロニーを徹底させ、山口が突きだした切っ先のむこうへ走りこむ唯一の方策は、自衛隊東部方面総監室で挙行された割腹自決の儀式を、克明に録画するカメラをあらかじめ準備しておくことだった。腹を裂き、腸が飛びだし、三度も四度もくりかえし首を斬りつけられ、ようやく生首を刎《は》ねられる一部始終を、自らの意志で後世の眼に曝すというアイロニーとユーモアのグロテスクきわまる融合を回避したのは、やはり三島の知性ゆえであったろう。

『豊饒の海』の世界像を体現する輪廻転生の町ベナレスで「ミシマのハラキリ」を知ったという

大江は、三島の自己破壊衝動を自分のみならず日本人の誰も咎《とが》めることはできないと認めたうえで、彼の行為を「自己中心的な粗暴な叫喚」だと否定している（『鯨の死滅する日』）。だが大江は、そののち数十年の長きにわたり、あたかも三島事件が時とともに風化することに全力で抗うかのように、他のどの作家よりも真剣かつ熱心に三島の行動に言及しつづけた。大江の三島にたいする批判のひとつの頂点は、『新しい人よ眼ざめよ』のなかの一篇「蚤の幽霊」の冒頭に描かれた、三島の生首の高さに掌をさしのべたイーヨーが、**本当に背の低い人でしたよ、これくらいの人間でした！** と大声でいうシーンの戦慄的なユーモアだろう。だが大江の批判の執拗さは、逆にどれほど徹底的に批判しても、三島的なアイロニーを完全に追い抜くことはできないと大江が自覚していたことを示している。三島と同じく大江は、「純粋天皇」の永久運動の重力圏から逃れることがついにできなかったのだ。

＊

ある幽霊《ゲシュペンスト》が、世界じゅうをうろついている。「純粋」という幽霊が。「純粋アーリア人」、「純粋イスラエル」、「純粋ムスリム」、「純粋白人」、「純粋男性」、「純粋日本」……無数の「純粋」が、無数のテロルを荒れ狂わせる。「純粋天皇」の叫びとともに自決する十七歳のテロリストが生まれるその瞬間に肉迫した大江健三郎の「セヴンティーン」「政治少年死す」。この呪われた連作が真摯な批評の眼によって読みぬかれるべきなのは、いまを措いてほかにあろうか？

1　四十代から五十代にかけての大江文学の大きな柱に『「雨の木《レイン・ツリー》」を聴く女たち』『新しい人よ眼ざめよ』『河馬に嚙まれる』『静かな生活』などの連作短編集があるが、大江における「連作」という形式の嚆矢《こうし》は「セヴンティーン」「政治少年死す」である。ここにも両作が大江文学全体についてもつ意義の精査がもとめられる所以がある。

2　『慈しみの女神たち』の詳細な分析は、**Ⅵ**を参照されたい。

3　尾崎真理子のインタビューにたいして大江は「私には小説の人物の名前に対して、妙な趣味があるんです。（中略）とくに好きな人物については、この名前でなくてはならない、と考える。そうしますと、何度も同じ名前が出て来るということが、自然に起こってしまいます」と答えている（『大江健三郎作家自身を語る』）。そこで取りあげられているのは「真木」と「アカリ」だが、他にすぐに思いつくものとして「ジン」「菊比古」「火見子」「古義人」「鳥《バード》」といった大江文学独特のアレゴリカルな名前がある。わけても印象的なのは、もちろん「ギー」という濁った長音である。

4　一九六八年に川端康成が日本人初のノーベル文学賞を受賞したとき、「つぎは三島さんですね？」といささか無責任な質問をむけられた三島由紀夫が、「いや、つぎは大江だよ」と四半世紀後の受賞者を正確に「予言」したエピソードは広く知られている。すでにあの謎めいた自決へ手繰《たぐ》りよせられつつあったはずの三島の本意がどこにあったのかは判然としない。とはいえ三島が大江を、おのれの文学を打ち倒す「暗殺者」に擬していた、ということはありうる。一方で、「自分が超国家主義的なものに圧倒されて、頭のてっぺんまで飲み込まれてしまうのじゃないか、という惧れ」（「大江健三郎の文学」）を無意識裡に抑圧してきたと告白する大江は、三島由紀夫という「暗殺者」に絶えずつけ狙われつづけてきたともいえる。

5 「被包囲強迫」は、ナチス／SSによるユダヤ人絶滅を駆動した主要な機制である。「虐殺者の言葉」の中核にその機制が巣くっていることを分析したⅥを参照されたい。

6 『新潮』一九五四年七月号に発表された「鍵のかかる部屋」を、発表から十年あまりのちの一九六五年にふりかえった三島がこう書いているのは示唆的である。「私の作品群で、大江健三郎氏の出現の予兆をなすやうな作風のものは、これ一作であると思ふ。後世の人は、ここに、大江氏のエロティシズム観の一つの小さな予兆を見出すかもしれない」（『三島由紀夫短篇全集5』あとがき）。

7 三島の「固く乾いたまっすぐな言葉」と、大江の「軟らかく湿った折れ曲がる言葉」との対比を修辞上で最もよく反映しているのは、三島における象徴の愛好と、大江における直喩への偏執であろう。たとえば三島の代表作『金閣寺』では、主人公の醜さに否定的なかたちでとり憑いた「美」と、無機的で乾いた「金閣」（だからこそ火を放てば簡単に焼け落ちてしまう）が、象徴という抽象と具象をまっすぐに結ぶ技法によって固くつながれている。それにたいして大江作品に顕著な「犬」「羊」「牛」など雑多な動物たちの、とりわけその湿り気や軟らかさに吸いついてゆく直喩は、相似するものどうしのあいだをとめどなく横すべりしてゆく言葉の屈曲運動を組織している。

Ⅱ

暴力の二つのボタン　ジョージ・オーウェルと武田泰淳

1　赤いボタンと白いボタン

死刑場に隣接する小部屋にそなえつけられている異形の装置について、ジャーナリストの青木理《おさむ》はこう書いている（『絞首刑』講談社、二〇〇九年）。

刑務官たちの目の前の壁には、複数のボタンが横一列に並んでいた。5センチ四方の枠に囲まれた赤いボタンだ。古い拘置所の刑場なら5つ、新しい拘置所の刑場なら3つ。このボタンのうちのどれか一つが、死刑囚の立たされる1メートル四方の床を開閉する油圧装置に連結されている。

バタンコ――。死刑執行装置のことを、先輩の刑務官たちはそう呼んだ。1メートル四方の床が開く瞬間に発する激しい音に由来する言葉だという。その装置に誰のボタンがつながっているのかは分からない。だが、誰か一人のボタンは間違いなくつながっている。

奇妙なロジックがここにはある。私が新しい拘置所の刑務官だとしよう。二人の同僚とともに私は横一列にならぶ三つの赤いボタンを押す。「同時性」が重要だ。ボタンを押すタイミングにズレがあれば、誰のボタンが「バタンコ」の闇をひらいたかがわかってしまう。それはつまり、囚人の首をロープで絞めあげ、宙吊りになって痙攣する彼の生身《なまみ》を一個の死体に変えたのは誰かがはっきりと名指されてしまうということだ。三人のうちの誰かが殺したのはまちがいない。だがそれが誰なのかを、私にも、二人の同僚にも、そしてもちろん殺されゆく死刑囚にも、絶対に秘匿するためにしつらえられた装置。それこそ、三つの赤いボタンにほかならない。

このロジックがはらむ意味を、確率の相のもとで検討してみよう。同時に押された三つのボタンのうち、死刑囚の足もとの床をひらく油圧装置に連結されているのは一つきりだ。あるボタンが「バタンコ」を作動させる確率は約33％という計算になる。前後の文脈を切り棄てて行為の内実だけを見つめるならば、死刑執行とは、完全に覚醒した意識のもとで無抵抗の人間を殺《あや》めることだ。殺したのは私ではないという可能性——約67％の確率において私は「無罪《シロ》」である——を担保し、ボタンを押す者に自己慰撫の余地をあたえること。三つの赤いボタンの意味はそこにあるように見える。

だがこうした考察は掻《か》い撫《な》でだ。そもそもの前提を忘れてはならない。三つのボタンそれぞれの前に私たち三人がならび、同時にボタンを押すことなしには、死刑執行装置にくみこまれた約67％の「無罪《シロ》」——あるいは約33％の「有罪《クロ》」——という確率的差異は発現しないのだ。したがって約67％は「無罪《シロ》」であると自分を慰撫するのは二重の詐欺である。私のボタンが油圧装置につながっているかどうかという問題、すなわち確率の問題の手前に、私たち三人が同時にボタンを押すという行為がある。「有罪《クロ》／無罪《シロ》」の確率的ゲームの前に、そもそも殺人ゲームをスタートしたという意味で、私たち三人はともに「有罪《クロ》」なのだ。そうした「有罪《クロ》」性を無視して、約67％は「無罪《シロ》」であるという蓋然性に逃避するのは、約33％の「有罪《クロ》」を二人の同僚のどちらかに転嫁するという、さらなるあやまちにつながってはいないだろうか？

　確率論に用はない。三つの赤いボタンがあぶりだす、「責任」という観念のアポリアにフォーカスしよう。近代社会における「責任」とは、「自らの意志的行為の結果にかかわる責めは自らが負うべきだ」という当為をさす。死刑囚とは、「自らの意志的行為の結果にかかわる責めは自らが負うべきだ」という「責任」の原則を、「極刑」という最も厳格なかたちで適用された者の謂いである。だがその死刑囚たちを殺す側にあって、「責任」と「無責任」の境界は、偶然性を内装した三つのボタンのしくみによって意志的に揺らがされ、あいまいにされている。見逃すことのできない非対称性がここにはある。その非対称性を正当化するために、死刑囚は極刑にあたいする非常に重い罪――つまりは殺人、それもほとんどの場合複数の――を犯した人外《にんがい》の存在であり、たいして死刑を執行する私は職務を忠実にこなしているだけだ、と反論したとする。だがその反論は成立しない。もし私が「殺人」ではなく「職務」の「責任」だけを負えばよいのなら、私が他の二人と同時に赤いボタンを押す必要などないからだ。どれか一つは「バタンコ」につながっているが、どのボタンなのかは絶対に誰にもわからないなどという奇妙なしくみが、死刑の現場に実装されているのはなぜなのかという謎に、その反論は答えられないからだ。

三つのボタンの意味は、では、「責任」を分割するところにあるのだろうか？　殺人の「責任」はあまりに重いため、鼎《かなえ》のようなかたちでそれを三人が支えもつほうが「人間的」だというような念慮がそこにあるのだろうか？

殺人の「責任」は分割できるのか。もしできるとしたら、分割の「黄金比」はどこにあるのか。思考実験をしてみよう。もしボタンが二つだったらどうなるか。「責任」の重みは、三分の一から二分の一になる。もちろん私は、このとき殺人の「責任」は六分の一増すといったバカげた計算をしたいわけでも、そうした計算の愚かしさをいいつのりたいわけでもない。ここにあらわれる問題の質的な変貌を見たいのだ。ボタンが二つのとき、「バタンコ」をひらいたのは私か相手かの二者択一になる。殺人の重みは、私と相手に等分にかかっている。ボタンを押す私は、もう一人のボタンを押す私と、面と向きあって死刑囚の命のやりとりをすることになる。ボタンに指が触れたとき、私たちはたがいに相手に自分の鏡像を見るにちがいない。殺す私と殺さない私が不気味な分身として対峙する。その分身たちのはざまに、もう一人の私、殺される私が暗く滲《にじ》みだしてくる。殺す私と殺さない私と殺される私がもつれあい、二つの赤いボタンをめぐって息苦しく交錯する……。

二つのボタンは不吉すぎる。三つのボタンはその不吉さをきわどく回避しているようにも見える。ならば、ボタンが増えれば増えるほど不吉さは遠のくだろうか。四つにボタンを増やしてみよう。結果、殺人の「責任」が三分の一から四分の一になるだけで、ボタンを二つに減らしたときのような質的変貌はもたらされないかに見える。だがそれは錯覚だ。ボタンを五つ、六つ、七つと増やしてみればよい。十、百、千と増やしてみればよい。千人が千のボタンをいっせいに押す場面を想像しよう。直後に「バタンコ」がひらき、一人の死刑囚が全身を痙攣させ、数分後に宙吊りのまま絶命する。殺人の「責任」は千分の一だ。このとき私は、千分の一はほとんどゼロだとつぶやいてしまわないだろうか？　そのつぶやきは「人間性」を守るはずのしくみを「非人間性」へとねじまげてしまわないだろうか？　殺人という行為の「責任」は、ここで安楽死させられるのではないだろうか？　そもそも殺人の「責任」は分割をゆるすのか？　殺人の「責任」は「分割払い」をゆるさないというリゴリズムが、死刑という「一括払い」の暴力を支えていたのではなかったか？　その一方で、死刑囚を殺す「責任」ならば分割可能だというロジックは矛盾していないか？　その矛盾は、「責任」という観念そのものを「バタンコ」の底の闇へ突き落としてしまうのではないか？

＊

赤いボタンの列は不気味だ。だが、バラク・オバマが広島を訪問したとき、私たちは同じくらい不気味な光景を目撃した。原爆死没者慰霊碑の眼前、年老いた被爆者たちのすぐ隣りに置かれた「核のフットボール」。——米軍最高司令官である大統領が、有事にさいしていつどこであれ核攻撃を命令できる移動式ディヴァイス。それが「核のフットボール」と呼ばれる黒鞄である。核戦争を開始するディヴァイスが、史上はじめて核攻撃を受けた都市の爆心《グラウンド・ゼロ》を、黒衣に身をくるんで「弔問」する。この不吉な黒衣の襞《ひだ》には、赤いボタンと一対をなす、奇妙なロジックが縫いこまれている。

敵の先制攻撃といった緊急事態にさいし、大統領は「核のフットボール」の鍵をあけ、なかに収められている核攻撃のオプション一覧から最適な攻撃手段を選び、国防総省に命令をくだす。命令とともに認証コードを受けとった国防総省は、それが大統領本人の認証コードと一致していることを確認したうえで、各地の核ミサイル発射施設に攻撃メッセージを送信する。私がそこに勤務するミサイラーだとしよう。ここで要《かなめ》となるのは、各施設に配置されているミサイラーが、かならず二人一組になっていることだ。私はまず、送られてきたメッセージを正確に書きとったうえで、同僚が書きとったものと一致しているかどうか照らしあわせる。それから私たちはともに自分専用の金庫をあけ、そこに入っているパスコードとメッセージのコードが一致しているのを確認する。

核ミサイル発射の具体的プロセスは、これら一連の厳密な「一致」を見てはじめて開始される。私と同僚は壁に設けられた二つの鍵穴の前に立つ。私たちを縛る条件は三つ。①二つの鍵穴は、一人の人間が両手をのばしてもけっして届かない距離で隔てられている。②一人が鍵を挿入してから二秒以内にもう一人が鍵を挿入しなければプロセスは無効となる。③二人は同時に鍵を回し、さらにその状態をともに五秒以上保持しなければならない。

核攻撃、そしてありうべき世界滅亡への最終プロセスという文脈をぬきに想像すれば、B級映画じみた滑稽感すらただようこの儀式ばったシークエンスは、私たち二人の意志のひたすらな「一致」をもとめる欲望によって制作された奇怪な「作品」である。この「作品」の上映ののちに残るのは、ミサイル解除コードの入力という短いエンドロールだけだ。それがすめばもう誰も核戦争をとめられない。[1]

赤いボタン同様、ここでも「同時性」が重視されているのは、①～③に照らしてあきらかだ。死刑の暴力を発動するにあたって私たち三人は同時にボタンを押さねばならないが、核の暴力を発動するさいにも、私たち二人は同時に鍵を挿入することが要求される。だが「同時性」が必要とされるロジックは、両者にあってまったく異なっている。対照性をきわだてるため、核ミサイルの二つの鍵を二つの白いボタンに置きかえたうえで、さらなる考察をくわえよう。[2]

2 《分散の論理》と《一致の論理》

赤いボタンも白いボタンも、複数の人間が同時に押すことで暴力を発生させる。だが、赤いボタンが《分散の論理》を体現しているのにたいして、白いボタンが従っているのは《一致の論理》である。

核ミサイル発射のプロセスをあらためてたどりなおすと、〈大統領→国防総省→ミサイル発射施設〉という命令の伝達ルートのあらゆる関門において、「一致」が要求されているのが見てとれる。それら幾重にも積み重ねられてきた「一致」を最終的にしあげるのが、白いボタンを押す二人一組のミサイラーである。B級映画のワンシーンめいたこの最後の「一致」はしかし、かたちだけの滑稽な儀式などではない。むしろそれこそが、リーダーやエリートたちによる暫定的な決断を、国家による絶対的主権の行使へと変貌させるのだ。『社会契約論』におけるルソーの術語を借りれば、白いボタンを私たちミサイラーが同時に押すことは、核ミサイル発射が「一般意志」の決断であることを確証しようとする行為なのである。

自然状態にあってたがいに敵対関係にある個々人は、他者からの危害をまぬかれるために自分たちの力と生命を主権者に譲渡するというホッブズのいわばネガティヴな社会契約説を、ルソーは、そもそも人間は自然状態において自由で平等だが、その自由と平等を最大化するために他者と社会契約を結ぶ、とポジティヴなかたちにアップデートした。この社会契約はホッブズのそれと同じく全員一致を前提とするが、そのさいルソーが自説の核心に導入したのが「一般意志」という革命的なアイディアである。個々の私的利益にとらわれている「特殊意志」と異なり、つねに公的な利益だけをこころがける「一般意志」は、けっして譲渡されたり分割されたり代表されたりせず、けっして誤ることのない単一の意志として主権を行使する。個々の成員は「一般意志」に自由のうちに従うことで、あるいは従うことによって最大の自由を獲得することで、各々が絶対的な主権者でありつつも、主権のたんなる一構成員でもあるという両義性を生きることになる。

さて、核ミサイルを発射するとはどういうことか。それは、自分たちをふくめた世界全体が滅亡する可能性をすすんで受けいれることにほかならない。だが〈世界滅亡の可能性の受けいれ〉は、私的利益のみを追求する個々の「特殊意志」からはけっしてでてこない。その決断は、怖ろしく逆説的にみえるが、公共の利益の観点からみて〈世界の滅亡の可能性の受けいれ〉こそが最善であると認められたときにのみ、すなわち「一般意志」によってのみくだされる。他方、核ミサイルがいったん飛びたってしまえば数十分後の世界がどのように変貌するか誰も予測できない以上、核の暴力が発動する一歩手前に新たな社会契約があらかじめ要請される。すなわち、白いボタンが「核のフットボール」の内部やペンタゴンの司令室ではなく、末端の各発射施設の壁にそなえつけられており、大統領や国防長官や統合軍司令官の指ではなく、匿名のミサイラーたちの指によって押される――かりに五百発のミサイルが一度に発射されるケースでは千の白いボタンが千人によって同時に押されることになる――のは、核ミサイル発射が大統領個人の決断ではなく、「一般意志」の発動であることを確証する象徴的行為であると同時に、滅亡後の世界において全員一致で結ばれるはずの新たな社会契約を形式的に先取りしてもいるのだ。けっして大げさな話ではない。白いボタンを押す／押さないという選択がランダムだとするなら、二人のミサイラーが核ミサイル発射で「一致」するのは四分の一の確率となる。五百発のミサイルの発射には五百の「一致」が必要だ。つまりそれは、四の五百乗分の一というナノ確率でしか生じえない奇蹟なのだ。このような奇蹟を発生させうるのは、社会の発生という奇蹟を体現する「一般意志」のみであろう。

「核のフットボール」の解錠から核ミサイル発射にいたるまでの一連のプロセスにおいて、徹底して《一致の論理》がつらぬかれているのは、こうした理由による。そのプロセスは、異質な人間たちによって構成される社会というものの複雑さと、けっして分割できない主権としての「一般意志」の単純さが、白いボタンを押す私と同僚の「一致」を通じてひとつに融合することによってしめくくられるのだ。[3]

＊

ひるがえって、《分散の論理》を見てみよう。殺人は、人間が他者にたいしてふるいうる、最も重大で不可逆的な暴力である。その最大の暴力のなかにあって、死刑という刑罰は特異点をしめている。色恋や金銭がらみの殺人は、身勝手なものだとはいえ明確に実体的な原因をもつ、いわば「人間的暴力」だ。それにたいして死刑は、法という抽象的な形式からのみ引きだされる「非－人間的暴力」である。法がくだした命令を唯一の根拠として殺人という最大の暴力を合法化する死刑にあっては、〈命令－執行〉をめぐる法的暴力の循環構造がまざまざと露呈している。「暴力批判論」のベンヤミンが、死刑という刑罰に「法措定的暴力」と「法維持的暴力」の不穏な結託を見て、法の根源にただよう腐臭を嗅ぎつけているのは、この人間を疎外した循環構造を目してのことだ。

死刑という殺人の特異性は、ひとりの人間が法という抽象物の前に完全に無力な存在として立たされることにある。この事態を無慈悲なほど正確な入射角で抉《えぐ》りだしたのが、『流刑地にて』でカフカが克明に描きだした、鋭い刃を歯車の群れの回転で精密に制御し、素裸にされた囚人の肉体そのものに判決を刻みこむ処刑機械であった。こういってもよい。「人間」として刑場に立っているのは、死刑囚ただひとりだ。赤いボタンの前にならぶ私たちは、法という抽象機械の歯車にすぎない。この非対称性を生むものこそ《分散の論理》である。すでに見たように、三つの赤いボタンは確率論や近代的な責任概念をすりぬけてしまう。いやむしろ、暴力を考えるにあたってそれらが端的に無効であることを赤いボタンは証しているのだ。そもそも確率論は無限回の試行というすべてが終わった地点に立ち、そこから全事象の蓋然性について計算するロジックであり、責任もまた、行為が完遂された地点から事後的に主体の意志を想定し、全結果をそこに帰責してゆくロジックである。それらは遅れてきたロジックであり、暴力が発生するまさにその瞬間とはなんのかかわりももちえない。

ならば《分散の論理》とはなんなのか。刑場においては死刑囚のみが人間の顔をもち、死刑を執行する私たちは法という抽象機械の歯車となる、と述べた。むろん私たちも人間であり、それぞれが人間の顔をもっている。だが赤いボタンを押す瞬間には、死刑囚の顔がもつ「人間的引力」、そして私たちを各々の顔にひきとどめようとする「人間的引力」からできるかぎり身を引き剥がして、私たち三人が作りなすユニットを、三つの歯車で構成される法の抽象機械にできるかぎり近似させねばならない。

《分散の論理》は、人間を人間から引き剥がして処刑機械の一部となす「斥力」をあらわしているのだ。三つのボタンはすべてが同時に押される必要がある。どれか一つでも押されなければ、処刑機械に誤作動が生じる可能性——油圧装置につながるボタンが押されず、「バタンコ」がひらかないという致命的誤謬が生じる可能性——があるからだ。どのボタンが油圧装置につながっているか誰にもわからないというしくみも、私たちから人間の顔を剝ぎ取って歯車の一つへ転換するために導入されたものだ。なにごとかを着実になしとげつつも自らのなしていることをけっして知りえない。これこそ歯車だけが享受しうる特権ではないか。これら「同時性」と「不可知性」こそ歯車の群れが円滑に回転するための条件である。万がいち、三つの歯車が円滑に嚙み合わなければ法のシステムはすぐさま瓦解し、死刑執行をたんなるサディズムに変えてしまう事情については、『流刑地にて』の後半で、自らが管理する処刑機械の存在意義が認められなかったことに絶望し、おのれの肉体をすすんで機械にゆだねた将校が、歯車をつぎつぎに吐きだして崩壊するなかで剝きだしの殺人マシーンと化した法の刃にメッタ突きにされ惨死するシーンによって、これ以上ないほど鮮烈に表象されている。《分散の論理》は確率論などという空疎なロジックとは無縁の、人間から遠ざかる「斥力」の具体的なあらわれなのだ。それは責任を「分散」しているのではなく、人間そのものを、私の顔そのものを「分散」して、無機的な機械を暴力の場に召喚するしくみなのである。[4]

たとえばホロコーストを、こうした「斥力」の自律的展開という観点から追跡することができる。独ソ戦の初期においてSS出動部隊《アインザッツ・コマンド》は、ユダヤ人や共産党委員《コミッサール》を墓穴のふちに立たせ、背後から数人が同時に銃撃する方式をとっていた。しかし、歯車になりきれない人間——不眠や不安に襲われ、錯乱の果てに仲間に発砲したりする隊員ら——があらわれたことへの対処として、トラックの荷台に詰めこんだユダヤ人らを一酸化炭素で中毒させる方式があみだされ、ついにはシャワー室をよそおった大部屋に猛毒のチクロンBを投入して大量殺する方式が開発された。これらは人間を完全な歯車に転換してゆく「斥力」の自己展開にほかならない。

ただし注意が必要だ。個々人の名前がたんなる番号に還元されたということが強調されるあまり、ホロコーストの現場には人間の顔が存在しないと考えられがちだが、それはまちがいだ。絶滅収容所で撮影された被収容者たちの膨大な顔写真だけが反証ではない。人体実験で悪名高いアウシュヴィッツのＳＳ医師ヨーゼフ・メンゲレが、到着したばかりのユダヤ人らであふれかえる列車のホームで、即座のガス室行きと当面の労働班行きを選別したときも、彼は一人ひとりの顔を見ていたにちがいない。そもそも反ユダヤ主義の狂信家ユリウス・シュトライヒャーが発行していた『シュテュルマー』の巨大な鼻や尖った耳を誇張した挿絵にあきらかなように、ナチスにあってユダヤ性の具体的なあらわれこそ顔だった。ナチスのユダヤ人迫害は、彼らの顔を消去するのではなく、むしろ劇的に強調した。アウシュヴィッツはユダヤ人たちの顔であふれていたのだ。ただしそこにドイツ人の顔は存在しなかった。彼らは処刑機械の歯車へと自分たちの顔を「分散」していたからだ。この事情を明瞭に可視化してみせたのが、一九六一年にエルサレムで行われた裁判にひきだされ、たんに命令を円滑に遂行しただけで、ひとりのユダヤ人も自らの意志では殺していない私にホロコーストの責任はない、と主張した元ＳＳ将校アドルフ・アイヒマンの機械的としかいいようのない表情や身ぶりだった。[5]

ふたたび《一致の論理》に転じよう。核戦争は、人間が世界にたいしてふるいうる、最も重大で不可逆的な暴力である。このテーゼは、人間が他者にたいしてふるいうる最大の暴力である殺人の規模をたんに莫大化しただけのように見える。だがそれは誤りだ。量の増大は質の転換を生むというヘーゲルの洞察を、一人の死は悲劇だが数百万人の死は統計上の数字にすぎない、と核時代に即してアップデートしたのはスターリンだった。「悲劇」とはなにか。ある人間の死は、ひとつの生きた身体だけでなく、未来にむけて自律的に展開してゆく可能性をはらんでいたひとつの「世界」もまた消滅したことを意味する。永山則夫が処刑され、その顔と身体が生動することをやめたとき同時に失われたのは、数多のエッセイや小説がそこから汲みあげられた永山則夫固有の「世界」だった。そうした個々人に固有の「世界」を「顔をもった世界」と呼ぼう。ひとつの「顔をもった世界」が失われることへの愛惜――これがスターリンのいう「悲劇」である。

しかし、冷戦期における奇矯なオプティミズムを謳《うた》った『熱核戦争論』で知られるハーマン・カーンの造語「メガデス」が、百万人の死をたったの一単位に圧縮していることが象徴しているように、核戦争によって失われるのは「顔をもった世界」ではない。一億人の被爆死が百メガデスに平然と置換されてしまうときに失われるのは「世界の世界性」なのだ。一メガデスのなかに圧縮され梱包されてしまった死は、もはやいっさいの固有名や顔をすり潰され、百万という切りのいい単位を構成するのっぺらぼうな数値へと均《なら》されてしまう。そこで起こっているのは、百万の「顔をもった世界」の消滅ではなく、「顔をもった世界」たちの多様性を受けいれるうつわとしての「世界の世界性」の消滅である。ハイデガー流にいえば、「世界内存在」としての人間を存立せしめる、事物の有機的連関や他者との共同性へとあけはなたれた地平そのものの「巨大死《メガデス》」である。

核戦争は「悲劇」の舞台そのものを焼き尽くすことで、「顔をもった世界」の消滅という「悲劇」を上演する可能性を人間から奪い、無意味化した死の堆積をひたすら統計上の数値へと転換してゆく暴力である。この無機的な「巨大死《メガデス》」に対抗し、人間の自由を守ろうとするならば、核、戦争そのものの発動を、まったき自由のうちにある人間が「悲劇」として上演するという逆説的な道しか存在しない。

　さきに見たごとく、ミサイラーたちが全員一致で白いボタンを押すのは、核攻撃が「一般意志」による主権の行使であることを確認するためだった。ルソーによれば、全員一致で社会契約を結んだ者たちは、公的な利益のみを無謬のうちに追求する「一般意志」にすすんで従うことで、最大限の自由を行使できるとされる。白いボタンを押す私たちは、公的な利益のためにはそれが最善だという「一般意志」の決断として、自らのそれをふくめたすべての「顔をもった世界」が滅亡するという受けいれがたい「悲劇」を、最大限の自由の感覚とともに全員一致で選びとる。私たちはそのとき、各々が絶対的な主権者であるとともに主権の一構成員でもあるという両義性を、ルソーが夢想したような両者の純粋な一致のなかで生きる。

《一致の論理》とはつまり、各々の「悲劇」を演じる自由を人間から剥奪する暴力が発生するまさにその瞬間に、「悲劇」と「自由」と「人間」を私たちの側に掻き集めようとする「引力」のあらわれなのだ。私たちミサイラーはたがいの顔を至近距離で見つめあいながら、いっさいの間接的媒介《メディア》から解き放たれた古代ギリシアのポリスにおける民会のような直接民主制をひとつの「悲劇」として上演する。そして「一般意志」による主権の行使と、核戦争の生き残りたち――「メガライフ」といった単位で数えられる哀れな存在でしかないかもしれないが――によって結ばれるだろう未来の社会契約の正統性を、全員一致で認証するのである。

　人間を機械化する「斥力」のあらわれである《分散の論理》と、数値への還元から人間を守ろうとする《一致の論理》は、こうして対蹠的な位置を占めることになる。両者の鏡像的な関係から論点をさらに引きだしておこう。刑場において人間の顔をたもっているのは死刑囚ただひとりだった。赤いボタンの前にならぶ私たちは、《分散の論理》によって機械の一部となることで、はじめて暴力を発動できるのだった。殺される者だけが顔をもち、殺す者の顔が消えるという非対称性は、核ミサイル発射の現場においてくるりと反転する。《一致の論理》は、白いボタンの前にならぶ私たちに人間の顔をあたえる一方で、私たちが発射した核兵器によって殺される者たちからは顔を剝《は》ぎとり、かりに東京壊滅の場合なら13・9メガデスといった奇怪な数字に彼らを変換してしまう。

《一致の論理》が生みだすこうした非対称性は、たとえば広島に原爆を投下した「エノラ・ゲイ」の乗員たちにあきらかだ。そもそも機名の「エノラ・ゲイ」は指揮官ポール・ティベッツの母親の名前である。最愛のわが母の胎内から初子として生みおとされるのが史上初の熱核兵器「ちっちゃな男の子《リトル・ボーイ》」というわけだ。この一見無邪気なネーミングには、自分たちが行う大量殺戮を、出産という人間にとって最も喜ばしい営みのひとつに重ねて正当化しようとする身勝手な欲望と、その「ちっちゃな男の子《リトル・ボーイ》」に焼き殺される広島市民たちにたいする残酷な無視が、まさにちっちゃな男の子《リトル・ボーイ》のそれとしかいいようのない度しがたい幼稚さで露呈している。「ちっちゃな男の子《リトル・ボーイ》」の産婆役をつとめた爆撃手トーマス・フィアビーは、当時はまだレーダー技術の信頼性が低かったせいで広島市街を自ら目視しながら、マンハッタン計画が三年もかけて大事に育んできた「ちっちゃな男の子《リトル・ボーイ》」をこの無情な世界におくりだしたが、戦後のインタビューで「それはやらなければいけない仕事だったIt was a job that had to be done」と断言している。機械まかせにせずおのれの目で目標を見さだめ、至難のミッションを自由意志のもとでやりとげることがフィアビーにとって「人間の証明」だった。こういってもよい。《一致の論理》は被害者から「悲劇」を強奪し、それを加害者の専有物として確保するのだ。その証拠に、彼の「仕事job」によって殺戮され、0・1メガデスなどというバカげた数値に変えられてしまった人たちの「悲劇」について、フィアビーはなんの顧慮もはらっていない。[6]

*

死刑場と核ミサイル発射施設に実装されている不気味な論理を私たちは追尾してきた。かたや完全に息の根がとまるまで人間の喉を絞めあげつづけ、かたや世界全体を業火の渦へ引きずりこむそれら二つの論理が解き放つものを、絶滅の暴力と呼ぼう。表で簡潔に対照しておく。

タイプ	《分散の論理》	《一致の論理》
典型	死刑執行	核ミサイル発射
力	人間→機械にむかう「斥力」	数値→人間にむかう「引力」
効果	加害者の顔を消去	被害者の顔を消去

この世界を貪り喰らう暴力の群れは、別の天体から飛来するのではない。私たち自身が赤いボタンと白いボタンの前に立ち、同時にボタンを押すことによって生まれてくるのだ。覆面をかぶったレイピストはおのれを「男」という抽象物に「分散」する。幼な子を虐待する親たちは「躾マシーン」として拳をふるう。無差別爆殺を自らの「悲劇」に収斂しようとする「引力」が自爆テロを駆動する。操縦ボックスの白いボタンはかなたの空を飛ぶ無人攻撃機にミサイル発射を指令する。ヘイトスピーチを叫ぶ輩《やから》は自分たちのひりだした糞便を被害者の顔に塗りたくる。これらおぞましき怪物どもはすべて、《分散の論理》と《一致の論理》のあいだにひろがっている深い闇から私たち自身によって呼びだされ、人間からの「斥力」と人間への「引力」に引き裂かれながら、「絶滅」を叫ぶ奇怪な産声をあげるのだ。

怪物どもがくぐりぬけてくる暗い産道を独特の文学的直観で照破し、自らの危機的な体験によって磨《と》ぎすまされた想像力で暴力のもたらす破局に斬りこみつつ、赤と白のボタンがびっしりと繁茂する歪んだ重力圏からきわどく逃れさる軌道を模索しつづけた作家がいる。

ジョージ・オーウェルと武田泰淳である。

3 「絞首刑」と「審判」

インド帝国警察の一員として英領ビルマの刑務所に赴任したとき、まだ名もなき若僧にすぎなかったジョージ・オーウェルは、痩せこけたヒンズー教徒の男が独房からひきだされ、絞首台に吊されるまでの一部始終に立ち会った。その衝撃をなまなましいディテールとともに語った初期のエッセイ「絞首刑」に、有名な一節がある。

奇妙なことだがその瞬間まで、私には意識のあるひとりの健康な人間を殺すというのがどういうことなのか、わかっていなかったのだ。だが、その囚人が水たまりを脇へよけたとき、私はまだ盛りにあるひとつの生命を絶つことの深い意味、言葉では言いつくせない誤りに気がついたのだった。これは死にかけている男ではない。私たちとまったく同じように生きているのだ。(中略)彼と私たちはいっしょに歩きながら、同じ世界を見、聞き、感じ、理解している。それがあと二分で、とつぜんフッと、ひとりが消えてしまうのだ——ひとつの精神が、ひとつの世界が。

引用冒頭の「その瞬間」とは、絞首台にむかって連行されていく死刑囚が、足が濡れるのを嫌って水たまりをよけた瞬間を指している。それまでオーウェルは刑務所長や看守長、衛兵たちで構成される処刑チームと一体化し、出来事の経緯をひたすら客観的にながめるのみだった。彼は法的暴力を行使する抽象機械の歯車として、死刑に定められた男のうるんだ目とふさふさした口髭を、ただ無感動にながめていたのだ。だが、手錠や鎖をかけられるときも無抵抗で、もはや法的にも死んだ人間だったはずの囚人が、足もとの水たまりをひょいとよけた瞬間、驚愕したオーウェルの内面もまた、ひとつのカラクリをよけたのである。

オーウェルがよけたカラクリとは、人間を機械化する「斥力」の罠である。植民地ビルマを支配するイギリス人警察官であるオーウェルは、絶大な権力を構成するひとつの歯車として、目の前に弱々しく立っている死刑囚を無慈悲に見つめている。オーウェルの顔は「分散」され、処刑機械の鉛色に溶けいっている。だが死刑囚が水たまりから跳びのいた瞬間、オーウェルも《分散の論理》の罠から跳びのいて、機械から人間へと帰還したのだ。この跳躍は文体にあからさまな飛跡を刻んでいる。エッセイの冒頭からずっと「私たち We」だった主語が、「その瞬間」が訪れたとき突然「私 I」に切り替わっているのだ。

「私たち We」のなかから不意に「私 I」が出現する。処刑機械の表面に人間の顔がいきなり浮かびあがる。その瞬間、オーウェルは「ひとつの世界」が、うるんだ目とふさふさした口髭に彩られた「顔をもった世界」が失われることへの痛切な愛惜に打たれる。オーウェルはひとつの「悲劇」を感受したのだ。しかしこの「悲劇」はすぐさまテクストから滑り落ち、首に縄を巻かれた死刑囚が甲高い声で「ラーム、ラーム、ラーム、ラーム！」と唱えつづける胸苦しいクライマックスにおいても、二度と再演されることはない。「私 I」という主語も「私たち We」のなかへふたたび呑みこまれてしまう。一瞬の「悲劇」のあとを襲うのは、「ガタンと音がして、それきりしいんとなった」という乾いた描写であり、「爪先をまっすぐ下にむけて石のように息たえたまま、ひどくゆっくりと回転していた」と即物的にとらえられた死体であり、独房からひきだされまいと必死で横木にしがみついた囚人の足を六人がかりでひっぱったことがあるという看守長の話にそろって哄笑したあと、「私たちはネイティヴとヨーロッパ人の区別もなしに、みんなで仲良く飲んだ」というアイロニカルな結末である。
　たしかに「絞首刑」において「悲劇」は到来するやいなやすぐさま消えうせてしまう。しかし「斥力」の罠をひょいと跳びこえた経験が「私Ｉ」の手によって白紙に刻まれた事実はけっして消えない。「悲劇」がふたたびオーウェルを襲ったのは、ファシストの狙撃兵に喉を撃ちぬかれた文字どおり絶体絶命の危機においてである。『カタロニア讃歌』でオーウェルはこう書いている。

　誰かが担架を探している間に、私はまたもや地面に横たえられた。弾がきれいに喉もとを撃ちぬいたとわかったとたんに、私はもうダメだとあきらめてしまった。喉のど真ん中を撃ちぬかれて、生き永らえた人間や動物の話は聞いたこともなかったからだ。口の端から血がぽたぽた流れ落ちていた。「動脈をやられたな」と思った。頸動脈が切れたら、どれくらい生きていられるのだろうか。多分、何分とはもたないだろう。何もかもぼうっとかすんできた。およそ二分間ぐらい、私はとうとう死ぬのだと思いこんだにちがいない。それもまた面白かった《インタレスティング》――いまわのきわに人間が何を考えるのか、それがわかって面白《インタレスティング》いということなのだ。

　地面に横たわるオーウェルは、首に縄を巻かれた死刑囚とほぼ同じ状況で、二分後に――「絞首刑」でも二分といわれていた――確実にやってくるはずの死を待つ人間の心理を内側から見つめている。とりとめなくうつろう「いまわのきわ」の思いを綴るオーウェルの文章は、『白痴』でドストエフスキーの熱狂的な筆がえぐりだす死刑を目前にした人間の魂の詩学とはまったく異質な、二十世紀のジャーナリスト風のザッハリッヒな散文であるにはちがいない。だが、その即物的な表面の裏でオーウェルがひそかに反復しているのは、かつてビルマで絞首刑を目撃したときに生じた、機械から人間への帰還という稲妻のような出来事なのである。

　ファシズムという絶対悪と戦うために、病弱にもかかわらずオーウェルはほとんど衝動的にスペイン人民戦線に身を投じた。「マルクス主義統一労働者党 ＰＯＵＭ」の義勇軍に入隊したオーウェルはすぐさま前線に赴き、軍隊という究極の暴力機械のひとつの歯車としてファシスト軍と対峙する。だが、陣地にさしこむ曙光に照らされたオーウェルの喉ぶえを敵の狙撃兵の銃弾が撃ちぬいたとき、「私たち We」の集団性から、オーウェルは死を目睹した「私 Ｉ」の孤絶へと否応なしに引きもどされた。オーウェルは自らの「顔をもった世界」が消えうせるという「悲劇」に直面した「死刑囚」として、なすすべもなく地べたに横たわりつつも、暴力機械の表面に分散されていた「私 Ｉ」をいまわのきわに取りあつめ、そこに点《とも》った最後の光にかぎりない興味《インタレスト》をもって眺めいっているのである。

　死刑直前に恩赦がくだったドストエフスキー同様、運命はほんの一ミリだけ頸動脈から銃弾を逸《そ》らすことによって、オーウェルに『カタロニア讃歌』だけでなく『動物農場』と『一九八四年』を書く猶予を与えた。しかしビルマで落日をむかえつつあった大英帝国の尖兵として、そしてスペインで普遍的理念に殉じようとする義勇軍の一員として、死の暴力が作動するまさにその瞬間に、人間を機械化する《分散の論理》のカラクリから辛くも逃れえた体験は、その後の彼の作品に、とりわけ死刑と核戦争という絶滅の暴力でどす黒く染めぬかれた『一九八四年』に深く喰い入っている。

＊

結核との絶望的な闘いのさなかで『一九八四年』の執筆を急いだオーウェルは、ついに喀血を見たとき、スペインの地を赤黒く染めた自らの血を思いだしただろうか。苦しい咳が首筋に死の縄をからめるのを感じたとき、水たまりをひょいとよけたビルマの死刑囚を思い浮かべ、ひとつの「顔をもった世界」が消えうせる「悲劇」にあらためて打たれただろうか。すべては想像にすぎない。だがのちに見るように、『一九八四年』が描いているのはそうした「悲劇」が次々に絶滅させられてゆくディストピアだった。

『一九八四年』発表からわずか半年、一九五〇年一月にオーウェルは急逝する。同じ年に武田泰淳は、あたかもオーウェルの未完の闘争を引きつぐかのように、『一九八四年』と深く共振しあうSF長篇『第一のボタン』の連載を開始する。だが、『一九八四年』に「絞首刑」や『カタロニア讃歌』が先行していたように、『第一のボタン』が描く一九九〇年のディストピアにも先行作品が存在する。上海で敗戦をむかえた武田が、焦土と化した日本に帰国した翌年（一九四七年）に発表した「審判」もそのひとつだ。『司馬遷』で得た批評家としての名声をなげうって、小説家として再出発することを心に決めた武田が最初期に書いたこの短篇には、暴力が発生する瞬間に作動する《分散の論理》と《一致の論理》のからまりが、彼独特の直観力でつかまえられている。

一篇はこうはじまる。

私は終戦後の上海であった不幸な一青年の物語をしようと思う。この青年の不幸について考えることは、ひいては私たちすべてが共有しているある不幸について考えることであるような気がする。少くとも私個人として、彼の暗い運命はひとごとではないようである。会った時が敗戦直後であり、場所が国際都市であっただけに、彼の出現は一種啓示めいて、意義深く思われるのだ。

この書きだしには、すでに「私たちWe」と「私I」の暗い葛藤が、「不幸な一青年」の残像を通して予告されている。いうまでもなく上海租界はビルマ同様、帝国主義勢力の支配下にある。また、オーウェルがファシストに喉を撃ちぬかれた当の一九三七年に日本軍と中国軍が干戈《かんか》をまじえた第二次上海事変は、スペイン内戦とともに、ユーラシアの東端と西端で燃えあがった第二次世界大戦へのぬきさしならぬ導火線であった。さらにいえば、「国際都市」上海は、「共和国の理念」のもとに多国籍の若者がつどったスペイン義勇軍と通じるインターナショナルな雰囲気を漂わせてもいたはずだ。これら相似た背景のもと、「審判」はつとにオーウェルをとらえていた問題を反復する。

敗戦を境に、世界中から罪人視されるようになった日本人として生きることを余儀なくされた「私」は、フランス租界の洋館にこもってヨハネ黙示録の大災厄を読み耽り、原子爆弾に焼かれた日本の破局をそこに重ねあわせる。その虚脱した日々に、知人の息子で、中国戦線に出征して上海に現地復員した二郎があらわれ、不可解な翳《かげ》りをおびた言動で「私」の興味を引く。結婚を約していた美しい恋人との関係を断ち、日本に帰国する父とも別れて、ひとり上海に残る決意をしたという二郎から「私」は長い手紙をうけとる。その手紙には、祖国のために戦う兵士としてではなく、残虐な殺人者として無辜の中国人たちを二度までも殺《あや》めたことが告白されていた。だが、二郎がそこで吐露している「罪の自覚」や「審判＝裁き」を求める心理を深追いする必要はない。すでに確認したように、責任という遅れてきたロジックは、いまここに躍り出る暴力の速度にはけっして追いつけないからだ。二郎も戦場についてこう表現している。「法律の力も神の裁きも全く通用しない場所、ただただ暴力だけが支配する場所です。やりたいだけのことをやらかし、責任は何もありません」。――だから大切なのは、暴力の速度を微分することだ。そしてまざまざ凝視することだ。殺人の現場で一瞬だけ閃鑠《せんしゃく》するものを。

第一の殺人は、軍という殺人マシーンのひとつの歯車として遂行された。町はずれの街道を警戒する二郎の分隊の前を二人組の中国人が通りかかる。彼らは別の日本軍部隊に徴用されたのちに帰村する途中で、善良な農夫だから保護せられたい旨の部隊長の証明書を与えられていた。証明書を検分した分隊長は、いったん彼らを通過させる。だが直後に彼は「ニヤリと笑い、小さな声で『やっちまおう』と側にいる兵士にささや」くのだ。分隊長の命令に、仲間の兵士ともどもあわてて銃をかまえた二郎は、二十名の分隊員のうち誰かの弾丸は命中するだろうから自分は的《マト》を外そうか、あるいは射たないでおこうかとためらうが、突然「人を殺すことがなぜいけないのか」という「恐しい思想」につかまれてしまう。その「異常な思想」が閃鑠したあとに残った「もう人情も道徳も何もない、真空状態のような、鉛のように無神経なもの」として、二郎は農夫の背中めがけて発砲する。

ここで二郎の心理は、「絞首刑」でオーウェルが描出した「私たちWe」と「私I」の往還の軌道をなぞっている。殺人が日常であり目的でもある軍隊において「自分がどうもただの市民くさくて、兵士らしくないのを恥じた」という二郎は、「ことさらに荒々しく敵を殺せる男であるように努め」ていたと書く。戦場にあって二郎は市井での自分を殺し、すすんで暴力機械に同化しようとしているのだ。だが、いったん安心させておいて背後から射つという分隊長の卑劣な命令にしたがって銃をかまえたとき、射たないか、射っても的をはずすか躊躇した二郎は——数人の僚兵はそうしていたことを二郎はのちに知る——、「斥力」の罠を跳びこえて機械から人間へ帰還しかけている。その帰還をさえぎったのは、「人を殺すことがなぜいけないのか」という「異常な思想」だった。二郎は「鉛のように無神経な」機械の歯車となって引金を引き、ふりむいた農夫の悲しげにゆがんだ「愚かな顔」がくずおれるのを無情に見やる。

暴力が発生する瞬間における、〈機械→人間→機械〉〈私たち→私→私たち〉というオーウェルの鋭い動揺を武田の筆もぴたりとなぞっている。だがそこには見逃せない差異がある。オーウェルの前に立っていたのは死刑囚だ。そしてオーウェルは「法」の執行チームの一員として死刑に立ちあったのだ。しかし二郎の前で笑っているのは、小さな紙製の日の丸の旗をふる農夫たちである。しかも日本軍部隊長のしたためた証明書をもっていた農夫たちは、戦地の「法」によって保護されている存在であった。その「法」は分隊長の恣意によってあっさり無視されるが、他の兵士のように射たないでおくことも可能だったはずなのに、二郎は農夫を射殺してしまう。こういってもよい。ベンヤミンのいう「法維持的暴力」を行使する警察官として、オーウェルは《分散の論理》の赤いボタンを最終的には押さざるをえない。他方、赤いボタンを押さないという選択肢があったにもかかわらず、二郎はすすんで押したのだ。機械から人間に帰還したオーウェルを、ふたたび機械へと押しもどしたのは「法」である。だが二郎を機械へ押しもどしたのは「法」ではなく、「人を殺すことがなぜいけないのか」という「異常な思想」だった。「異常な思想」とはいったいなんなのか？

「異常な思想」と「法」の対立に目を凝らそう。「法」も死刑を命じるのだから、対立点は殺人の是非にはない。問題は「なぜ」という疑問符にある。「法」に「なぜ」はない。神や理性を普遍的法源とする自然法も、人為的かつ歴史的に定められた実定法も、それらが「法」であるかぎり「なぜ」という問いをけっして受けつけない。「法」は「法」としてただ厳然とそこにある。ある「法」がなぜそこにあるのかと問うても、それが「法」だからだという同語反復しか返ってこない。カフカの短篇「法の門前」が驚くべき鋭利さで剔抉《てっけつ》しているように、「法」の本質は「なぜ」の徹底的拒絶にある。それでもあえて「法」に「なぜ」という疑問符をぶつけるとき、それはもはやひとつの問いかけではなく、「法」の破壊をめざす「革命」の導火線である。そもそも「革命」とは「異常な思想」の現勢態《エネルゲイア》ではなかったか？　フランス革命は「人が自由で平等であってはなぜいけないのか」という「異常な思想」を「法」に突きつけた。「なぜ」こそが「革命」を駆動するエネルギーである。「人が自由で平等であってはなぜいけないのか」と問うことは、すぐさま「人が不自由で不平等であることがなぜゆるされるのか」へと反転し、その「なぜ」から既存の権力機構を悪の元凶として指弾し、「法」を破壊する暴力が生じるからだ。発砲の瞬間に二郎のなかで起こったのは麻痺や思考停止などではない。それはひとつの「革命」である。彼が自分を襲った閃きを「恐しい思想」「異常な思想」と呼ぶゆえんは、「人を殺すことがなぜいけないのか」という問いかけは、戦争という極限状況にあって「人を殺さずにいることがなぜゆるされるのか」という問いへくるりと反転し、その「なぜ」から「革命」が立ちあがってくるからなのだ。

第一の殺人からほどなく、二郎は食料徴発のために貧村に赴く。兵站本部の伍長とともに人影のない村を歩きまわるうち、二人は小屋の前にしゃがみこむ老夫婦を発見する。日本軍に焼き打ちされ、食料も根こそぎ持ち去られた村に置いてきぼりにされた老夫婦はただ身を寄せあってじっと動かない。「死んじまうぞ、このままじゃ、どうせ」と舌打ちした伍長がその場を去ったあと、二郎はふたたび「真空状態、鉛のように無神経な状態」に陥るが、そのとき「殺してごらん」という「何か」のささやきを聞く。「自分の手で人が殺せないことはなかろう。ただやりさえすればいいんだからな。自分の意志一つできまるんだ」。その不吉な声に同調して二郎は銃をかまえる。

私は立ち射ちの姿勢をとりました。老夫の方の頭をねらいました。二人は声一つたてません。身動きもしません。ひきがねの冷たさが指にふれました。私はこれを引きしぼるかどうかが、私の心のはずみ一つにかかっていることを知りました。止めてしまえば何事も起らないのです。ひきがねを引けば私はもとの私でなくなるのです。その間に、無理をするという決意が働くだけ、それできまるのです。もとの私でなくなってみること、それが私を誘いました。発射すると老夫はピクリと首を動かし、すぐ頭をガクリと垂れました。老婦はやはりピクッと肩と顔を動かしたきりでした。

このとき二郎は、赤いボタンではなく、白いボタンに指をかけている。殺人機械の歯車になるのではなく、焼け焦げた世界の前で自分だけは「人間」であろうとしているのだ。二郎がこだわっているのは「意志」の問題、つまりは「自由」の問題である。第一の殺人は、上官である分隊長の命令によって行われた。二郎に「自由」があるとしても、それはわざと的を外すといった消極的なものにすぎない。また、たとえ二郎が射たなかったにせよ誰かの弾丸が農夫たちの命を奪ったにちがいないから、二郎の「自由」はそもそも無力なものでしかなかった。無力で消極的な「自由」。これは語義矛盾ではなかろうか。「自由」とは意志が解き放つ積極的な力の謂いではなかったか。そして自由意志による決断こそ、人間の人間たるゆえんではなかったか。

戦地の片隅で、誰からも見すてられてただ餓死を待つだけの老夫婦——老夫は盲人で老婦は聾者だった——は、壊死《えし》した世界の象徴である。この奥行きの欠けた荒涼たる風景のなかに「悲劇」はない。あるのは生物学的な死が「人間」を分解してゆく平板で緩慢な過程だけだ。二郎の自由意志だけが、ここに「悲劇」を導入できる。だがその「悲劇」の上演は、盲人であり聾者である老夫婦を、ステージ上からも観客席からも排除している。二郎は自分が殺した老夫の顔をまったく覚えていないばかりか、老夫だけを射って老婦は餓死するがままに放置したことの残酷さに思いあたるのも戦後になってからなのだ。彼らの顔を抹消することで、二郎は「もとの私でなくなる」という「革命」を完遂する。

だが彼は、ひとりきりで「革命」を成就したのではない。二郎が老夫を射ったのは、「殺してごらん」という「何か」のささやき——武田がこの誘惑を二郎の独語ではなく、「何か」という他者の声に帰していることを読み落としてはならない——と、二郎の意志が一致したからだった。荒れ果てた貧村に《一致の論理》の白いボタンが忽然とあらわれ、二郎と「何か」はその二つのボタンを同時に押したのだ。そればかりではない。《一致の論理》は殺害の直後にふたたびあらわれる。いつのまにか二郎のすぐ近くへ戻ってきていた伍長は、「とうとうやったな」と微笑することで二郎の殺人を肯定しつつ、その出来事についてはけっして他言しないという黙契をも交わすのだ。つまり伍長の同意は、二人組の核ミサイラーたちと同様に、二郎が犯した中国人殺害を大日本帝国の「一般意志」として認証しつつ、新たな社会契約を全員一致で結ぶものなのだ。

一読、なくもがなに感じられる伍長の不意打ちめいた再登場は、《一致の論理》の要請にもとづいた必然だった。武田がここで描きだそうとしているのは、「絶滅」の白いボタンを二郎と伍長がそろって押す光景なのである。

4 「絶滅」と「滅亡」の闘争

第二次世界大戦の爪痕がいまだ露わな時期に、あいついで発表されたオーウェルの『一九八四年』と武田の『第一のボタン』は、ほぼ半世紀後の近未来を全体主義的なディストピアとして描くという大枠だけでなく、設定やプロットやディテールといった多様なレヴェルにおいて驚くほど似通っている。[7]『一九八四年』のウィンストン・スミスがテレスクリーンという一望監視装置《パノプティコン》につねに怯えているように、『第一のボタン』の「B一号」ことスズキは匿名の監視人に常時つきまとわれている。〈ビッグ・ブラザー〉が率いるイングソック党の独裁下にあるオセアニアが、ユーラシアやイースタシアと不可視の戦争を戦いつづけているのと同様に、軍事省が強大な力で支配する近未来の日本も、「人類の敵」という抽象的な敵の打倒に日夜邁進している。とはいえ両政府とも、外部の敵より自らの内部にひそんでいる敵をこそ強調する。その意味で両国は、Iで大江健三郎と三島由紀夫に即して分析した「被包囲強迫」にとり憑かれているといってよい。オセアニアには「人民の敵」エマニュエル・ゴールドスタインを首領とする地下秘密組織〈ブラザー同盟〉のスパイや工作員が広大なネットワークを張りめぐらせており、日本でも軍事大臣の強権に抗う〈原始党〉が陰に陽に破壊活動をつづけている。だが、〈ブラザー同盟〉も〈原始党〉

も人民を抑圧する口実として当局が捏造したものらしいと仄《ほの》めかされるところまで、オーウェルと武田の想像力はぴたりとシンクロしていた。オセアニアも日本も、大江健三郎の言葉を借りれば「性的人間」／「政治的人間」の二層からなる強固な階級社会であり、前者においては人口の85％をしめる〈プロール〉と呼ばれる下層民たちが、後者においては古びたアパートに集住する肉体労働者の群れが、政治へのアクセスをほぼ切断されたまま、薄汚れて貧しいが、雑多で奔放な力にみちた動物的な生を生きている。主人公であるウィンストンとスズキはともに現状に批判的な観察者として登場するが、彼らの傍観者性を批判する女性たちの出現によって――ジュリアとカミノハナはともに体制の禁を破って甘やかな香水をふりまき濃艶な化粧をほどこす――危険な出来事の渦中にいやおうなしに巻きこまれる。ウィンストンとジュリアが拷問される愛情省《ミニラヴ》には窓がないが、スズキとハナがその凄惨な光景に圧倒される永久館も外部から完全に遮断されている。人々を無気力にするために両政府がばらまくアルコールの安っぽさや、オセアニアで歌われる「憎しみの歌《ヘイト・ソング》」と日本の流行歌「人類の敵」の機能的な一致、「プロールと動物は自由だ」という標語と「猿《エン》マニズム」という不気味な思想にこめられた同質のアイロニー[8]、壁の穴から出没するネズミたちといった細部にまで、両者の呼応は果てしなく広がってゆく。

　これら不穏な類似の渦の目にあたるものこそ、『一九八四年』と『第一のボタン』が共有する暴力への独特のまなざしだ。両作はともに、一瞬のうちに数百万人もの「顔」を剝ぎとってしまう巨大兵器に焼かれたあとの荒廃した世界を舞台としつつも、その世界の隅々でなおもふるわれている個々の「顔」にむけられた暴力、すなわち拷問と死刑にとことんフォーカスしてゆくのである。

『一九八四年』の終盤でウィンストンが読むことになる「あの本《ザ・ブック》」――この醜悪なディストピアの構造を暴くゴールドスタインの告発書――には、「原子爆弾は早くも一九四〇年代に登場しており、初めて大規模なスケールで使用されたのは、その約十年後のことである。その当時、数百発の爆弾が産業の中心地、主としてヨーロッパ＝ロシア、西ヨーロッパ、北アメリカに投下された」と書かれている。『第一のボタン』の物語がはじまるのも、「B一号」ことスズキが押した白いボタンによって敵国の首都が根こそぎ消滅する光景からだ。つまり両者はともに人類全滅にまで突きすすみかねない「巨大死《メガデス》」の暴力に襲われた世界を描いている。だがその一方で、オセアニア政府は敵兵の公開絞首刑を年端もいかぬ子どもたちに娯楽として提供している。『一九八四年』がもたらす戦慄の核心が、〈ビッグ・ブラザー〉の教えに背く「思想犯罪」の咎《とが》で愛情省《ミニラヴ》内に拘禁されたウィンストンの心身を、どこまでも抉《えぐ》りぬいてゆく拷問の執拗な描写にあることも疑いようがない。ひるがえって『第一のボタン』では、「B一号」ことスズキと同時に白いボタンを押す任務をあたえられた「B二号」――カミノハナの夫で平和主義の文学者――は、軍の機密を漏らした罪で死刑に処されてしまう。また、未完のまま中断された作品の終わり近くには、スズキとハナが訪れた広大で絢爛たる「物品陳列場」の片隅に、「人類ノ敵ノタメノ生産物」と銘打たれて「電気椅子、ガス椅子、麻酔椅子、縄、踏板。筒の長い銃やギロチン風の刃物、そして荒削りの棍棒」といった拷問や死刑の器具が羅列される陰惨なシーンが待ちぶせている。そもそも、両作の主人公たるウィンストンとスズキは、ともに執行を猶予されている死刑囚なのだ。

死刑囚の眼にうつしだされる核戦争後の世界像。『一九八四年』と『第一のボタン』は、二重の「絶滅」によって戦後世界に生みおとされた不吉な双生児なのである。

全世界で六千万もの人命を奪った第二次世界大戦が発明した、核兵器という大量虐殺のテクノロジー。人類に「法」の観念が胚胎した太古から現代にいたるまで、無数の人間の命を奪いつづけてきた死刑というテロル。オーウェルと武田がいわば二人で同時に出版のボタンを押した二つの作品が、最新のテクノロジーによって解き放たれたマクロな暴力と、人間の古層からわきあがるミクロな暴力の二極に鋭く引き裂かれている事実は、暴力の根っこにからみつく《分散の論理》と《一致の論理》を彼らが明晰に透視していたことを示唆している。しかしこんなところにとどまってはならない。もし批評が認識の「革命」をもたらしうるならば、それは「なぜ」という問いを手放さないことによってのみ可能となるからだ。私たちは問わねばならない。ジョージ・オーウェルと武田泰淳が、同時代の作家たちからぬきんでて、暴力が発生するまさにその瞬間を明視できたのはなぜなのか、と。

＊

「絶滅」と「滅亡」の差異を凝視すること。鍵はおそらく、ここにある。埴谷雄高は『風媒花』を論じた文章（河出文庫『風媒花』解説）でこう書いている。

武田泰淳は、まさに遭遇した敗戦の時期に沈潜することによって、これまでの精神の覗き得なかった原始と未来の接点にある一つの劫力を透視する異常な複眼レンズを自己のなかからひきだした。そのずばぬけたレンズの深度の一つは、『滅亡について』、他の深度は、『無感覚なボタン』という彼の優れた短文に示されている。

「審判」と『第一のボタン』のあいだの一九四八年に——ちなみにオーウェルはこの年の下二桁を入れ換えて、完成間近な原稿のタイトルにしたとされる——発表された二篇のエッセイ「滅亡について」（一九四八年四月）、「無感覚なボタン——帝銀事件について——」（一九四八年五月）は、埴谷だけでなく武田自らも「私の小説の発想は、ほとんどこの二つの文章に要約されている」とその重要性を認めており、『第一のボタン』は後者の「物語風な展開」だとも述べている（「作家と作品」）。

「滅亡について」は、戦中に発表した評論『司馬遷』にたいするラディカルな自己批評の試みである。中国古代の歴史家・司馬遷の手になる『史記』百三十巻を読みぬいた武田は、「政治的人間」たちの血塗られた抗争、王朝や名家の累々たる滅亡につらぬかれた『史記』の壮大かつ複雑な構造を、「空間的に構成された歴史世界」と喝破し、英傑の死や王朝の滅亡といった「個別的な非持続」こそが、むしろ「史記的世界全体の持続」を支えていると主張する。武田が『史記』から汲みあげた、ヘーゲル以上に徹底してヘーゲル主義的なこの歴史哲学が、若き日のマルキシズムからの転向体験と、中国文学研究者でありながら中国人民に銃をむける日本軍兵士でもあるという矛盾を生きた経験に裏打ちされていることは、つとに指摘されている。「審判」に描かれたような嗜虐的な殺人を間近に目撃した——あるいは自ら犯した？——武田は、なにものかが滅ぶのを実感したにちがいない。だが滅亡は武田の内面的水準にとどまっていた。しかし『司馬遷』発表の二年後、上海で和書の中国語訳に従事していた武田は、大日本帝国の滅亡という出来事を、もはや内面と外面の区別が無意味化した吹き曝《さら》しの荒地で体験したのだ。

兵士となったおのれに武田がいくら懊悩したところで、それはやはり日本人としての懊悩だった。『史記』が描きだす累々たる滅亡絵巻を、武田は〈滅亡の処女〉たる日本の知識人として読んだのだった。だが敗戦は突如として「日本人」の輪郭を溶かし、それをなんとも得体のつかぬアモルフな残骸へと変えてしまったのである。アモルフな人間もどきに変身した者は、世界を不気味なアモルフさにおいて感受せざるをえない。山城むつみがいうように（講談社文芸文庫『風媒花』解説）、確固たる帝国の囲いが潰《つい》えたあとに沸騰するのは、裏切りと秘密と私生児が群れなして交錯する「複雑怪奇な雑種《ツァチョン》の世界」なのだ。この不気味な世界に見入る者は、彼自身が「複雑怪奇な雑種《ツァチョン》」に変貌してしまったことを自覚せざるをえない。米英ソに挟撃された大日本帝国は滅びた。原子爆弾をくらって日本人は滅びた。それはすなわち、武田の「私」も滅びさったことを意味する。ヘーゲル主義的な「滅亡」の歴史哲学は、理性的な「私」という局外に立つ観察者がいないところには存立しえない。つまり武田は敗戦時に、おのれが『司馬遷』で精緻に組み立てた世界モデルもあえなく「滅亡」したことを思い知ったのである。

敗戦が〈滅亡の思想〉にアップデートを迫った。「滅亡について」が書かれねばならなかった必然性はここにある。タイトルの「滅亡」とは日本のそれのみを指すのではない。このエッセイは、自らの過去の思想の「滅亡」に手向《たむ》けられてもいるのだ。たしかに一見、以下のような認識は『司馬遷』でつかみとられた歴史哲学と連続しているように見える。

滅亡は私たちだけの運命ではない。生存するすべてのものにある。世界の国々はかつて滅亡した。世界の人種もかつて滅亡した。これら、多くの国々を滅亡させた国々、多くの人種を滅亡させた人種も、やがては滅亡するであろう。滅亡は決して咏嘆すべき個人的悲惨事ではない。もっと物理的な、もっと世界の空間法則にしたがった正確な事実である。

だが武田はかつて「『史記』の世界構想」の冒頭で、「私は司馬遷の企てを説明する前に、あらかじめ彼の企てが、私たち日本人の今果さんとする企てとは、根本的な点で異っていることを申しのべておかなければならない。彼のつくりあげた世界構想と私たちのつくりつつある世界構想とは、ある重大な点でくいちがっている」[9]とわざわざ断っていた。つまり、「滅亡」を中核にすえた『史記』の世界構想と日本は無縁だと述べていた。したがって、「滅亡は私たちだけの運命ではない」という一文は、『司馬遷』における洞察の根太《ねだ》が踏み破られたことを示している。滅亡が中国古典の頁から奔馬のごとく暴れでて、現実世界をそのどす黒いひづめで踏み躙《にじ》ったとき、私たちも滅亡しうるのだという衝撃とともに武田を震撼させたのは、対象化された世界を俯瞰していたはずの「私」が、勝者が統《す》べる世界から人間もどきとして見おろされる逆転だった。その逆転こそが武田に「絶滅」と「滅亡」の差異を見出させたのである。

黙示録を引きつつ「滅亡の真の意味は、それが全的滅亡であることにある」と書く武田は、数十発の「アトム弾」をくらって日本人すべてが絶滅したあと、かつて「日本」と呼ばれていた極東の列島を「無言の土灰」が覆いつくすさまをいったんは幻視する。現実にはしかしただ二発の投下にとどまり、それゆえに生き残っていること、それが「日本人の出発の条件」なのだという武田は、この錘鉛めいた重い認識をさらなる深みへと沈めてゆく。

しかしながら滅亡が文化を生むとは、滅亡本来の意味からいって不可能である。文化を生む以上、そこに非滅亡たる一線、ごく細い、ほとんど見別けがたい一線があるにちがいない。今まではたしかにその一線があった。その一線を世界は、かなり大まかに許していた。しかし、今後、それが許されるであろうか。第二次、第三次と度重なる近代戦争の性格が、滅亡をますます全的滅亡に近づけて行く傾きがある今日、科学はやがて、今までの部分的な、一豪族、一城廓の滅亡から推定される滅亡形式を時代おくれとなすにちがいない。

あらゆるものを焼き尽くす「絶滅」とはちがい、「滅亡」はほとんど見わけがたいかたちではあるが、「非滅亡」の逃走線を自らのうちに書きこんでいる。その細い一線をつたって「滅亡」の外部へと逃れえた者たちが未来の文化を創造するのだ。無限に反復される「滅亡」と、同じく無限に反復される「非滅亡」によって不断に更新されてゆく巨大なアリーナが、世界である。だが近代戦のテクノロジーは、当のアリーナそのものを、すなわち「世界の世界性」を爆砕する力を獲得した。世界が「滅亡」を消化するのではなく、「全的滅亡」が世界を嚥下《えんげ》してしまったのだ。「全的滅亡」は、外部へいたる「非滅亡」の逃走線を、おのれの内部から「絶滅」する。この「絶滅」の暴力に抗して、「滅亡」と「非滅亡」の葛藤を活性化させ、そこに唯一無二の「出発の条件」を見出すこと。「滅亡」と「非滅亡」の煮え滾《たぎ》る沸騰、すなわち「複雑怪奇な雑種《ツァチョン》」が跳梁するアモルフな世界に、雑種《ツァチョン》たるおのれの身を賭けること。自らの傑作評論『司馬遷』をラディカルに更新する武田のまなざしは、そのきわどい賭けを見すえている。

「絶滅」と「滅亡」の闘争。「無感覚なボタン」はこの主題を〈非人間的な殺人〉と〈人間的な殺人〉という両極にさしわたして輻輳《ふくそう》している。一九四八年一月、東京都豊島区の帝銀支店に厚生省技官の名刺をもって訪れた男が、集団赤痢の予防薬だとして茶碗に入れてさしだした青酸化合物によって十二人が殺害された「帝銀事件」に衝撃をうけた武田は、犯人と被害者たちとの「非情な無関係さ」に事件の本質を見る。被害者たちは個々の顔と名前をもつ存在としてではなく、ただ犯人の「そこにいあわせた全部を殺す」という意志によって、まったくの偶然と無意味のうちに鏖殺《おうさつ》された。顔という顔の「絶滅」をめざしたこの無差別殺人と対比されるのが、『罪と罰』におけるラスコーリニコフの殺人である。人類のためという超越的視点に立てば〈滅ぼされるべき者〉の選別が可能になるというイデオロギーのもと、ラスコーリニコフはあくどい金貸しの老婆を惨殺する。だが思いがけないことに、殺害現場に老婆の義妹リザヴェータがあらわれる。ラスコーリニコフはリザヴェータの怯えきった顔をまともに見つめながら、〈滅ぼされるべき者〉ではありえないはずの善良な女の脳天を、老婆の血にまみれた斧でたたき割ってしまう。

その一瞬に、ドストエフスキーはひとつのイデオロギーの「滅亡」を戦慄的なテンションで凝縮している。イデオロギーは人間を殺人マシーンに変える。ラスコーリニコフは人類のためという名目の《分散の論理》に囚われて自らの顔を失っている。だがイデオロギーが滅びる瞬間、加害者は被害者の顔の前で自らの顔をとりもどすのだ。武田のいう「犯人の持っていた一対一的必死さ、いいかえれば殺人の人間らしさ」という言葉は、まさにこのことを指している。

「最新式の長距離砲、或はV弾で国境を越えて、多数の見えざる住人を殺す」未来の絶滅戦では、ただ押すだけですべてが終わる無感覚な「殺人ボタン」が出現すると武田は予想する。「無線電波で操縦する航空機に、強烈な爆弾をつみ、目的地の上空に達してからそれを落下させるためには、事実、一つのボタン或は一つのスイッチをおし、ひねれば足りるのである」と記す武田の想像力は、現代戦の不気味さを象徴する無人攻撃機やAI兵器をも予見しているといってよい。人間の顔を冷徹に消去する〈非人間的な殺人〉、すなわち「絶滅」の暴力にたいし、「滅亡」にまつわる想像力は、自らの内奥にひそかに「非滅亡」の逃走線を走らせることで対抗する。〈滅ぼされるべき者〉の選別という歪んだイデオロギーが「滅亡」した瞬間、サンクトペテルブルクからウラルを越えてシベリアの流刑地へとひた走り、青白く痩せたソーニャの笑顔につづいてゆく細く見わけがたい逃走線がラスコーリニコフの前に忽然とあらわれた。《分散の論理》と《一致の論理》に脅かされつつ、とぼとぼとその線をたどってゆく長く苦しい旅路の果てに、回心と愛が待っていた。アウシュヴィッツの「絶滅」にむかって突きすすむ選別のイデオロギーから逃れるためには、「そこにいあわせた全部を殺す」という「絶滅」の意志から解き放たれるためには、ラスコーリニコフの「私」はいったん「滅亡」しなければならなかった。「滅亡」のもたらす苦悶にのたうちまわることが、彼にとって唯一無二の「出発の条件」だったのだ。

＊

オーウェルもまた、幾度となく「滅亡」をくぐりぬけた作家である。なるほど大日本帝国とは異なり、大英帝国は第二次世界大戦の勝者だった。だが、すでにビルマでの警察官時代に「帝国主義は邪悪なものであり、いまの職はなるべく早く放りだして逃げだすにかぎると心をきめていた」（「象を撃つ」）オーウェルにとって、植民地で蛮行をくりかえす大英帝国は幻滅の対象でしかなく、パックス・ブリタニカの理念などとうの昔に滅びさった夢想だった。とはいえ「滅亡」はまだ内的な感受にとどまっていた。だが敗戦時に武田が内部と外部の区別が消失してしまう地点で「滅亡」を体験したのと同様に、スペイン内戦でオーウェルを襲った「滅亡」は、狙撃兵の放った銃弾のように内部と外部の隔壁をぶちぬいた。こういってもよい。武田が中国文学の研究者から敗者という人間もどきへ突き落とされたように、オーウェルもまた、反ファシズムの義勇兵からスパイという人間もどきへ突き落とされたのだ。

『カタロニア讃歌』第八章でオーウェルはこう書いている。

普通の人間を社会主義に引きつけるもの、そのためなら喜んで命まで投げださせるもの、つまり社会主義の「秘法《ミスティーク》」なるもの、それは平等という理念なのだ。大多数の人々にとって社会主義とは階級なき社会のことであり、それ以外のなにものでもない。そして、私にとって義勇軍にいたあの数ヵ月間の価値とは、まさにここのところにあったのだ。

リベラルな社会主義者として、「平等」という「秘法《ミスティーク》」の力を信じていたオーウェルを瞋恚《しんい》と絶望へ追いやったのは、左翼党派間の泥沼の内紛と、ソ連のGPU《ゲーペーウー》から指令をうけた共和国治安警察によるテロ政治、そしてスペインの「真実」を知ろうともせずにフェイクニュースを全世界へたれ流すジャーナリストたちの破廉恥だった。オーウェルがその一員としてファシストと戦ったPOUMは、彼が喉に銃弾をくらって搬送されてから一ヵ月もたたぬうちに共和国政府によって非合法化され、党上層部は一網打尽に投獄、指導者アンドレス・ニンは拷問の果てに虐殺される。『カタロニア讃歌』第九章以降は、オーウェルが前線でつかのま享受した「平等」という「秘法《ミスティーク》」が、POUMに投げつけられる〈ファシストの手先〉〈トロツキスト〉という「弾圧」の「秘法《ミスティーク》」にすりかえられ、あっけなく「滅亡」してゆくさまへの悲憤慷慨に染めぬかれている。スパイ活動・重反逆罪裁判所に提出された治安警察当局の報告書には、「よく知られたトロツキスト」「ILP及びPOUMを結びつける工作員《エージェント》」としてオーウェルと妻アイリーンが名指されており、彼らもニン同様、当局に人間もどきとして逮捕され、拷問ののちに殺害されていたとしてもなんら不思議ではなかった。オーウェル夫妻は危うい逃走線をつたって処刑機械の版図から脱出する。

「平等」という「秘法《ミスティーク》」の「滅亡」がオーウェルにあたえた影響は深甚だった。スペイン共産党は、ハンマーと鎌をあしらったPOUMの仮面をひっぺがすと鉤十字《ハーケンクロイツ》を刻んだ顔があらわれる悪意にみちた寓意画をばらまいたが、オーウェルは共産党の支配こそファシズム同然の全体主義だと反駁し、ロシア革命が圧制へと腐敗してゆく過程を悪しざまに寓意した『動物農場』を書きあげた。『動物農場』だけではない。『一九八四年』のコアとなるアイディアも、一九四二年に発表されたエッセイ「スペイン戦争をふりかえって」にほぼすべて出尽くしている（引用文中の傍点は原文イタリック）。

a われわれの時代に特徴的なのは、歴史が忠実《トゥルースフリー》に書かれうるという考えが放棄されていることである

b ナチの理論は実際、「真実《ザ・トゥルース》」といったようなものの存在をきっぱりと否定する

c 指導者や支配集団が、未来ばかりか過去までもコントロールする

d もし指導者が、あれこれの出来事は「絶対に起きなかった」といえば——そう、絶対に起きなかったのだ。もし彼が2たす2は5であるといえば——そう、2たす2は5なのだ

e 労働者階級こそ、最も信頼にたるファシズムの敵でありつづける

ウィンストンが真理省《ミニトゥルー》で過去の「タイムズ」の記事をひたすら書きなおす仕事に従事しているのは、彼の棲まう世界では**a・b**のようなポストトゥルース状況が全面化し、「フェイクニュー

ス」と「真実」の境界が完全に破壊されているからである。イングソック党は**c**を「過去をコントロールするものは未来をコントロールし、現在をコントロールする者は過去をコントロールする」という絶対権力のスローガンに改鋳するだろう。オブライエンによるウィンストンの拷問の頂点で賭けられていたものこそ、**d**の〈2たす2が5である〉という誤謬命題をすすんで信じこむこと、すなわち「二重思考《ダブルシンク》」の完全なインストールだった。「希望があるとするならそれはプロールたちのなかにある」と日記に綴るウィンストンの期待の淵源が**e**にあるのはあきらかだ。「平等」という「秘法《ミスティーク》」が眼前で滅び去ったことへの幻滅が、オーウェルに病身を賭して『一九八四年』を執筆させ、結果として自らの命を縮めさせたのだった。オーウェルの絶望の深さを転写したごとく、『一九八四年』はとことん暗鬱な小説である。第二次世界大戦が終わった当の一九四五年に、早くもエッセイ「あなたと原爆」で「ものの数秒で数百万の人間を消し去ることができる兵器を持った、二、三の怪物のような超大国が、自分たちだけで世界を分け合う」未来予想図を素描し、「冷戦《コールド・ウォー》」という語の戦慄的な意味をいち早く発見していたオーウェルが、最後の小説の舞台に核戦争後の世界を選んだことはすでに述べた。だが数百発使用されたという核の大火も世界全体を焼き尽くすのに十分ではなかった。オセアニア政府とイングソック党、そして〈ビッグ・ブラザー〉の冷血が欲しているのは、核兵器をもってしてもなしえなかった「絶滅」の完遂にほかならない。

「全的滅亡」をめざす絶対零度の暴力に冷たく凍りついた世界。それがオセアニアである。ないのは「平等」だけではない。そこにはまず、違法行為がない。そもそも法がないからだ。ベンヤミンは「法措定的暴力」と「法維持的暴力」のあいだの暗がりにひそむ警察権力の恣意性を指弾したが、すでに法が滅ぼされているオセアニアでは、〈思想警察〉が「××的」などという冠を抹消した剝きだしの暴力をふるっている。セックスは浣腸と同等の不快な生理的処置にまでその意味を切り詰められてしまった。もはやそれは必要悪ですらない。〈反セックス青年同盟〉は、子どもにかかわるすべてを人工授精と公共施設での養育に委ねよと主張しているのだから。したがってオセアニアでは家族も滅んでいる。塵埃と悪臭にみちたヴィクトリー・マンションに逼塞しているのは家庭ではなくミクロな収容所群であり、そのことを証すのは、寝言で〈ビッグ・ブラザー〉を誹謗した党員を七歳の娘が〈思想警察〉に密告する胸糞悪いエピソードだ。三億の人間が同じ顔を持つことを欲するイングソック党は、人民から個々の顔を殺ぎ落とすことに血道をあげる。〈顔　犯罪《フェイスクライム》〉という奇怪な罪を設けすらして。日記を書けば、いや、書こうと考えただけでも死刑か最低二十五年の強制労働収容所送りになるディストピアにおいては、個々の顔と同時に各々の記憶もデリートされている。要は「私」が滅んでいるのだ。「一九八四年四月四日」という日付――日記という形式において本質的な符牒であるはずの日付すら、時間の観念が滅びさったオセアニアではひとつのいんちき《フェイク》にすぎない――のあとに分裂した想念を書きつけるウィンストンの「私」は、もはや「I」で書かれる大文字の主体ではなく、小文字の「i」へと萎縮して周囲の文字群に惨めに埋没している。「私」をえぐりとったメスは、返す刀で倫理も摘出するだろう。栄養失調で死にかけている幼い妹の手からチョコレートをひったくったウィンストンは、その数十年後、「子どもの顔に硫酸をかけることがわれわれの利益になるなら、そうする覚悟はあるか？」とオブライエンに問われて「あります」と即答する。硫酸は子どもの顔だけでなくウィンストンの顔をも溶かし、肉の焦げる異臭とともに彼の倫理を焼き尽くしてしまったのだ。

レヴィナスは「顔」のあらわれと倫理の命法の根源に〈言葉の力〉を見出した。「顔」の抹消に突きすすむ世界において、〈言葉の力〉こそが最大の敵である。一九六〇年以前、つまりは核の大火以前に書かれた本は一冊も残っていないオセアニアで、言語の極端な簡素化をめざす「ニュースピーク」は、〈言葉の力〉の虐殺を遂行する。二〇五〇年までに最終的な完成態へとしあげられるはずの「ニュースピーク」の専門家であるサイムは、言葉の破壊がもたらす美を宣揚しつつ、それが思考そのものの根絶をめざしていることをウィンストンに誇る。「自由」という言葉がなければ思考の自由も蒸発する。「平等」という言葉がこの世界から駆除されれば、平等をもとめる思考も絶滅する。

これで終わりではない。ゴールドスタインの「あの本《ザ・ブック》」がリストアップする、さらなる絶滅奨励種を見てみよう。「なぜ人間の平等は避けられるべきなのか？」（傍点は原文イタリック）「ある特定の時期に歴史を凍結《フリーズ》しようとする、この厳密に計画された巨大な努力の動機はいったいなんなのか？」――ウィンストンはその先を読み進めることはできない。彼とジュリアがひそむ隠れ家を〈思想警察〉が急襲したからだ。むろん、ここでの〈思想警察〉は〈機械仕掛けの神《デウス・エクス・マキナ》〉にすぎない。ウィンストンとジュリア、そして読者たちによるこのディストピアの謎解きを根底のところで阻んでいるのは、黒衣の犬どもなどではなく、「歴史」の「絶滅」という未聞の事態なのだから。「過去が消され、その消去自体が忘れられ、嘘が真実となる」世界においては、「平等を圧殺し、歴史を凍死させなければならないのはなぜなのか?」という「謎」もまた吹き消され、そしてその消去自体が忘れさられてしまうのだ。

「なぜ」を滅ぼす。オブライエンのウィンストンにたいする残虐な拷問が最終的にめざしているのはこれである。拷問マシーンの歯車と化したオブライエンはいう。昔の専制君主は「汝、なすべからず」と命じ、全体主義は「汝、なすべし」と命じ、イングソック党は「汝、これなり」と命じる、と。より正確にいいかえよう。専制君主は「汝、殺すべからず」と命じ、全体主義は「汝、殺すべし」と命じ、イングソック党は「汝、殺《さつ》なり」すなわち「汝はすでに殺されてあれ」と命じるのだ。生きているかぎり、自分が殺さなかった理由や殺した理由を問うことはできる。その問いから専制君主や全体主義にたいする疑念が生じる。そこにこそ「革命」の芽はやどる。だが死者は、自らが殺された理由を問うことはできない。イングソック党は「なぜ」を滅ぼす。それは〈問いかける存在〉としての人間の「絶滅」だ。「なぜ」にしがみつくウィンストンにオブライエンはこう告げる。「君が人間だとしたら、最後の人間になる、ウィンストン。君のような人間は絶滅種なのだ」[10]——。

5 「愛」という名の「秘法《ミスティーク》」

「なぜ」と問うことは、しかし「革命」の、「批評」の力源だったはずだ。「なぜ」という問いを突きつめた果てに勃発する未知なる現勢態《エネルゲイア》こそ、「革命」であり「批評」であったはずだ。スペイン内戦で強いられた絶望は、肺を侵す病魔とあいまって、「革命」へのはるかな期待を、あれほど鋭利だった「批評」のまなざしを、オーウェルから完全に奪い取ってしまったのだろうか？　ちがう。自由も思考も記憶も失い、いずれ訪れるはずの死刑をアルコール漬けとなって待つだけの「絶滅種」と化したウィンストンに、ひとつだけオーウェルが書きあたえたものがある。

それは「愛」だ。そういったら驚かれるだろうか。たしかに、人間の心身を破壊する凄惨な拷問の描写に吐き気をもよおした私たちの眼に、かつてウィンストンとジュリアが死を賭してまで――死を賭したからこそ――その甘やかな蜜を心ゆくまで味わった「愛」は、もはや干涸《ひか》らびた吐瀉物にしか見えない。私たちはすでに、猛り狂う巨大ネズミに目玉を囓《かじ》られるという下劣で残忍な拷問にわれを忘れたウィンストンが「わたしじゃなく、ジュリアにこれをしてくれ！」と叫ぶのを見てしまっている。仮釈放後に街で出会った二人が、相手を裏切ったことを嫌悪をこめて吐露しあうのを聞いてしまっている。だが、やはり「愛」は燃え残っている。もちろんそれは、累々たる「滅亡」のただなかに書きこまれた細く見わけがたい破線でしかない。だがたしかに「愛」は、「闘争＝逃走」のライン上を『一九八四年』の物語の外部へむけて走っている。死刑を執行する《分散の論理》と核ミサイルを発射する《一致の論理》に挟撃されつつ、いまなお走りつづけているのだ。

物語をしめくくる一文はこうだ。「彼は〈ビッグ・ブラザー〉を愛していた He loved Big Brother」。もちろん〈ビッグ・ブラザー〉への「愛」の告白とは、「愛の滅亡」の報告にほかならない。だが最後の動詞に「love」が選ばれたということは、赤いボタンと白いボタンにびっしり埋めつくされたオセアニアにおいても、最後のぎりぎりにいたるまで「愛」が生きのびていたことを証している。だが結局、「愛」は滅ぼされたではないか？　「絶滅」の暴力はむしろ、最後のとっておきの生贄として「愛」を延命させていたのではなかったか？　遺作の掉尾を「愛」の公開死刑で飾ろうとするまでに、オーウェルの絶望は深かったのではないか？

この一見もっともな反論は間違っている。オーウェルは自らの命が滅んだあとにも「愛」が生きのびることを望んだのだ。早すぎる晩年に彼が養子縁組をしたり、妻アイリーンが突然死した悲しみも癒えぬうち複数の女性にプロポーズしたり、死の床でソニア・ブラウネルと再婚した事実などを挙げたいのではない。テクストを見よ。オーウェルは遺作の終わりに、最後のとっておきの光をそっと書きこんでいるではないか。〈ビッグ・ブラザー〉に「愛の滅亡」が報告されるラストシーンの直前だ。そこにこそ『一九八四年』における最も美しい言葉が、いやおそらくはオーウェルのつむいだ膨大な言葉のなかで最も輝度の高い「和解／調和《リコンシリエーション》」が、一本のロウソクによって明るんでいる。

母と妹が蒸発する一ヵ月ほど前の、大雨の日の記憶である。暗い部屋に閉じこめられて退屈しきったウィンストンと妹をあやすために、母は近所の雑貨屋から「ヘビとハシゴ」を買ってくる。「ヘビとハシゴ」はサイコロを振って自分のコマをゴールへと進めていくすごろくの一種で、「ヘビ」のマスにとまると罰として後退、「ハシゴ」のマスにとまると先へジャンプできる。単純きわまりないゲームだ。だが、「愛」とはそもそも複雑な駆け引きなどではないはずだ。単純きわまりないゲームをともに楽しみ、顔をつきあわせて笑いあう。「幸福」の光り輝く場所が、ここ以外のどこにある?

母が一本のロウソクに火を灯し、ふたりは床にすわってゲームをはじめた。じきに彼はひどく興奮し、小さな円盤《コマ》がうまくハシゴを登ったり、ヘビをずるずる滑りおりてスタート近くまで戻ったりすると、大声をあげて笑った。彼らは八回ゲームをし、それぞれ四回ずつ勝った。彼の小さな妹は幼すぎてゲームを理解できなかったが、長まくらを背にすわり、母と兄が笑っているから自分も一緒になって笑っていた。その日の午後ずっと彼らは、彼の幼いころと同じように、ともにたっぷりと幸福を味わったのだ。

この恩寵のような「愛」は、たしかにウィンストン本人によってすぐに頭から締めだされ、彼の注意はテレスクリーンから流れだす戦況報告にむけられる。ただし、記憶は否定されてしまったわけではない。その日の午後の「幸福」が真実だったか否かは、テクストにおいて決定不能のまま宙吊りにされている。ひるがえって、指導者や党が「絶対に起きなかった」といえばその出来事は絶対に起きなかったことになる、というのが毒蛇の巣窟めいたこのディストピアのA《スタート》でありZ《ゴール》だった。ウィンストンやジュリアが何回サイコロを振ろうと、そこでどんな目が出ようと、ウロボロスのごとくスタートとゴールを呑みこむヘビの毒牙からは逃れられなかった。「愛はなかった」と〈ビッグ・ブラザー〉がいえば、二人の愛は即座に毒殺されるのだ。だが、廃人と化したウィンストンの脳裡でロウソクの炎が夢幻のごとくゆらめかせる母子の「幸福」は、いつまでも回転しつづけるサイコロの決定不能な目のように、〈ビッグ・ブラザー〉の絶対的否定から逃れさる「自由」をかすかに煌《きら》めかせてはいないか？　イングソック党の鉄腕が鋲止めしたA《スタート》とZ《ゴール》を越え、未知の可能性のまっただなかにジャンプしようとする「革命」のハシゴは、ここからするすると伸びてゆくのではないか？

　ハシゴはどこへむかうのか。トマス・ピンチョンの明察に耳を傾けよう（ハヤカワepi文庫『一九八四年』解説）。ジュリアとウィンストンの「愛」が滅亡したことにふれて「想像しうる最も暗い結末」と嘆息した彼は、「しかし、奇妙なことに、それは本当の終わりではない」とつづける。「THE END」の六文字が黒々と物語の終止《コーダ》を告げた、そのすぐ次のページから「ニュースピークの諸原理」という奇妙な批評的エッセイがはじまっていることにピンチョンは注意を喚起するのだ。「附録 Appendix」と銘打たれた――絵画の内部でもなければ外部でもない額縁《パレルゴン》と同様に、本文の内部でも外部でもない閾にたたずむ謎《テクスト》、それが「附録」だ――「ニュースピークの諸原理」にオーウェルが書きこんでいる細い逃走線を見落としてはならない、と。ピンチョンの指摘するごとく、読者は『一九八四年』を読みはじめるやいなや、作品冒頭の余白にぽつりと付されている「註」――**ニュースピークはオセアニアの公用語であった。その構造と語源については『附録』参照のこと。**――によって、絶滅に黒塗りされた物語をすっ飛ばし、一気に巻末の「附録」へとハイパーリンクする「自由」を与えられるのだ。さらにピンチョンは、もうひとつ決定的に重要な事実を射ぬいている。独裁国家オセアニアの内部でも外部でもない閾でひそかに手を握りあう

「註」と「附録」のハイパーテクストは、「Newspeak was the official language of Oceania」という過去形で語られた同一の文を反復しているのだ。

〈ビッグ・ブラザー〉のテロ政治の要諦は、過去のコントロールにある。過去を恣意的に書き換え、そしてその書き換えの事実を忘却させるという「二重思考《ダブルシンク》」がイングソック党の絶対的ディシプリンだった。この詭詐《きさ》を言語的に反映しているのが、「ニュースピーク」の完成態において採用される、あらゆる不規則変化の「絶滅」である。たとえば〈steal-stole-stolen〉と変化する「盗む」の過去形と過去分詞は、いずれも〈stealed〉に統一される。ある言語がたどってきた長い歴史の象徴的沈澱物、それが不規則変化である。数多の突然変異の痕跡として言語が自らの遺伝子に逐次書きくわえてきた、均質性や規則性にどこまでも反抗する不規則変化という「自由」。それがオセアニアを統《す》べる決定論の逆鱗にふれるのだ。だから「ニュースピーク」は言語の歴史の「絶滅」をたくらむ。「ニュースピーク」は、「盗む」という語から「過去」と「自由」を盗もうとする。

　だが、「註」とのあいだにぴんと張られた線《リンク》をたどって〈ビッグ・ブラザー〉の重力圏内から逃走しつつ、「絶滅」をすでに終わった出来事として過去形で書きしるす「ニュースピークの諸原理」は、言語の歴史の「再生」を告げるマニフェストにほかならない。ピンチョンがいうように、このエッセイは一九八四年よりも後、「革命」のハシゴがかけられることによってイングソック党が過去の汚物として一掃された時代に書かれた、オセアニアの圧制にたいする「批評」なのだ。「ニュースピーク」というバベルの塔が打倒されたあとに再生した、言葉の多様性にたいする「愛」なのだ。そして私たち読者は、この匿名のエッセイがなぜ書かれたのかと問うなかで、ウィンストン＝ジュリアという共著者名を想像する「自由」すら与えられているのだ。

ここにこそ《分散の論理》と《一致の論理》に抗する「なぜ」がある。処刑機械と核兵器による「絶滅」から逃れゆく「非滅亡」の線がある。この細い線をたって一九四五年を越え、一九八四年を越え、二〇〇一年を越え、二〇一一年を越え、二〇五〇年を越え、私たちに「外なる自由」を啓示する声をとどけてくるものこそ、幾多の「滅亡」をくぐりぬけたオーウェルがこの世界へ最後に書き遺した、「愛」という名の「秘法《ミスティーク》」なのである。

＊

ニーチェは、あらゆる出来事が無限に反復される「永劫回帰」という異形の思考実験において、ルサンチマンの全体主義から逃れでるアリアドネの糸を見出した。永劫の迷宮から脱出するそのかすかな糸を、ニーチェは、起こったことをあるがままに肯定する「運命愛 amor fati」と呼んだ。「愛」とは、起こったことを起こったこととして絶対的に肯定する力だ。起こったことを起こらなかったと否定する「絶滅」の暴力に対抗する、最後のとっておきの力。それが「愛」なのだ。

核戦争後の荒涼たるディストピアで、主人公が拷問と洗脳の果てに死刑を宣告される小説。『一九八四年』はたしかに一見、そうした救いようのない地獄を描いているように思える。だが、死刑と核戦争という「絶滅」の暴力に挟撃されつつ、『一九八四年』の中心では、やはり「愛」

が息づいている。

〈思想警察〉のスパイではないかと疑っていたジュリアから手渡された小さな紙片を、ウィンストンとともにふたたび開いてみよう。

彼はそれを平らにのばしてみた。そこには、大きくて幼稚な筆跡でこう書いてあった。――

私はあなたを愛しています。*I love you.*

数秒のあいだ、彼はあまりに唖然としてしまい、その罪つくりなものを〈記憶穴〉に投げこむことも忘れてしまった。投げこむときには、関心を示しすぎることの危険は重々承知しているものの、もういちど読みなおさずにはいられなかった。その言葉が本当にそこにあると確かめたかったのだ。

この「love」は過去形ではない。いまここの現在を生きている。「私」も小文字ではない。大文字で大きく書きつけられ、大声で自らの感情を叫んでいる。そしてオセアニアにおいては重罪に値するその「幼稚」な言葉を、確かに起こったこととして肯定するために、ウィンストンは危険を冒してもういちど、そしておそらくは永遠に読みなおすのだ。その紙面には「愛」という言葉とともに、この謎めいた地図が書きこまれている……。

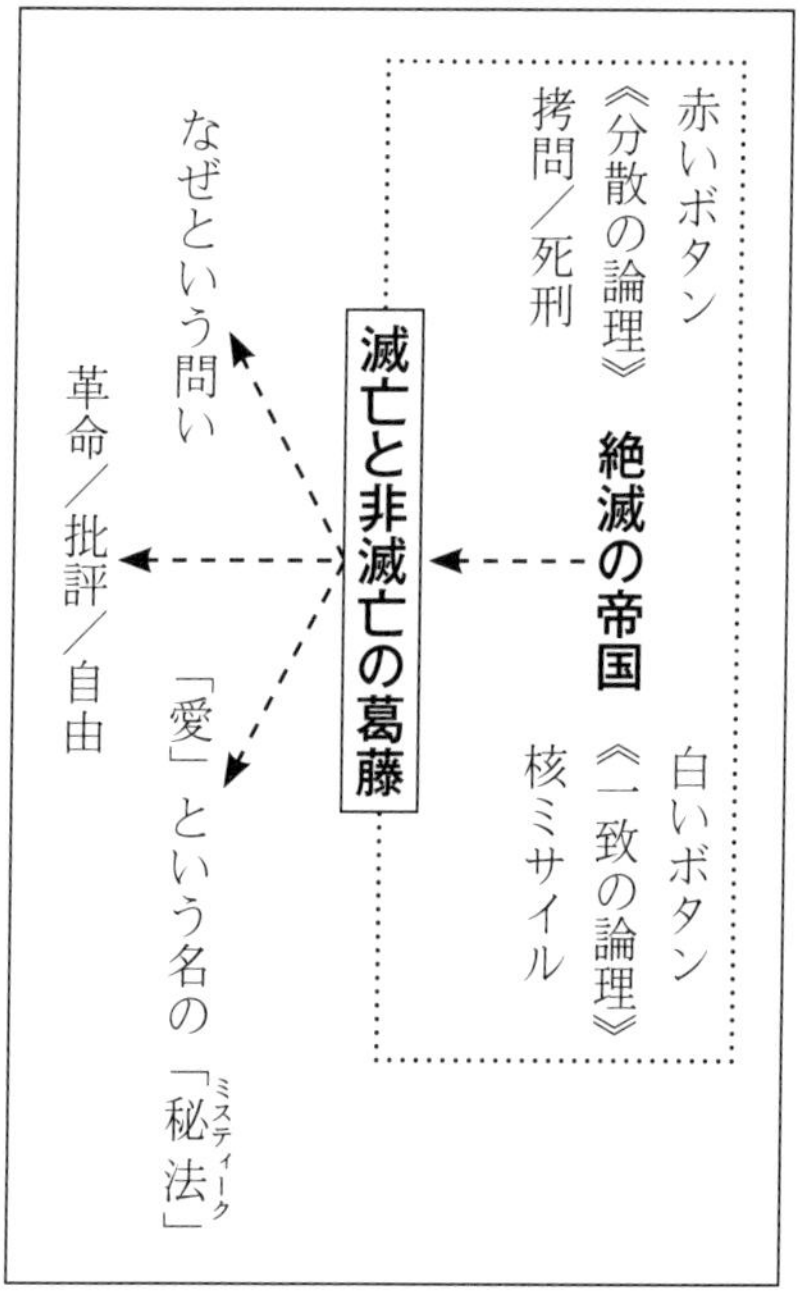

武田泰淳の『第一のボタン』も、核戦争と死刑という「絶滅」の暴力に引き裂かれて奇怪なかたちに歪んだ未来社会を舞台としている。だが、スズキが白いボタンを押す前と後に、武田は二つの「愛」をそっと書きこんでいる。陶器絵師だったスズキが「B一号」に変身させられたのは、妹を犯そうとした秘密技術部の将校を殺して死刑判決をうけたからだった。また「B二号」ことカミノが死刑に処されたのをきっかけに、彼の妻ハナとスズキの、一見「幼稚」ではあるが生の猥雑な賑《にぎ》わいにみちてもいる「愛」がはじまる。これら「異形の者」たちの「『愛』のかたち」は作品とともに未完のまま残されたが、『一九八四年』が「ニュースピークの諸原理」によ

って未来へとひらかれているように、未完という事態を欠如や瑕瑾ととらえるのではなく、むしろそこから未来へのハシゴを読みひらくことはできないだろうか。スズキとハナが軍事大臣の魔手から逃れて〈原始党〉とコンタクトをとり、醜く歪《ひず》んだ世界にたいして二人でなぜを突きつけてゆく、というような。――

私たちの棲まう暴力的なディストピアも、赤いボタンと白いボタンに冷たく包囲されている。赤いボタンを押す者は、人間を機械に変える「斥力」によって加害者である自らの顔を隠そうとし、白いボタンを押す者は、自分だけが人間でありつづけようとする「引力」によって被害者たちの顔を抹消しようとする。それら《分散の論理》と《一致の論理》から暴力が発生する、まさにその瞬間を凝視していたジョージ・オーウェルと武田泰淳は、ともに第二次世界大戦のもたらした破局を見すえながら、「絶滅」の暴力から逃れさる「非滅亡」のあえかな線を、各々の創造した暗鬱なディストピアの奥底にほぼ同時に書きこんでいたのである。

1　「核のフットボール」についてはhttps://jp.wsj.com/articles/SB12157255864814743981404583410240558590834の記事を参考にした。また、核ミサイル発射のプロセスについては、アリゾナ州のタイタンミサイル博物館を取材した以下の動画・記事に依拠している。https://gigazine.net/news/20150728-how-launch-nuclear-missile/。くわえて、朝日新聞二〇二一年五月五日の特集記事「米国核戦力　現場から2人1組ミサイラー　24時間臨戦」も参照した。

2　この置換はまったくの恣意から出たものではない。私たちは4節以降、武田泰淳の未完の長篇『第一のボタン』を分析してゆくことになるが、この風変わりな作品で、敵国の首都を一瞬で壊滅させる新兵器の力を解き放つのは白いボタンなのだ。武田の描写を引く。「それは家庭内でもよくみかける、電灯をともしたり消したりするため壁にとりつけられている、あの平凡なボタンだった。それは油ぎった銅板の上に、白々と何気なくつき出している。純白の硬質歯のようでもあり、豚肉の軟い脂みにも似ている、そんな単純な色彩の小さな出っぱり」。しかも、このボタンを押すミサイラーは、二人いる。なお、武田泰淳の引用はすべて筑摩書房版『武田泰淳全集』に拠った。ジョージ・オーウェルの引用は、既訳があるものはそれに学びつつ、原文を参照して適宜訳文を変更した。

3　白いボタンはなぜ二つなのか？　いいかえれば核ミサイラーはなぜ二人一組で、死刑執行のように三人一組ではないのか？　ここにこそ《一致の論理》の核心がある。核ミサイル発射命令を私とあなたが受けとったとしよう。私たちが取りうる行動は以下の三つだ。①「全員一致」で命令を遂行する。②私かあなたのどちらか一人が命令遂行を拒否する。③「全員一致」で命令を無視する。①・③ではミサイル発射の有無は別として《一致の論理》が貫徹しているが、②では《一致の論理》が破棄されているように見える。だがその印象は誤りだ。あなたは白いボタンを押したが、私は押さなかったとしよう。このとき私は《一致の論理》そのものに抗っているのではない。むしろ「一般意志」が《一致の論理》によって主権を行使するという前提を認めたうえで、多様でありうる社会契約のうち、この社会契約を結ぶことはできないと拒否しているのである。それにたいして、私とあなたと彼女の三人が三つの白いボタンの前に立っているケースを考えてみよう。ここでは「二対一」で押す／押さないが割れる可能性がある。すなわち、二人の場合にはない「多数決」の局面があらわれる可能性がある。意志の分裂を前提とする「多数決」は、定義上けっして分割できない「一般意志」とは、本来共存しえない異物である。ルソーによれば「多数決」が認容されるのは、原初に「多数決」を認容するという全員一致の社会契約が結ばれたからでしかない。核ミサイル発射というおそらくは最後の社会契約を結ぶとき、《一致の論理》から逸脱する「多数決」などという不純な異物を排除するためには——一人では社会契約を結びえない以上——白いボタンを二つにするしかないのだ。

4　ジグムント・バウマンは刑務官たちが死刑執行の重みをやりすごす術《すべ》について、ロバート・ジョンソンの研究を参照しながらこう記している。「すべての人が殺人行為にかかわるが、誰も殺人者にならない（あるいは、そう感じる必要がなくなる）ことによって。本当は一本の引き金、引き金を引く一本の指以外なにもない。しかし、ジョンソンが言うように、『処刑チームの構成員は自らを……たんに「チーム」としか名乗らない』。殺すのはチームであって、チームの構成員の誰も殺人者にはなりえないのだから、『チーム』として仕事をすることは有益なのである。ジョンソンはある獄吏の言葉を引用する。『私たちはそれをしなかったと正直に言うことができます』。責任はふらふらと宙を舞っているとハンナ・アーレントはみる。宙を舞う責任はだれの責任でもない」（『近代とホロコースト』ちくま学芸文庫）。

5　『エルサレムのアイヒマン』でアーレントが、死刑という判決の是非ではなく、アイヒマン裁判そのものの正当性を問うたのは、「凡庸な悪」という名の歯車にすぎなかったアイヒマンに、あくまで「責任」という観念を適用しようとする「凡庸な善」の錯誤を批判するためではなかったか。いうまでもなくこの批判にはアイヒマンを擁護する意図などみじんもなく、歯車に「責任」を問うことは「絶滅」の暴力の本質を隠蔽してしまうというアーレントの認識が示されているのだ。一方で、SSの主導で各地に作られた「ユダヤ人評議会」がナチスの絶滅計画の歯車になっていたというアーレントの指摘に、ユダヤ人たちがあれほど激しく反発したのは、被害者であるはずの自らの内部でも、アイヒマンと同じ鋳型で作られた処刑機械の歯車が円滑に回転していたと認めることにたいする奥深い恐怖があったからだと考えられる。なお、アイヒマン裁判に関してはⅥの註4も参照されたい。

6 原爆を投下する機上と、投下される地上におけるこの極度の非対称性については、Ⅳの分析を参照されたい。

7 一九五六年に発表された「私と共産主義」のなかで武田は、GPU《ゲーペーウー》に拘禁されて殺害されかけた物理学者アレクサンダー・ワイスベルグの『被告』を取りあげつつ、「『被告』を読むと、オウエル『一九八四年』、ケストラー『真昼の暗黒』の芸術的に表現した恐怖の実体が、ひとつひとつ事実の記録となって拡大され、立証され、焼きついてくる」と書いている。

8 オーウェルの『動物農場』は周知のごとく、強圧的な人間の統治を革命によって覆した動物たち(＝プロレタリアート)の運命が、革命を主導する豚どもの暴力的支配によって暗転し、ついには豚どもが完全に人間化(＝資本家化)してゆくさまを描くことで、ロシア革命とスターリニズムを痛烈に批判した寓話である。一方、武田の『第一のボタン』は、軍事大臣いうところの「動物政治学」によって異形化した動物たち——兎ほどにちぢめられた小型の象や、ドラム罐ほどの「オッパイ」をもつ牛など——が群れる首都の「動物園」を不気味な筆圧で描きだしている。そこでは生産と労働に特化するよう品種改良された「猿」が「有用有益な新人類」として勤勉に働いている。「猿《エン》マニズム」とは、手術や投薬によって、被支配層の人間たちをそれら猿同様の柔和で従順な動物へと「改良」するという軍事大臣の計画をさす。人間から動物への生成変化と動物から人間への生成変化のいかがわしい交錯のなかに、倒錯した暴力を看取する両者の視線はここでも一致している。

9　引用したのは戦中の初版本『司馬遷』（日本評論社、一九四三年）からだが、戦後に改題されて再刊された『史記の世界』（菁柿堂、一九四八年）は当該箇所を「私は司馬遷の企てを説明する前に、あらかじめ彼の企てが、私たち日本人のかつて果さんとした企てとは、根本的な点で異っていることを申しのべておかなければならない。彼のつくりあげた世界構想と私たちのつくらんとした世界構想とは、ある重大な点でくいちがっている」（傍点は引用者）と改めている。この書き換えはたんに現在形を過去形に直したものではない。かつて〈滅亡の処女〉であった日本人がつくらんとしていた「神州不滅」の世界構想が敗戦によって打ち砕かれ、私たちも滅亡しうるのだという衝撃が強いた、ひとつの世界観全体の「転向」を告げているのだ。ただしこの書き換えには、本章の射程を超えたさらに「重大なくいちがい」が露呈しているように思われる。戦争が武田に、そして私たち日本人にもたらした不気味な「断絶」を黙示しているこの『司馬遷』（戦中）と『史記の世界』（戦後）の「重大なくいちがい」については、稿を改めて論じたい。

10　ピンチョンによれば、オーウェルには反ユダヤ主義やホロコーストにたいする深い洞察が欠けている。なるほど『一九八四年』に登場するユダヤ人は、ユダヤ系だったトロッキーをモデルにしたゴールドスタインただひとりであり（しかもゴールドスタインは非在のイメージでしかない）、ある人種に属するからといった理由で特定の人間集団が虐殺されるシーンは存在しない。しかしオーウェルはホロコーストを薄っぺらい表象としてなぞることの危険を警戒しつつも、その内的機制については鋭いまなざしを向けていたのではないか。ユダヤ人たちが国家権力の前に「剝き出しの生」として曝《さら》されたのは、一九三三年三月の「全権委任法」によって立法府のチェックなしに法的効力を持つ政令を発する権限がヒトラーに与えられることで、「法措定的暴力」と「法維持的暴力」の隔壁が破砕されたことにはじまる。ベンヤミンがいうように、「法措定的暴力」と「法維持的暴力」の癒着部はそもそも「警察」と「死刑」という不吉な暴力の根城だった。両者の隔壁が失われてしまえば、暗い根城から嬉々として這い出てくる「警察」と「死刑」のはなつ腐臭が社会の息の根をとめてしまう。「法」がすでに扼殺され、かわりに〈思想警察〉が生殺与奪の絶対的権力をふるうオセアニアにおいて、全住民は生きているからという理由だけで権力によって迫害されるばかりか、そもそも生まれたときから「死刑」を宣告されているのだ。その意味でオセアニア全体がひとつの巨大なアウシュヴィッツなのだともいえる。すなわちウィンストンとジュリアは、一九三五年九月の「ニュルンベルク法」によって公民権を剝奪されたユダヤ人ら、戦争期に不潔で狭いゲットーに集住させられ、死へむかって移送されていったユダヤ人らと同じ運命に圧《お》し潰されているのである。一方で、『第一のボタン』にはより明示的なかたちでホロコーストとの関連が書きこまれている。スズキとハナが訪れる「永久館」では、戦死者と死刑囚の骨が巨大な桶状の空間に集められ、スクリューによって不断に攪拌されながら「人類の敵を破るための有用な戦時物質」である油や薬品や兵器の原料へと加工されてゆく。この吐き気をもよおす場景が、ガス殺された被害者の口から金歯をぬきとり、毛髪から鬘《カツラ》を作り、体脂肪を石鹼に変えたというホロコーストの残虐な「効率性」のパロディであるのはあきらかだろう。

第二部　暴力の爪痕

Ⅲ　日本近代文学の敗戦

「夏の花」と『黒い雨』

1　「それ」は、いつ、いかにして死んだのか？

一九七五年、イェール大学で明治文学史のセミナーを行ったさいに、すでに『日本近代文学の起源』の構想を固めていたという柄谷行人は、それから三十年後に自著をふりかえり、こう書いている（「岩波現代文庫版への序文」、二〇〇八年）。

一般に、ある物の「起源」が見えてくるのは、それが終るときである。一九七〇年代後半に『日本近代文学の起源』を書いたときも、私は「日本近代文学の終焉」を感じていた。しかし、それは、旧来の文学に代わって、別の文学が台頭するだろうという予感であった。事実、一九八〇年代には、近代文学の支配下で排除されていたような形式の小説が多く書かれたのである。（中略）

実際、一九八〇年代の日本の文学には一種の文芸復興（ルネサンス）があった。その意味で、私が日本近代文学の「起源」を見いだしたのは、それが事実上終りかけていたからだ、ということができる。しかし、私はそのことを深く考えなかった。新たな可能性に気をとられていたからだ。予期に反し、一九九〇年代に入って、ソ連邦が崩壊しグローバルな世界資本主義の浸透が進むにつれて、文学は新たな力をもつどころか急激に衰え、社会的なインパクトを失い始めた。文字通り、「近代文学の終焉」が生じたのである。しかも、それは日本だけの現象ではなかった。

ここには奇妙な隠し扉がある。「日本近代文学の終焉」を予感しつつ書かれたという『日本近代文学の起源』は、いま読みなおしても古びていないどころか、批評的《クリティック》＝危機的というほかない思考の自在な跳躍ぶり、発想／連想の鮮やかさ、断言につぐ断言の鋭利な切れ味にページを繰るたび驚嘆せざるをえない、古典的風格をそなえた傑作評論である。そこで柄谷は、二葉亭四迷によるツルゲーネフ『あひびき』の翻訳文体に影響を受けた国木田独歩の「武蔵野」や「忘れえぬ人々」に、日本近代文学の起源を見てとっている。それらの作品において、自らが発した声を聞きとる透明な「内面」と、和歌や俳句の伝統的アーカイヴから切断された客観的な「風景」と、その両者をモダンなパースペクティヴのうちに結びつける国民共通語としての「言文一致体」という、近代文学を支える超越論的な三位一体《トリニティ》がはじめて成立したというのだ。明治二十年代から三十年代に生じた日本近代文学の発生という「事件」を描出してゆく柄谷の論理はまことに鮮やかであり、その主張の基本線はいまなお首肯しうる。

だが、である。柄谷は明治二十年代に近代文学が近代国家と軌を一にして生まれたことについては、「西洋世界の圧倒的な支配下において不可避的であった」として、難産の原因をはっきり名指ししつつ、その跛行《はこう》的なプロセスを詳述している。ところが、「近代文学の終焉」に関しては、「ソ連邦が崩壊」「グローバルな世界資本主義の浸透」といった政治的／経済的コンテクストを漠然と示すのみで、その内的機制に立ち入って分析しようとはしない。柄谷自身が書いているように、「終焉」を迎えてはじめて「起源」が見えてくるならば、〈内面－風景－言語〉という近代文学の三つ組がいついかにして空中分解したのか、その崩壊のさまが明確に記述されることなしには、『日本近代文学の起源』それ自体が、柄谷が批判してやまない偽の「起源」であったことにならないか？

『反戦後論』（文藝春秋、二〇一七年）で、文芸批評家から思想家／哲学者へ、そして政治的アクティヴィストへと変貌していった柄谷の足跡を批判的に分析しつつ、「近代文学の終焉」という認識は柄谷と共有している浜崎洋介も、「柄谷行人が『近代文学の終り』を自覚したのが、なぜ一九九〇年代だったのか、あるいは、それが、なぜ中上健次の死と共に語られているのかについては、今は問わない」と奇妙な肩すかしぶりでこの問題に立ち入ることを避けている。だが本来、柄谷を批判するのであれば、柄谷自身が語っていないことを批評的にえぐりだすことは避けて通れないはずだ。

つまり、隠し扉にしまわれた問いはこうだ。「それ」は、いついかにして死んだのか？

＊

私の仮説はこうである。柄谷行人が『日本近代文学の起源』の構想を固めた一九七五年は、ある異形の文学が公的な場所へと引きだされ、そのあからさまな顕現を通じてそれらがはらみもっていた潜在的な意味が秘かに抹消された年であった。すなわち、井伏鱒二の『黒い雨』と原民喜の「夏の花」がほぼ同時期に高等学校国語教科書に採録され（前者は一九七三年、後者は一九七五年）、それと踵《きびす》を接して最初の「原爆文学」の通史である長岡弘芳『原爆文学史』（風媒社、一九七三年）が刊行された、まさにそのとき——後述するように一九七五年は「原爆」についてあの人がはじめて公的に言葉を発した年でもあった——日本近代文学は死んだ。

これは一見突飛な考えに思える。たとえば『原爆文学という問題領域《プロブレマティーク》』（創言社、二〇〇八年）で近代文学研究者の川口隆行は、その時期に、「時に嘲笑を込めて『原爆もの』と呼ばれたテクスト群」が、ひとつのジャンルとして日本近代文学の内部に登録されてゆく画期を見ている。『黒い雨』は非被爆者作家によって政治的イデオロギーを脱色しつつ書かれた虚構であり、「夏の花」は被爆者作家が原爆の悲惨を世に訴えんとその実相を記録した作品である。両者が国語教科書というきわめつけの公共メディアに登場するのとほぼ同時に刊行された『原爆文学史』は、四期に分割された時代区分の第一期の始点に「夏の花」を、第四期の終点に『黒い雨』を置くクロノロジーを採用することで、二作を両極に配して輪郭づけられるジャンルを遡行的に成立させている。こうした相互補完的なトリアーデによって「原爆文学」は日本近代文学の「正典」に登録されたとする川口は、そこに戦後ナショナリズムの勝利を見る。「すべての共同体の成立においてトラウマ的暴力の一撃がある以上、共同体は自己の根拠を脅かすそれを封印し、また去勢された物語として語ろうとする強力な防衛機制を発揮する」という前提のもと、川口は一九七〇年代中葉における「原爆文学」の社会的認証を、原爆のもたらした祖国の壊滅的敗北と、被爆者／非被爆者の絶対的な断絶とを日本人が「去勢された物語」によって観念的に乗りこえ、「被害者共同体」として自らを再統合してゆく契機をなすものだととらえている。

だがそれはほんとうに「勝利」だったのか？　よりマクロな視点から見れば、むしろそれはナショナルなものの「敗北」の公認だったのではないか？　おそらく川口に欠けているのは、ナショナルなものの起源に遡行する視点だ。アジア太平洋戦争の敗戦というトラウマは、欧米列強に屈するかたちでの開国や、戊辰・西南の凄惨な内戦という幕末から維新期にかけてのトラウマに先行されており、それら近代以前からもちこされた巨大な負債を清算するために、いわば不換紙幣として濫発された「物語」、すなわち対内的には大日本帝国憲法の発布や帝国議会開設でモダンな制度を整えつつ、対外的には日清・日露戦争を勝ちぬいた新興帝国主義勢力として大陸進出を果たしてゆくという、明治二十年代から三十年代にかけて起業されたナショナルなものに最終的な破産を告げたものこそ二発の原爆だったという日本近代史の決算書を、川口は軽視している。いくら封印し去勢しようと、破産はやはり破産であり、それを抵当に「勝利」を購《あがな》う商談などありえない。

だが、こういう反駁があるにちがいない。たしかに原爆は大日本帝国の野望を叩き潰した。それは認めよう。だが、「原爆文学」などが日本近代文学の命運を握っているはずがない。一九七五年の「原爆文学の正典化」にせよ、むしろそうした異形のジャンルを内部に包摂しおおせるまでに日本近代文学が成熟した証しにほかなるまい。——

この反駁はまちがっている。その論証にこそ本章は賭けられている。

2 アイロニーの自壊——「夏の花」

原君は胸のポケットの手帳の間に、奥さんの写真を持っていた。パラピン紙で包んで、それを裏で糊づけにして、パラピン紙を透してしか見えぬようにしてあった。原君は私にそれを見せて、「誰だと思います」と云った。

つとに敗戦の冬に書きあげられ、翌年初頭に『近代文学』に送られた原民喜の「原子爆弾」と題された原稿は、占領軍の検閲をはばかって数ヵ所を削除されたのち、「夏の花」と改題されて『三田文学』一九四七年六月号に発表された。当時『三田文学』の編集に当たっていた丸岡明が、原の自殺直後の追悼文で、この奇妙なエピソードを紹介している。

広島に原爆が投下されるほぼ一年前、結核と糖尿を患い三十三歳の若さで亡くなった妻・貞恵は、原にとり、ただに十年をともに暮らした伴侶であり、世に認められない自作の唯一の愛読者であっただけではなかった。自身も被爆した竹西寛子は「原民喜が被爆した広島を見る目は、妻の死を見た目と本質的には違っていない」と断じているが、貞恵の実弟で批評家の佐々木基一も「あのヒロシマの惨劇の日、彼の耳にした無数の死者たちの嘆きの声の中にも、彼は臨終の妻の死苦に喘ぐ声をきいたにちがいない」と同じことを書いている。妻の病死と世界の熱死を、そのあいだにひろがる社会的領野を捨象して短絡するこの想像力を思わず「セカイ系」などと呼んでしまいたくもなるが、しかし原と妻の関係は、そういったシンプルな図式ではとらえられない特異な屈折をはらんでいる。

原の親友で詩人の長光太は二人の関係についてこのように書いている（「死の詩人・原民喜」）。

貞恵さんは病身とはいえ、瀬戸内型の明るいひとで、たえず微笑して笑い声をはじかせ、常識にめぐまれた人柄なので、世間のことを原民喜に翻訳して聞かすのに、ぴったりとしていました。辞儀も挨拶もできず用向きもいえない幼児そのままに「人見しり」する民喜を、世間へ翻訳するのも貞恵さんの務になってしまっていたのです。

ここで「翻訳」という言葉が使われているのは大げさではない。ベンヤミンは「翻訳者の使命」において、翻訳という営みを考えるさいのポイントとして以下の三点をあげている。①読者への意味伝達は翻訳の本質ではない。②翻訳は原作の「死後の生 Fortleben」に関わる。③翻訳は意味に還元されない「純粋言語 reine Sprache」へ向かうことで、自国語の限界を拡張する。これらの諸点は、原夫妻の関係にいずれもぴったりとあてはまる。まず目をひくのは、生前の貞恵は民喜の「翻訳者」であったが、彼女の死後は彼女の「翻訳者」を民喜が務めたという、夫妻の特異な相互補完性である。妻の死を見た目で広島を見たということは、妻の喘ぎを広島の死者の嘆きに聞いたということは、妻の死を原作とする一つの「翻訳」でなくてなんだろう？　そして有名な「もし妻と死別れたら、一年間だけ生き残ろう、悲しい美しい一冊の詩集を書き残すために」（「遥かな旅」）という思いは、甘やかな感傷であるよりさきに、若くして死んだ妻が体現した悲劇の「翻訳者」としての自覚をうながす啓示でなくてなんだろう？

東京での人間関係を断ちきって千葉の登戸《のぶと》へ転居した彼らにとり、外の世界はもはやなにほどのものでもなかった。佐藤春夫は原稿を見てほしいとやってきた原夫妻のようすを「小学生が母につれられて学校の先生の前に叱られに出たかのように見えた」といささかユーモラスに表現したうえで、「彼のお礼の言葉や今後の努力の方針などの質問は細君によって取次がれ通弁された」（傍点は引用者）と書いている。原にもむろん文学的野心はあったろう。でなければ佐藤を訪問するはずがない。だが彼にとって佐藤に自作の価値を伝達するよりも、いや「たとえ全世界を喪おうとも」、妻の彼の才能にたいする信頼だけが肝心だった。その妻が、「ああ、つらい　つらい」と呻《うめ》いて死んだとき、原は妻とともに「死後の生」を生きることになった。じっさい彼は佐々木基一宛ての遺書に、「妻と別れてから後の僕の作品は、その殆どすべてが、それぞれ遺書だったような気がします」と書いている。妻の「死後の生」を「悲しい美しい一冊の詩集」に書き残すという原の願いは、「わたしが、さきにあの世に行ったら、あなたも救ってあげる」と言い残すことで夫の究極の希望をあらかじめ「翻訳」しおおせていた妻の面影に一心にむけられていた。

たがいに「翻訳」しあう過程で亡妻とのあいだに生じた「死後の目」「死後の耳」で、原は原爆が炸裂した広島の惨状を見、呻き声を聞いたのである。
その原にとって、妻を亡くしたあとに物を書くとは、純粋なものへと向かう祈り以外のなにものでもなかった。原はこのように書いている（「苦しく美しき夏」）。

世界は彼にとっては恐怖と苦悶に鎖されていた。が、その向側に夢みる世界だけが甘く清らかに澄んでいた。妻は彼の向側にあるものを引き寄せようとしているのかもしれなかった。彼はそのような妻の顔をぼんやりと眺める。するとむしろ、妻の顔の向側に何か分らないが驚くべきものがあるようにおもえた。

二人の人間が、たがいの「顔の向側に何か分らないが驚くべきもの」を見いだし、それを引き寄せあう。それは意味には還元されない翻訳不可能なものとして、人間と人間のあいだに生成する「純粋関係」――これこそ諸言語のはざまに生成する「純粋言語」の心理的対応物にほかなるまい――を求める祈りだった。自殺の一年半前に書かれた「鎮魂歌」のラストの絶唱は、その結晶である。

妻よ、お前はいる、殆ど僕の見わたすところに、最も近く最も遥かなところまで、最も切なる祈りのように。

死者よ、死者よ、僕を生の深みに沈めてくれるのは……ああ、この生の深みより仰ぎ見るおんみたちの静けさ。

僕は堪えよ、静けさに堪えよ。幻に堪えよ。生の深みに堪えよ。堪えて堪えて堪えてゆくことに堪えよ。一つの嘆きに堪えよ。無数の嘆きに堪えよ。嘆きよ、嘆きよ、僕をつらぬけ。還るところを失った僕をつらぬけ。突き離された世界の僕をつらぬけ。

明日、太陽は再びのぼり花々は地に咲きあふれ、明日、小鳥たちは晴れやかに囀るだろう。地よ、地よ、つねに美しく感動に満ちあふれよ。明日、僕は感動をもってそこを通りすぎるだろう。


つまり原は、妻・貞恵との「翻訳」を介した「純粋関係」への切実な求めにみちびかれるがまま、原爆における大量死を見つめ、その惨禍に堪え、その嘆きに心身をつらぬかれつつもなお書くことで、「純粋言語」を夢み、日本語の限界を拡張しようとして力尽きたのだ。——だが、ベンヤミンを経由したこの解釈は、あまりに「晴れやか」で「美しく」はないだろうか？　焦げた肉塊と累々たる屍と離人症的な譫妄《せんもう》にみちた原のテクストは、こうした「感動」的な予定調和には回収しきれないのではなかろうか？　そこにはもっと不吉なものがとり憑いているのではなかろうか？　証拠はある。原は「パラピン紙」で覆うことで、自らの無二の「翻訳者」である妻の顔を、誰だかわからないようにしていたからだ。

＊

原の生をつらぬいているのは、嘆き《グリーフ》であるより皮肉《アイロニー》だといったほうがよい。名前からしてそうだ。一九〇五年に広島の大店・原商店に生まれた男児は、日露戦争の勝利を「民が喜ぶ」という意で民喜と名づけられたが、彼は武闘などとはいっさい無縁の運動音痴で、民にまじわるどころか極端な人見知りに育った。はじめて一つの世界を共有しえた妻に若くして死なれたあと、空襲を避けてそれまでほとんど無傷だった広島（原爆の破壊効果を精密に測定するために米軍の戦略爆撃から意図的にスペアされていた）に戻り、爆心からわずか一キロあまりの至近距離で被爆した。妻の死後、一年だけ生きながらえようと心に決めていた作家は、その刻限まぎわに遭遇した原爆禍によって「人間にたいする新しい憐愍と興味」をひらかれ、自殺をとげるまでの五年半のあいだ、「悲しい美しい一冊の詩集」のかわりに「残酷で醜い光景にみちた小説群」を書きつづけた。これこそ、考えうるかぎり最もアイロニカルな「翻訳」だというべきだろう。

「夏の花」は、原の生にとり憑いたアイロニーが、最高の強度であらわれた作品である。原稿用紙三十八枚の短篇は、一行目から最終行にいたるまでとことんアイロニーに浸潤されている。『グラウンド・ゼロを書く *Writing Ground Zero*』（The University of Chicago Press, 1995）で日本の原爆文学を包括的に考察したジョン・トリートは、「夏の花」の冒頭、原爆投下の前々日に「私」が妻の墓を訪れ、炎天に曝された墓石に水を打ち、花を供える場面について、「このオープニングは、共感を誘う伝統的な側面をもちつつも、墓前に花を供えられることはおろか埋葬すらとてつもない贅沢であるような八月六日の出来事にも固く結びついていて、読者をアイロニーで凍らせる」と評している。死者を弔う、それも最愛の人を弔うという、人間にとって最も重要で普遍的な意味をもつ営みが、たしかにここでは黙示録的なヴィジョンによってあらかじめ意味を略奪されている。「私」はすでに八月六日の大火と、それに骨や内臓まで焼き尽くされて地べたに転がる屍の山を見てしまっており、清冽な打ち水と線香の薫りと可憐な供花が、たった二日後には水をもとめるうめきと肉の焼け焦げる臭いと瓦礫の山のうちに失われることを知っている。亡妻に花をささげるというロマンティックな儀式が、そのまま血も凍るアイロニーなのだ。ロマンティック・アイロニー？　「夏の花」は八月六日の広島の真実を記録したリアリズム文学ではなかったか？

開高健は、原が被爆当日からつけはじめた簡潔で即物的な「原爆被災時のノート」と「夏の花」を対照し、「どちらが真実であるかという問題」を提起している（『紙の中の戦争』文藝春秋、一九七二年）。しかし、定義のしようによってどちらにでも靡《なび》きうる不実な「真実」などどうでもよい。私たちが見なければならないのは、「夏の花」が真実か虚構かということではなく、両者を化合するアイロニーの策動だ。「夏の花」のまさに冒頭でロマンティシズムとリアリズムはアイロニーを触媒にして反応しあい、共通の貨幣として文学的真実を鋳造している。柄谷行人は「国木田独歩の『風景の発見』には、経験的な自己に対する超越論的な自己の優位を示すイロニーがある。それは現実的に無力な自己を高みにおく転倒をもたらす。近代文学はそのようにして政治的現実を無化する視点を与え続けたのである」と書いている。原爆という「風景の発見」にも、日本近代文学の始点において文学的真実を捏造した「イロニー」が蠢《うごめ》いている。その意味で原民喜は、ロマン派と自然派の相貌をあわせもったヤヌス・国木田独歩の正嫡なのだ。

　妻の墓前に供えた花について、原はこう書いている。「その花は何という名称なのか知らないが、黄色の小弁の可憐な野趣を帯び、いかにも夏の花らしかった」。固有名を奪われた花は、ほとんど媒介ぬきにいきなり「夏の花」という一般性へ包摂される。一見さりげなく記されたこの一文は、経験的水準が超越論的水準へ従属させられるアイロニカルなドラマを表象している。二重のドラマだ。花の名前を知らず、それを書くことができないという認識における不能性《インポテント》が、作者の審美的判断の全能性《オムニポテント》によってすぐさま逆転されている。そればかりか、日常経験の繊細な皮膚を原子爆弾という超越論的な一撃が「パット剝ギトッテシマッタ」、その「アトノセカイ」をこの一文は予示しているのだ。「アトノセカイ」ではあらゆる存在から固有名が剝《は》ぎとられ、人間らしいもの、顔らしいもの、女学生らしいもの、草木らしいもの、家らしいものといった存在の一般性がひたすら剝《む》きだしにされている。当初のタイトル「原子爆弾」が、占領軍の検閲を慮って「夏の花」へと変更されたという呑みこみやすいストーリーを信じるべきではない。政治的現実がタイトル変更の理由ではなく[1]、作品の真の作者であるアイロニーが、すべての名前が蒸発した「セカイ」の額縁に、自らの名前を書きつけているのだ。その意味で「原子爆弾」から「夏の花」へというタイトル変更は、文学の外部にとどまるたんなる記録から、日本近代文学の内部へむかって境界をまたぎこえようとする、象徴的な一歩なのである。[2]

＊

こうして「夏の花」は、アイロニーの運動によって〈内面－風景－言語〉の三幅対が構成する日本近代文学の内部へと侵入する。だがその「セカイ」は――「苦しく美しき夏」「美しき死の岸に」「死のなかの風景」といった妻の死を描く連作では鍵語のごとく頻用している「世界」の語を、原が「夏の花」ではたった一回きり、それも「セカイ」とカタカナ表記でしか用いていないことからも明瞭なように――建て付けが狂ってしまっている。端的にいえば、「夏の花」は文学として「失敗」しているのだ。ただしそれは、いわゆる「原爆もの」を腐すクリシェ、たとえば「記録にすぎない」とか「題材が特殊すぎる」とか「露悪趣味に堕している」といったこととはまったく無関係だ。「夏の花」はたんなる失敗作ではなく、失敗を自ら告白している失敗作なのである。

こういってもよい。「夏の花」の「私」は、「内面」など存在しないことを告白している、と。[3]作者本人と想定される一人称の「私」というナラティヴを採用し、「私」が現実に経験したことを写実するという構えをもった「夏の花」は、「自分のことを自分で書くくらい間違いのないことはない。事実である以上、嘘があるわけはない」、そう中村光夫が喝破した私小説の前提を、一見踏襲しているように思える。だが「夏の花」の語り手は、剝製と化した「私」だ。この「私」からは、奇妙なことに告白すべき「内面」が刳《く》りぬかれてしまっているのだ。

実家の厠で無防備に坐っていた「私」を原爆が襲った瞬間は、こう書かれている。「突然、私の頭上に一撃が加えられ、眼の前に暗闇がすべり墜ちた。私は思わずうわあと喚き、頭に手をやって立上った」。「私」は目がきかぬなか手探りで厠から縁側へ出たが、そのときの描写は徴候的である。

うわあと叫んでいる自分の声が何だか別人の声のように耳にきこえた。しかし、あたりの様子が朧ながら目に見えだして来ると、今度は惨劇の舞台の中に立っているような気持であった。たしか、こういう光景は映画などで見たことがある。

自己の生を内部から統括する視線が失われ、おのれの内面や行動を傍観者のように眺めやる離人症性障害においては、外界への疎外感、感情の喪失、身体の他者化といった症状が生じるとされる。「惨劇の舞台」に立つ役者として自らを傍観しつつ、周囲の光景を映画の一シーンのように感じ、自分の口から出てくる声を別人のものとして聞く語り手は、たしかに離人症的な分裂に陥っている。だが原はそもそも異常なほど過敏な神経の持ち主であり、離人症的な傾向は戦前に書かれた作品群にも容易に見いだせる。だからこうした主体の解離は作者の個人的な資質に帰すればすむことであり、「夏の花」に固有の特徴とはいえない。——本当にそうだろうか?

ちがう。「行列」(一九三六年)に描かれたような、自らの葬式に立ちあうといった離人症的描写においては、棺桶のなかの自分の遺体を眺める「幽霊」を描く作者の超越論的立場は安全に確保されている。それを形式的に示すのが主人公を「文彦」と三人称で呼ぶ客観描写の枠組みだ。

しかし「夏の花」においては、作品を書いている一人称の「私」そのものが内破しているのだ。それを端的に露呈しているのが、京橋川栄橋のたもとになんとか避難しおおせた「私」をとらえた啓示である。

かねて、二つに一つは助からないかもしれないと思っていたのだが、今、ふと己が生きていることと、その意味が、はっと私を弾いた。

このことを書きのこさねばならない、と、私は心に呟いた。

ここから「原爆文学」がスタートしたとされる、有名な一節だ。だが、原爆禍のあまりの凶暴に「作家魂」が燃えあがった、とすんなり呑みこんではならない。ここには罠がある。直後の一文で、「私」は心に刻んだばかりの書く決意を自ら脱構築しているのだから。「けれども、その時はまだ、私はこの空襲の真相を殆ど知ってはいなかったのである」。――「このこと」を書くという行為が、「私」の生きている意味そのものである。しかし「私」の生の意味である「このこと」について、「私」はなにも知らない。これはすなわち、「私」の生の意味から「私」自身が突き飛ばされてしまっているという疎外感の告白、書く行為へとやむにやまれず衝き動かされながらも書くべきことについてなにも知らないという当惑の告白にほかならない。いや、これを単純に「告白」と呼ぶことはできまい。さきに「内面」があり、ついで「告白」があるのではない。「告白」が「内面」を行為遂行的《パフォーマティヴ》に仮構するのだ。しかしここでの「告白」は、自らの「内面」

から「生の意味」のいっさいが剝落していることを告げている。だがそもそも「内面」とは、「生の意味」の容れ物のことではなかったか？　書くべき「内面＝生の意味」を刳りぬかれた、剝製としての「書く私」。これこそが「死後の生」という撞着語法《オクシモロン》の実相である。

　じっさい、「このことを書きのこさねばならない」と決意したあとの「私」からはきれいさっぱり「内面」が拭い去られており、その行動はほとんどロボットめいた無機的な自動運動を思わせる。ひとつだけ例を挙げておこう。炎と煙にとりまかれながら、「私」はたくさんのタマネギが川を漂っているのを見つけて拾いはじめる。その「私」に、川に流されて溺れかけた少女が助けをもとめる。「私」は久しく泳いだこともなかったが、「思ったより簡単に相手を救い出すことが出来た」。このエピソードについてはこれ以上なんの記述もない。だが、被爆直後に川を漂うタマネギをせっせと拾うという奇妙な行動については、状況と行動のこの極端な乖離については、なにかしら説明が必要ではなかろうか？　そしてその説明は行為者の「内面」こそが担う、というのが近代文学のルールではなかったろうか？　あるいは逆に、溺れかけた少女を救うという被災時における人間の連帯を謳《うた》いあげるヒロイックな行動は、ドラマの設《しつら》えぬきに描写できるだろうか？　長く泳いでいない「私」が「助けてえ」という声に気づいたときの緊張や躊躇、満潮の川に泳ぎだす瞬間の恐怖と覚悟、少女を救いだしたあとの安堵やたがいの心の交流といった「内面」のドラマを通じてしか、近代文学はこうした出来事を表象できないのではないか？　それなのに「私」の「内面」は完全に捨象されているばかりか、救いだされたあとの少女の様子や彼女とのやりとりのいっさいが省略され、向後二度と少女に言及することはない。これではまるでロボットの業務日誌ではないか。火焔のなかでタマネギを拾う不条理劇と、川で溺れる少女を救う英雄譚が、あらゆる差異を「パット剝ギト」られ、互換可能な二つの行為のたんなる連鎖として扱われているのだから。

「内面」だけではない。半世紀前に「武蔵野」の落葉林で発見された「風景」も解体されてしまっている。原爆によって広島が見わたすかぎりの廃墟と化した、そのことをいっているのではない。廃墟とはノスタルジックな感傷にまみれた「風景」でしかない。軍艦島をはじめとする名勝地さながらの廃墟ブームを見るがよい。だが「夏の花」で解体されているのは個々の「風景」ではなく、「風景」を構築するしくみそのものなのだ。

原爆炸裂直後、厠から縁側に出た「私」は、薄らあかりのなかに浮かびでた光景を見て、「それはひどく厭な夢のなかの出来事に似ていた」と書いている。フロイトが『夢判断』で明らかにしたのは、「内面＝意識」と「風景＝外界」を「日常言語」が結びつけるというリアリズムのパースペクティヴを、夢工作はその独自の力学で攪乱／転倒するということであった。夢に登場するのは、リアルな「風景」ではなく、「風景」が「風景」になる一歩手前でせめぎあう諸力の葛藤のリアルさである。そのリアルさは、しかし日常的な「風景」の断片のつぎはぎであるという点で、見なれたもの《ハイムリッヒェ》の再来《ルヴニール》である「不気味なもの《ウンハイムリッヒェ》／幽霊《ルヴナン》」の相貌をもっている。「風景」にけっして還元されない、こうした不気味な力のリアルさを一貫して追求しつづけた作家として、フランツ・カフカの名をあげることができる。プラハのユダヤ人家系に生まれたカフカは、ヨーロッパの心臓部に旧時代の巨大な残骸をさらしていたハプスブルク帝政が、同盟国ドイツとともに敗北を喫した第一次大戦の渦中にありながら、その破局とは一見無縁の小説をどこかぎこちないドイツ語で書きつづけた。彼が描いたのは廃墟化したヨーロッパという「風景」ではなかった。「風景」を作りあげる諸力の葛藤そのものを彼はリアルに描きだしたのである。カフカの小説に出てくるのは、保険外交や銀行の仕事、家族の会話、恋人とのじゃれあいといった、私たちにとって見なれたもの《ハイムリッヒェ》である。しかしそれら日常の断片は、けっして「風景」を構成せず、むしろ日常的な「風景」を不意に突き崩す不気味なもの《ウンハイムリッヒェ》としてテクストをおびやかす。カフカの登場人物、とりわけ『アメリカ』『審判』『城』といった長篇小説の登場人物たちには、「内面」などという賢《さか》しらなものはない。彼ら「内面」をもたない放浪者は、「風景」ぬきの滑らかな白紙の表面を、滑舌のよくないマイナー言語を交わしあいつつ永遠に滑走しつづける。「君と世界との戦いにおいては、世界のほうを支援せよ」。カフカのこの有名な箴言ほど、近代文学の根源に巣くうロマン主義的なアイロニーの対極に立つものはあるまい。

　カフカの主人公と「夏の花」の「私」は、「風景」が溶け落ちた「厭な夢」のなかをさまよっているという点では共通している。だが両者には違いがある。ドゥルーズ＝ガタリはカフカの長篇は本質的に未完であるとしたうえで、主人公であるＫの、ＩＳの動画を想わせもする残忍な処刑シーンを『審判』の最終章としたマックス・ブロートの編集に異を唱え、処刑シーンはＫの見た「夢」として途中に挿入されるべきではないかという仮説を立てる。だが処刑されるときＫは「悪夢のようだ！」とは叫ばない。彼は「犬のようだ！」と叫んで殺されるのである。ドゥルーズ＝ガタリのいうように、カフカはこのシーンを夢として書いたのかもしれない。しかしカフカは、「風景」のない世界では夢と現実の区別など無意味だと知っていたので、夢を馬鹿正直に夢と呼んだりせず、それを「風景」などとは無縁の犬の殺害として描いたのである（それにしても犬は夢を見るのだろうか？　犬は夢と現実の違いを知っているのだろうか？）。

一方、「夏の花」の「私」は犬にはなれない。彼は「風景」の消滅した世界に堪えられず、火焔と暴風の吹きすさぶ「厭な夢」のなかに、なんとか見知った「風景」を見つけようとあがく。

竜巻だ、と思ううちにも、烈しい風は既に頭上をよぎろうとしていた。まわりの草木がことごとく慄え、と見ると、その儘引抜かれて空に攫われて行く数多の樹木があった。空を舞い狂う樹木は矢のような勢で、混濁の中に墜ちて行く。私はこの時、あたりの空気がどんな色彩であったか、はっきり覚えてはいない。が、恐らく、ひどく陰惨な、地獄絵巻の緑の微光につつまれていたのではないかとおもえるのである。

ためらいつつも「私」は、この極限状況に「地獄絵巻」の「風景」を重ねようとする。馬車に乗って広島から疎開する時に目撃した惨状を形容するさいにも、「精密巧緻な方法で実現された新地獄」という表現がある。同じ場面を「さっと転覆して焼けてしまったらしい電車や、巨大な胴を投出して転倒している馬を見ると、どうも、超現実派の画の世界ではないかと思えるのである」とも書いている。

「地獄絵巻」「新地獄」「超現実派の画」――原の用いるこれらの言葉は、いずれも空虚な記号にすぎない。もちろん誰でも「地獄絵巻」や「超現実派の画」を見たことがあり、そこにどのようなものが描かれているか知っている。だがそれらは原爆が「パット剝ギトッテシマッタ　アトノセカイ」とはまったく無関係だ。「地獄」や「超現実」という言葉でイメージされるものと被爆の状況がどれほど異なるかを知るためには、広島や長崎の被爆当時の写真を一枚でも見れば十分だ。「地獄」と呼ぶにはそれはあまりにインモラルであり、「超現実」と呼ぶにはそれはあまりにリアルなのだ。では他ならぬ被爆者である「私」は、なぜこうした紋切り型を芸もなく反復せざるをえなかったのか。端的にいえば、それは「風景」を守るためだ。近代文学の支柱である「風景」を崩壊させないためには、その網目を破って氾濫し、すべてをカオスへ突き落とそうとする「厭な夢」の力に、かりそめであれ名をあたえなければならないのだ。

だがもちろんこんな弥縫策がうまくいくはずはない。その証拠に、「地獄絵巻」の向こうから這いだしてくるものに「私」の目はすぐさま吸いつけられている。それはたとえば「何か模型的な機械的なものに置換えられ」た「屍体の表情」であり、「苦悶の一瞬足掻いて硬直したらしい肢体」の「一種の妖しいリズム」である。「模型的で機械的なリズム」ほど「地獄絵巻」のウエットな描写から遠いものはあるまい。この「妖しいリズム」は原の目玉に焦げついた。彼は「火の子供」（一九四九年）でも、「滅茶苦茶に膨れ上った肉塊のなかから、紡錘形や円筒が無言で盛上って流動していたのだ。それは突然襲撃してきたものに対する大驚愕のリズムだった。すべての痙攣的リズムは絡みあって空間を摑もうとしていた。僕はどうかすると今でも眼の前にある街が脅え上って、一つの姿勢に凝結する図が浮ぶ。すると群衆の一人一人が円筒や紡錘形の無機物の神秘な表情でひっそりと流動しているのだ」と書いている。この強烈な幻視の息づまる力動感は、「地獄絵巻」のモラリッシュな「風景」や「超現実派」のシュールな「風景」とは対極にあるものだ。

いまやこう問うべきだ。「内面」と「風景」が失われたとき、「言語」になにができるだろう？明治二十年代から三十年代にかけての言文一致運動によって創出された近代日本語は、「内面」と「風景」の自然さを仮構するために、それ自身はあくまで透明な記号であることが要求された。「言語」を介してではなく、読者の意識が作中の「内面」「風景」に直接アクセスしていると感じられるような、透明な媒体。「言語」は読まれてはならない。「内面」と「風景」こそがダイレクトに読まれなければならないのだ。文字が不可避的にもつ物質性で読者の目を擦《す》りむいてはならない。読者を作中の「内面」や「風景」にスムーズに感情移入させるためには、文字という外的な媒介ぬきに、それらが読者の意識の内部から自発的にたちあらわれたと錯覚させる必要がある。そのために近代日本語は、ヴォキャブラリーもシンタックスもアクセントも比較的単調な江戸方言をモデルとし、相手との心的距離によって多様に使い分けられていた文末を「た」「である」を中心に一義的に切りそろえ、和文と漢文の中間に漢字とひらがなをバランスよく配分した折衷文を創出し、それらすべての企《たくら》みによって文字のはらむザラザラした物質性を消去しようとつとめた。そしてその努力はかなりの成功をおさめ、現在に至るまでほぼすべての小説は近代日本語の規範を忠実に踏襲しており、読者は「この小説には私のことが書かれている！」と相も変わらず感動しつづけている。[4]

だが、もはや自らの身を消して読者に伝えるべき「内面」も「風景」も存在しないとしたら？「言語」はおのれの物質性を剝きだしにするほかないだろう。近代日本語を激しく異化する奇怪な文字の群が、「模型的で機械的な妖しいリズム」で踊りだすだろう。

ヒロビロトシタ　パノラマノヨウニ
アカクヤケタダレタ　ニンゲンノ死体ノキミョウナリズム
スベテアッタコトカ　アリエタコトナノカ
パット剝ギトッテシマッタ　アトノセカイ

＊

原民喜は力のかぎり闘った。無二の「翻訳者」だった妻を亡くした絶望と、生来の虚弱な体質と、戦後の飢えと貧困に苦しみながら、原子爆弾という無慈悲きわまる大量殺戮兵器がもたらした未曾有の惨禍に敢然と立ちむかった彼の魂の力に、私は一行読むごとに心を打たれざるをえない。しかし原には武器がなかった。近代文学を支えてきたシステムは、広島を襲った災厄の激甚に完全に凌駕されてしまった。だがほかに手段はない。だから彼は、「内面」などないという告白を、「風景」の亀裂から這いでてくる模型や機械めいた屍体を、「言語」の透明さを喰い破ってしまう「キミョウナリズム」を、近代文学の形式によって書くほかなかったのである。

勝ちめのない、絶望的な闘いだった。その原の絶望を集約的に表現している形象——より正確にいえば形象の消失――がある。顔の消失である。

ふと、灌木の側にだらりと豊かな肢体を投出して蹲っている中年の婦人の顔があった。魂の抜けはてたその顔は、見ているうちに何か感染しそうになるのであった。こんな顔に出喰わしたのは、これがはじめてであった。が、それよりもっと奇怪な顔に、その後私はかぎりなく出喰わさねばならなかった。

実家から避難したとたん、「私」は「魂の抜けはてた」顔に出喰わす。「見ているうちに何か感染しそうになる」とはどういうことか？　「私」の顔からも魂が抜けはてるということか？　魂が抜けた顔はもはや人間の顔といえるのか？

京橋川の上流にある泉邸に避難した「私」は、そこでも「男であるのか、女であるのか、殆ど区別もつかない程、顔がくちゃくちゃに腫れ上って」いる者たちや、「顔は約一倍半も膨張し、醜く歪み、焦げた乱髪が女であるしるしを残している」者たちを目のあたりにする。「これは一目見て、憐愍よりもまず、身の毛のよだつ姿であった」と「私」は書いている。顔の壊れた人間たちを前に、倫理的／人間的共感は、生理的／動物的反射に押しのけられてしまうのだ。

ハイデガーの存在論との対決を通じて構想されたレヴィナスの倫理学の中心には、「汝殺すなかれ」という始原の言葉を発する「他者」の、超越的でありながら経験的でもある「顔」が輝いている。リトアニアに生まれてフランスに帰化したユダヤ人であるレヴィナスは、第二次大戦にフランス軍の通訳として従軍したさいドイツ軍に捕らえられ、ドイツ北東部のマグデブルク収容所で終戦まで捕虜としてすごした。その間に故国リトアニアのユダヤ人共同体はナチス・ドイツに根こそぎ殲滅されていた。二十世紀の最も暗い歴史を背負ったレヴィナスの思想は、倫理と暴力について徹底的に考えぬいた哲学者の真摯な思索の精華である。だがデリダは、『動物を追う、ゆえに私は（動物で）ある *L'animal que donc je suis*』で、顔は人間だけのものであり、動物には顔がないとするレヴィナスの前提を疑問に付す。レヴィナスにとって動物は責任＝応答《レスポンス》とは無縁の、したがって善悪という人格的範疇から除外された機械にすぎない、と。デリダの批判はたんなる言いがかりではない。デリダがレヴィナスに突きつけるのは、ユダヤ人たちを魂が抜けはてた「動物」へ変換しようとしたのがナチスの蛮行であったという怖るべき事実なのだから。そして私たちの理路においても、これはたんなる言いがかりではない。原爆とは、人間から顔を「パット剝ギトッ」て、「模型的で機械的なリズム」を刻むだけの「流動体」へ還元しようとするものだからだ。このとき人間は、もはや倫理的な豊かさにおいて語りだされる高貴な実存ではなく、機械論的なターミノロジーに包囲された卑小な物体へと縮減してしまうのである。

じっさい人間にとって他者の顔とは、「内面」であると同時に「風景」でもあり、そしてまた「言語」そのものではないだろうか。顔の消失はしたがって、〈内面－風景－言語〉を根こそぎにする殲滅の形象なき形象であり、日本近代文学の敗北を告げる沈黙の言葉だった。「夏の花」のラストに置かれた、原稿用紙にしてわずか二枚ほどの奇妙なエピソードは、この観点からしか読み解くことはできない。「私」という一人称が語るリアリズム小説の枠組みが、唐突に「N」という三人称の寓話にさしかえられるこの転換を、作者の構成ミスと批判する声は多い。しかしその見方は「夏の花」の苦闘の意味をとらえそこねている。

被爆をまぬかれた「N」は、広島に戻って妻のゆくえをさがす。妻の勤めている女学校にも、自宅にも彼女の姿はない。自宅から女学校への道に斃《たお》れている死体を一つ一つ「首実験」してみたところ、「どの女もどの女も変りはてた相をしていた」が、彼の妻ではなかった。顔という顔が消え失せるなか、「夏の花」一篇はこのようにして尽きる。

> Nはいたるところの収容所を訪ね廻って、重傷者の顔を覗き込んだ。どの顔も悲惨のきわみではあったが、彼の妻の顔ではなかった。そうして、三日三晩、死体と火傷患者をうんざりするほど見てすごした挙句、Nは最後にまた妻の勤め先である女学校の焼跡を訪れた。

エピソード中、「N」の「内面」を示す言葉は「駅のガラス窓がひどく壊れているのに驚いた」（傍点は引用者）という一ヵ所のみだ。そもそも「N」はカフカの「K」同様、たんなる記号でしかない。またこの寓話には「風景」を精緻に描写しようという意志が徹底的に欠けており、「西練兵場の物凄さといったらなかった。そこは兵隊の死の山であった」といった一般的で漠然とした表現が淡々と並べられている。「三日三晩」が物語のクリシェにすぎないことを考えると、ここでは時間すら流れていないというべきだろう。日本近代文学を駆動してきた精巧な装置が、原子爆弾の野蛮な破壊力によってことごとく脱臼され自壊してゆくさまを、原はこのお伽噺のようなエピソードによってかろうじて寓意してみせたのだった。

このエピソードの原型は、すでに被爆直後に書かれた「原爆被災時のノート」に見られる。「今本ハ女房ノ死体ヲ探スノニ　何百人ノ女ノ打伏セニナレルヲ起シテ首実験ヲシタガ腕時計ヲシテヰル女ハ一人モナカッタト云フ」。同様のエピソードは「夏の花」の続編「廃墟から」でもくりかえされており、このイメージがいかに原の心理に深く喰いこんでいたのか知ることができる。ただ、「今本」がなぜ「N」になったのか？「N」とは「日本近代文学」のイニシャルであるとするのは穿《うが》ちすぎだろうか。

原の人生をつらぬいてきたアイロニーは、まさにここで絶頂に達している。丸岡明が紹介していたエピソードをいまこそ想起すべきだ。自殺した作家は、亡妻の写真をわざわざ「パラピン紙」で覆うことで、彼女の顔を消していたという。すでに見たように貞恵は民喜の唯一無二の「翻訳者」であった。そうであれば、彼女の顔を自ら消し去るという行為は、八月六日に目撃した出来事の「翻訳」は不可能であり、あの「純粋言語」と「純粋関係」はついに見果てぬ夢でしかなかったという断念を示しているのだろうか。

いずれにせよ私たちはここに、原民喜個人の創作活動だけでなく、近代文学の制度そのものをも巧緻に組織したアイロニーの運動が、破局のなかですべての支えを見失って自壊してゆく苦い結末を見ずにはいられない。

3　ユーモアの蹉跌《さてつ》――『黒い雨』

広島に原爆が投下されてから二十年後の一九六五年に『新潮』で連載が開始され、翌年単行本として出版された井伏鱒二の『黒い雨』は、早くも一九六九年にジョン・ベスターによって英訳されたのを皮切りに、村上春樹の登場以前に日本語で書かれた小説としては、例外的に多くの言語（ペルシャ語訳もあるという）に翻訳された作品である。だが重要なのは、その理由が「原爆という題材の特殊性」によるものか「文学作品としての普遍性」によるものかといったスコラ的議論に淫することではなく、そもそも『黒い雨』という小説自体が「翻訳」の産物だという事実に目をむけることだ。

この作品に「原作」があることはよく知られている。昭和二十年当時、広島の準軍需工場に勤めていた重松静馬が、被爆当日から八月十五日の重大放送までの体験と見聞をつづったいわゆる「重松日記」[5]である。戦後、同郷のよしみでたまたま釣友となった重松から日記を借りうけた井伏は、非被爆者の自分が核被爆という未曾有の惨事を作品化できるだろうかとためらっていたが、一九六四年のトンキン湾事件を機にアメリカがベトナム戦争にのめりこんでいくさまを見て、反戦の思いを胸に執筆を開始した。だが井伏による被爆体験の「翻訳」はすぐさま行き詰まる。井伏は「矢須子」のモデルであり、原爆症で亡くなった重松の姪・高丸安子の病床日記を、作品の大きな軸に予定していた。ところが彼女の日記は遺族によってすでに焼却されていたのである。「翻訳」をスタートしたとたん、そもそも「原作」が存在しないと井伏は知らされたことになる。相馬正一は『重松日記』（筑摩書房、二〇〇一年）の「解説」で次のように書いている。

井伏は先の談話の中で、「めいの日記がないということがわかって、この作品は敵前迂廻している。題名も『姪の結婚』から『黒い雨』に変わった。批評家が『作品に矛盾がある』と書いているが、それは本当だ」と手の内を明かしている。つまり、井伏は「重松日記」をベースに据えて、「姪の結婚」の連載を始めたものの、高丸安子の病床日記が処分されていたのを知った時点で急遽方針を変え、重松に新しい調査を依頼して資料を収集しながら半ば泥縄式に書き進め、連載途中で「姪の結婚」を「黒い雨」に改題後も重松のセットした場所に赴いて取材活動を続けるなど、かつて経験したことのない苦渋を強いられていたようである。

存在しない作品の「翻訳」。ボルヘス的なこの迷宮を前に、井伏は「原作」になりそうな断片をかき集めつつ「半ば泥縄式に書き進め」る。その過程で井伏は、原爆という迷宮への案内人たる重松への依存を深めてゆく。じっさい相馬は、『黒い雨』を共著にしたいと井伏から重松に提案があったことを、重松の遺族の口から聞いたという。だがこの二人三脚の冥土めぐりには奇妙なもつれがある。原作者が存命の場合、翻訳者が不明点などを問い質すのはよくある話だろう。

だが重松は日記につづった自分の体験について説明するだけではなく、井伏の求めにしたがって新たな資料を探したり、近在に住む被爆者や救護のため広島にむかった「甲神部隊」の生き残りに声をかけてインタビューの場をもうけたりしているのだ。「翻訳者」が「原作者」を動かして「原作」を書きかえる。「原作者」が「翻訳者」の意図をインフォーマントにむかって「翻訳」する。たがいがたがいを「翻訳」しあう往復運動が「原作／原爆」を泥縄式にリライトしていくこのもつれにおいて、「被爆者日記《オリジナル》」と「非被爆者小説《コピー》」の境界は跨《また》ぎこえられている。

『黒い雨』が「翻訳」の産物だという意味は、しかし〈**被爆者日記→非被爆者小説**〉という図式に尽きるものではない。『黒い雨』は、戦争／軍隊の暴虐や不条理を描いた井伏の旧作「かきつばた」（一九五一年）や「遥拝隊長」（一九五〇年）の原爆語への「翻訳」でもあるからだ。

「かきつばた」の語り手の「私」は、原爆投下時に爆心からほど遠い福山にいた。奇怪な爆弾が一瞬で広島を滅ぼしたという噂を聞いたのは翌日になってからであり、じっさいに被爆地を訪れたのは十ヵ月後のことだった。こうした空間と時間の疎隔に助けられ、「私」は原爆の惨禍を疎開中の文学者という立場から冷静に対象化している。たとえばこんなエピソードがある。八月六日の昼、「私」は福山の旧知の薬局主人に、釣りに行ったとき帽子に差したままで忘れていた釣《つり》鉤《ばり》を取ってもらった。のんきな話だ。広島にいた薬局の長男が直前に爆死していたのを二人とも知らなかったのである。「『おい、まッさん、帽子に釣鉤がついているよ』という言葉は、私にとっては別に縁起の悪いものではない。ただ安原薬局主人が、それを思い出したとすれば何と思うか疑問が浮かぶだけである」と書く「私」の「内面」には曰く言いがたい陰翳が襞《ひだ》を寄せているが、「内面」そのものの存在は毫《ごう》も疑われていない。またこの作品は、冒頭の「広島の町が爆撃されて間もないころ、私は福山市近郊の知人のうちでカキツバタの花の狂い咲きを見た」という不吉なイメージが結末でふたたびフォーカスされ、広島で被爆した娘の水死体をそこにコラージュして終わる。物語の始まりと終わりにともに敗戦時を配置する円環的な構成は『黒い雨』にもそのまま持ちこされているが、水面に寄りそう狂い咲きのカキツバタと狂女の死顔は、戦争という狂気の終焉を彩る「風景」として、作品全体を凄愴な美で縁取っている。

「遥拝隊長」は「かきつばた」とは対照的に三人称客観描写の形式をとっている。岡崎悠一は小隊長としてマレー戦線に出征したとき、日本軍勝利の報道があるたびに小隊全員を東方遥拝させ、長たらしい訓辞を垂れるというので、「遥拝隊長」とあだ名されていた。ある日、敵の爆弾が穿った穴を見て部下の一人が「戦争ちゅうものは贅沢じゃのう」とつぶやいたのに悠一は激昂し、トラックの荷台によじのぼって平手打ちを喰らわせた瞬間、突如発進したトラックから部下もろとも川に転落した。部下は流されて行方不明となったが、頭と足を強打したものの命はとりとめた悠一は内地に送還された。だが敗戦直後に悠一は発狂してしまう。発作が起きるや、いまここが戦地であると錯覚して、近くを通りかかった「部下」たちに「敵前だぞォ、伏せえ」「突撃に進めえ」「逃げると、ぶった斬るぞォ」と大音声で号令するのである。この作品では、勇ましいが無内容な「軍隊用語」という言葉の問題と、厳めしいがやはり空疎な「東方遥拝」という身振りの問題として、戦中の軍国主義の愚かしさが二重につかまえられている。「軍隊用語」に対比されるのは、「めげる（壊れるの意）」「ハッタビュラ（池の名前）」といった身近でユーモラスな「地方訛」であり、「東方遥拝」に対比されるのは「ハッタビュラ」の樋をぬいて「池干し」をするといった土俗的で伝統的な身振りである。軍部の愚かしい暴力性と、それを忍苦しつつ淡々と日常を生きる庶民という、これも『黒い雨』で再演される二項対立がこうして具体的に輪郭づけられる。「マレー人が、わしゃ羨ましい。国家がないばっかりに、戦争なんか他所ごとじゃ」という名もなき兵士のつぶやきが、『黒い雨』において被爆者の死体を穴に放りこむ兵士の「わしらは、国家のない国に生まれたかったのう」という有名なセリフへと「翻訳」されているのを見るのはたやすい。「遥拝隊長」が依拠しているのは、日常に足をつけて戦争の狂気を批判する、庶民たちの言葉と身振りの正しさなのである。

つまるところ、「かきつばた」と「遥拝隊長」の二作品は、〈内面－風景－言語〉の三者が間然するところなく結合された日本近代文学の傑作である。原爆を書くと決意したとき、井伏は旧作で巧みに機能したシステムによって八月六日の広島を「翻訳」しようと考えたにちがいない。すなわち〈**戦争／軍隊を批判した旧作→原爆を批判する新作**〉という「翻訳」のベクトルだ。

さらにもう一つのベクトルがある。それは原民喜や大田洋子ら被爆者作家の諸作品、「原爆もの」とキワモノ視されて文学の埒外へ放擲《ほうてき》されがちだった作品群を、日本近代文学へと「翻訳」しようとするベクトルだ。同じ日に同じ町で起こった歴史的出来事を書いているのだから、「夏の花」や『屍の街』が描きだしているものと、『黒い雨』に描かれたものが重なっているのは当然だ。しかし二十年もの熟成期間を経たのちに、井伏鱒二という日本近代文学の巨匠が「満を持して」(山本健吉)発表した『黒い雨』は、かつての「原爆もの」とは比較にならないほど多様な文学的たくらみをほどこした、驚くほど複雑な構成をもつ作品となっている。それはたとえば、原の「翻訳」が妻ひとりに向けられたものであったのにたいして、井伏の「翻訳」が〈**被爆者日記→非被爆者小説**〉〈**戦争/軍隊を批判した旧作→原爆を批判する新作**〉〈**近代文学の外部に位置する「原爆もの」→近代文学の内部に位置する「原爆小説」**〉といった多様なレイヤーをつらぬいて作動していることからも明らかだろう。こういってもよい。原には武器がなかった。しかし、井伏にはすでに赫奕《かくやく》たる戦功を積み重ねてきた豊かな武器庫があったのだ。

したがって問いはこうだ。巨匠の筆のもと、日本近代文学は全力をそそいで原爆を描こうとした。その試みは成功したのだろうか? それとも失敗したのだろうか?

＊

いわば「ヒバクシャ語」とも言うべきマイナー言語で書かれていた「夏の花」や『屍の街』を、近代文学のメジャー言語へ「翻訳」するさいに井伏が採用した戦略は、①アイロニーを相対化するユーモア、②多様な視点の導入による証言の多元化、③現在中心主義の批判、という三点を柱とするものだった。

この三点から、井伏が旧来の「原爆もの」のどこに弱点を見ていたかを逆算できる。その弱点は、井伏ら文学者だけでなく一九六五年当時の読者の多くが、そして被爆から七十余年が経過したいまの読者の多くが、「原爆もの」の看過すべからざる瑕瑾《かきん》と感じるものに重なっているだろう。剝きだしのアイロニーは劇薬だ。原爆という巨大なアイロニーにたいして文学的アイロニーで立ちむかうことは、癌という致死毒に抗癌剤という毒を投与するのに似ている。それは不快と嘔吐を誘う。「山椒魚」や『駅前旅館』など、飄逸《ひょういつ》たるユーモアを本領とする井伏の作家的資質もあったろうが、「夏の花」を自壊させたアイロニーの毒性を中和する手段として、井伏はユーモアのあかるさを必要としたのではないか。

また『黒い雨』の発表から五年後、井伏が次のように書いていることは見逃せない（『作品集〈八月六日〉を描く』文化評論出版、一九七〇年）。

「広島のこと」のような言語に絶する悲惨な大事件は、たとえ体験者であっても一個人で書き得る対象とは云われまい。原爆小説を発表する良識的な一つの方法は、多数の体験者が各自の見聞を忠実に書き綴り、それを互に検討した上で一つにまとめて出版社に渡すことではないかと思う。

たとえば大田洋子の作品のような、作家個人の主観性が前面に押しだされ、その思考と感情によって惨事のあらゆる側面が色づけられてゆくタイプの書き方は、数十万人の運命を瞬時に決した原爆という巨大戦災にはそぐわない。ジョン・トリートが指摘するように『屍の街』には、被爆者作家のモノローグが支配する廃墟＝聖域から非被爆者の読者を場外へ閉めだしてしまうようなところがある。これはある意味で戦後日本の共同体から被爆者を閉めだそうとする非被爆者の鏡像である。日本人全体が原爆体験を胸に抱きしめるためには、被爆者と非被爆者がたがいの醜い鏡像を映し合っているようではダメだ。被爆者／非被爆者の垣根をこえて、多様な証言が広島をめぐって乱反射するような凹凸のある鏡面《テクスト》が必要だ。井伏はそう考えたにちがいない。

さらに、被爆直後に「このことを書きのこさねばならない」という一心で記された原民喜らの作品は、当然ながら「いまここ」の災厄の凝視に集中しており、過去の回想がはさまるにせよ、それはあくまで被爆の悲惨を強調するためのノスタルジックな小道具にすぎない。すでに高度経済成長を生きはじめていた日本人にとり、戦災の「いまここ」をリアルに再生する「原爆もの」は、戦後の繁栄が核戦争の危険をはらんだ冷戦によってこそ支えられているという不安な現実を突きつけられることもあって、目をそむけたいアブジェクションになっていた。つとに日記形式で綴られた『さざなみ軍記』や記録をもとに書かれた『ジョン万次郎漂流記』などの歴史物にくわえ、土着的／伝統的風俗にフォーカスした小説・エッセイを数多《あまた》ものしている井伏は、遠い昔から庶民の日常生活を隈取《くまど》っていた不易の時間や、明治以降の近代的な時間、あるいは執筆の現在にいたるまでの戦後の時間といった多様なレイヤーの内部に、原爆による瞬時の破壊を突発事として浮かびあがらせることで、人間の生きる物語的な時間を一瞬にして蒸発させる原爆の「反-物語性」を、いわば「格納容器」に封じこめようとしたと考えられる。

これら①〜③の戦略がどのように機能しているか、じっさいに『黒い雨』のテクストを見てみよう。

「姪の結婚」というタイトルで連載を開始した第一章、それも冒頭付近に、一年半後に完結する作品全篇をあらかじめ縮約するかのような重要なシーンがある。広島郊外の収容所に同郷の被爆者たちを探しにゆく任務を負った小畠村の勤労奉仕団員たちが、八月十五日早朝、村長の「遥拝隊長」さながらの壮行の辞と村人たちの万歳三唱に見送られたあと、農家の縁側で昼の弁当をつかっているときのことである。

そのとき家のなかからラジオの重大放送が聞えて来た。みんな暫く黙りこんでしまったが、

「今朝の村長の壮行の辞は、ちょっと長すぎたなあ。」

と馬の手綱取りをする男が云った。この言葉をきっかけに、みんな竹槍をどうするかについて相談し、縁側を貸してくれた農家へ置土産として来ることに一決した。

なるほどここには「原爆」にたいする「竹槍」という、軍部の戦争指導のデタラメさを風刺する戦後のアイロニカルなクリシェが見られる。ただし、「撃ちてし止まんのしるしとしてお持ちになっておる竹槍だけは、決して落さないように御注意のほどをお願いするのであります」と村長が強調した竹槍に直接怒りをぶつけるのではなく、なんの役にもたたない置土産として農家に放置してくる団員たちのどこかイタズラっぽい態度には、フロイトが述べた意味でのユーモアがある。フロイトは論文「ユーモア」で、月曜日に絞首される予定の死刑囚が「今週も幸先がいいらしいぞ」とつぶやく例をあげ、ユーモアのもつ余裕や解放感は、ユーモリストが自分自身や他者にたいし、大人が子どもにたいするときの態度をとりうることから発すると述べている。「子

どもの悩みにたいする大人の余裕」を「自我の怯えにたいする超自我の慰め」と一般化しつつ、フロイトはユーモアに外界の脅威をはねのける反抗を見る。じっさい、かつて「大人」（超自我）であったはずの村長の訓示やその権威を支える軍国主義が、敗戦を機に「子ども」の駄々（自我）めいたものに格下げされる一方で、イデオロギーの軛《くびき》をはずされて「大人」の分別を発揮できるようになった村民たちが、不屈の皇国精神を体現していたはずの竹槍のバカバカしさを笑いのめすことには、ユーモアにおける反抗の輝きが躍如としている。

第五章にも同様のシーンがある。避難場所とあらかじめ言い含めておいた広島大学のプールサイドで首尾よく妻と出会った重松が、念のために家を見に行くと、風呂場に隣家の炊事場がそのまま飛びこんでいた。

一枚の鯣烏賊《するめいか》も板張の上にころがっていた。やはり早見さんのうちから飛びこんだものだろう。僕はその鯣烏賊をしゃぶってみたい誘惑を感じたが、贅沢食品に属するので「口の栄耀のためでなくて、記念のために」と口実をつけて救急袋に入れた。

原爆によって破壊された家と、風呂場にはりついた鯣烏賊。このシュールな対照は、「しゃぶってみたい」という欲望の「子どもっぽさ」と、適当な口実でそれをなだめる「大人の分別」に増強されて、読者の笑みを誘わずにはいまい。だが見逃してはならないのは、この笑いがアイロニーにぴたりと追尾されていることだ。鯣烏賊をしまった直後に重松が柱の日めくりを見ると、八月六日当日の標語は「撃ちてし止まん」だったのである。

アイロニーに尻を焦がされたユーモア。フロイトの死刑囚の例も、直後に彼が絞首台に吊されることを考えるなら、黒い笑い《ブラックユーモア》とならざるをえない。『黒い雨』はこの死刑囚の例によく似た挿話をくりかえし語っている。第七章、自分たちも死線を彷徨するなかで、立銃《たてつつ》をしたまま死んでいる歩哨の顔をのぞきこんだシゲ子が「あら、キグチコヘイのような」ともらす場面。第八章、去年は青いうちに落ちてしまった柘榴の実に、脚榻《きゃたつ》に登ってひそひそ声で「落ちるな」と言い含めていた子どもが、爆風で脚榻ごとふっ飛ばされて死んだというエピソード。第十六章、八十九歳の老爺が滑稽な昔話を語って矢須子を笑わせるが、その矢須子の若い肉体はすでに原爆症に深く蝕まれているという残酷。――

ベルクソンは『笑い』において、ユーモアとアイロニーを対蹠的にとらえ、現実の精細な描写を理想の顕現だと信じるふりをするのがユーモア、巧みに弁じられた理想がそのまま現実に存在すると信じるふりをするのがアイロニーだと説明している。たとえば敵戦車にたいして竹槍でいかに戦うかを詳細に記したマニュアルは前者に、無比の国体をふりかざして米英撃攘の摂理を説くのは後者にあたる。だが、理想も現実もわけへだてなく黒焦げにする原爆のあとではベルクソンの定義は古ぼけて見える。現実を理想に移調するユーモアと理想を現実に移調するアイロニーの境界など、石段とそこに坐っていた人間の境界同様、数千度の熱に溶かされてしまうだろうから。たとえば、以下に抜粋を掲げる東京朝日新聞昭和二十年八月十一日付特報（ゴチックは原文）は、ユーモアなのか、それともアイロニーなのか？

国際法を無視した広島の新型爆弾を、現地に出張、視察した陸海軍および防空総本部の専門家の調査に基いて新型爆弾に対する心得を防空総本部から十一日発表した、なおさきに二回にわたって発表された注意は有効であるから今回の左記注意を追加すれば一層完璧である

（中略）

四、傷害は爆風によるものと火傷であるがそのうちでも**火傷が多いから火傷の手当を心得え《ママ》ておくこと、**もっとも簡単な火傷の手当法は油類を塗るか塩水で湿布をするがよい

（中略）

六、白い衣類は火傷を防ぐために有効である（但し白い着衣は小型機の場合は目標となり易い、よく注意のこと）

（中略）

八、**蛸壺式防空壕**は板一枚でもしておくと有効である

「国際法を無視した」「新型爆弾」にも「有効」で「完璧」な理想的対処法をうたう前半部と、「油類を塗る」「塩水で湿布をする」「白い衣類」「板一枚」といった卑小な現実的手段を列記する後半部との、唐突といえばあまりに唐突な癒着。これは笑うに笑えまい。ユーモアはアイロニーと癒着し、現実と理想がもろともに溶けさった廃墟を灰色の無言で塗りこめるだろう。

小畠村の原爆症患者たちがたくらむ、非被爆者の冷たい視線にたいするのどかな反抗に、ある

いは重松とシゲ子の夫婦漫才めいたやりとりに巧みに挿入されていたユーモラスな味わいが、「黒い雨」と改題されたあと息切れしたように失調してゆくのは、井伏の筆に粘りついてくるアイロニーの重力を如実に示している。日記の筆者の「重松静馬」をくるりと反転させて「閑間重松」という主人公をひねりだし（したがって作中の「重松」という名は、虚構内人物とともにその虚構の「原作者」を重ねて呼びだすという、メビウスの環めいた面白さがある）、「姪の結婚」といういささか脱力したタイトルのもとで作品をスタートさせた井伏の大人然としたユーモアが、原爆の実相を書き進めるにつれ、どす黒いキノコ雲にしだいに呑みこまれてゆくさまを目のあたりにするようだ。

＊

だが『黒い雨』は、簡単にアイロニーに屈するようなやわな作品ではない。経験的対象の否定をつうじて自らを超越論的立場にひきあげようともくろむアイロニーのナラティヴは、原理上単数形《シンギュラー》しかとりえない。同じくメタレヴェルに立って語る別の話者が存在すれば、自我は孤高をたもちえず、ふたたび葛藤にみちた経験的世界へ転落せざるをえないからだ。井伏の慧眼はその消息を鋭く見ぬいていた。たとえ体験者であれ、一個人すなわち単数形《シンギュラー》のもとで書かれた原爆小説は、ミイラ採りがミイラになるがごとく、一発の原爆が放つ破壊のアイロニーに呑みこまれてしまう。アイロニーに対抗するには複数形《プリューラル》で書くほかはない。単数の暴力にたいして複数の視点たちを、一個人の手記にたいして多数の体験記たちをぶつけるほかない。ときに評者に構成上の欠陥や破綻として論じられ、井伏本人も「ルポルタージュ風の雑文」と卑下してもいる、長さもテーマも語り口も異なる雑多な証言群を手当たりしだいつぎはぎしてゆくという、一見泥縄式の無手勝流は、しかし原爆小説がありうるならばこれ以外にないという確信犯的な方法だったのだ。

ポリフォニー小説。『黒い雨』をこの魅力的な概念に引きつけて論じることは可能だろうか。たとえば大江健三郎は『黒い雨』の「文体の多面性」に注目する。「じつに多くの異なった文体の——ドキュメントの文体」が一方にあり、他方に井伏の「醇乎たる文体」があり、「両者あいまって、文体のポリフォニーが生み出されている」、そう大江は指摘する（「揺がぬ『黒い雨』」、『新潮』一九九三年九月号）。

ロシアの批評家ミハイル・バフチンがドストエフスキー作品の精読からつかみとった「ポリフォニー小説」という概念は、ヨーロッパ文学の主流たる「モノローグ小説」を根底から革新するものだとされる。「モノローグ」すなわち「ひとりごと」の小説とは、作者の世界観と情念によってコントロールされた登場人物たちの思考や行動が、一貫性のある文体で一元的に描写されてゆく作品である。それにたいして「ポリフォニー小説」とは、作者の手綱をひきちぎった多数の声たちの、けっして一点へ収斂することのない終わりなき対話によって構成された作品をいう。『ドストエフスキーの詩学』の短い註においてバフチンは「ポリフォニー小説」の特質をずばりとひと言で表現している。「ドストエフスキーの主人公はすべて潜在的な作者なのである」と。

たしかに『黒い雨』も、井伏が統御しえない「潜在的な作者」たちの多様な文体によって編まれた作品である。ある程度のボリュームをもった内容を語る「作者」だけでも、「重松日記」の筆者・重松静馬はいうにおよばず、戦時下の食生活をレポートする彼の妻・しげ子（作中では「閑間シゲ子」）、「広島被爆軍医予備員の記録」を井伏に供した岩竹博、岩竹の闘病について回想した彼の妻・喜和子らがいる。それ以外にも多くの被爆者の体験記・体験談が、登場人物たちの目撃した光景や電車内で仄聞《そくぶん》した噂など、さまざまな状況・さまざまな文体で作中に織りこまれているが、「文体のポリフォニー」はそれに尽きない。巻紙に「就ては此の書面、其節の約に依り西洋のInktにて認め候」云々と記された維新直後の候文、橋の欄干に貼られた「幸之助、祇園の叔母の内へ来い、父」といった伝言、「君ハ銃トレ我ハ槌／戦ウ道ニ二ツナシ」と若者を煽る「動員学徒の歌」、「大本営発表」ではじまる壁新聞の布告や県知事の告諭文の写し、それらのシャチホコばった文体に「ハラガヘッテハイクサガデキヌ」と半畳を入れる落書き、「高丸矢須子病状日記」に筆写された「わしらが爺さんの若い時分、むかしむかしその昔」の定型ではじまるフォークロア、「我やさき、人やさき、今日ともしらず明日ともしらず」と美文調で唱える「白骨の御文章」など、『黒い雨』の「文体の多面性」を示す例は枚挙に遑《いとま》がない。こうした雑多な文体たちを一つに括《くく》るフレームとして、悪意ある噂によって結婚できずにいる姪の将来を心配する重松の、穏やかな僻村で原爆症を養う生活が、井伏ならではの「醇乎たる文体」で描かれて各章の冒頭に配されているのである。

　重要なのは、これらの多彩なテクスト群が、それぞれモノローグに自閉することなく対話へと開かれていることだ。矢須子の日記を重松が書き写しはじめたのは、矢須子は原爆病を患っており重松夫妻はそれを隠しているという根も葉もない噂に反論するためである。だが黒い雨を浴びた部分はカットしたほうがいいのでは、と渋るシゲ子に、写しを現物と照合されたら困ると先回りして懸念する重松は、矢須子にくらべてはるかに深刻な被爆に曝された自分自身の「被爆日記」を附録篇として浄書しはじめる。その作業はしかし、姪の結婚というプライベートな目的だけでなく、学校の資料室に納めてヒストリー化するというパブリックな目的をもあわせもっていた。つまり、日記の清書という一見これ以上ないほど自己に閉じた行為は、他者の声が行き交う広場に据えられた机の上で行われているのである。ちょうど『地下室の手記』の語りが「彼を決めつけ、死人扱いするような他者の評言の枠を打ち破ってやろう」(バフチン)とする闘いにほかならなかったように、シゲ子の食生活レポートも、岩竹日記も、欄干に貼られた伝言も、公的言説を茶化す落書きも、すべてが「彼らを被爆者だと決めつけ、死人扱いするような他者の評言の枠を打ち破ってやろう」とする対話＝闘争の力学につらぬかれている。

個々の被爆体験を原なりの、あるいは大田なりの文体で描いた「夏の花」『屍の街』が「モノローグ小説」だとすると、たしかにそれらを『黒い雨』は「ポリフォニー小説」へと「翻訳」しているように見える。だが、『黒い雨』のポリフォニーは、ドストエフスキーのそれとは、いくつかの点で異なっていることを見落としてはならない。『地下室の手記』でも『罪と罰』でも『カラマーゾフの兄弟』でもなんでもいい、数ページめくってみたら誰にでもわかることだが、ドストエフスキーの作品には「風景」描写など一行もない。また、つねにぎりぎりの土壇場を生きる彼のヒーローたちが「内面」などという辛気くさいシロモノとは無縁な存在であることは、人間の心の本質的な不確定性／未決定性を、「内面」といった固体に物象化してしまう心理学にたいするドストエフスキーの嫌悪感を強調するバフチンが教えるとおりである。「風景」も「内面」もないなら、ドストエフスキーの言葉はなにを書いているのか？　いや、問い以前に、言葉がなにかを書くという前提そのものがまちがっている。ドストエフスキーの言葉は言葉以外のなにも書いてはいない。言語自身の内部から湧きだしてくる数多の声による、尽きることのない対話の運動しか、そこには存在しないのだ。その意味で彼の小説は、いったん言葉が生まれてしまえば、その内奥からおのれを否定する別の言葉が果てしなく生みだされざるをえないという、言語のはらむ不条理な宿命それ自体を、十九世紀ロシア語に「翻訳」したものにほかならない。

それにたいして、『黒い雨』の「文体のポリフォニー」は、「内面」と「風景」への志向を断ち切ろうとはしない。池に釣糸をたれていた重松ら原爆症者に非被爆者の女が「この忙しいのに、結構な御身分ですなあ」と皮肉をいう場面で細密に描写された「風景」は、「かきつばた」の池に狂い咲いた花と狂女の顔同様、目にありありと浮かんでくる。また、目や鼻や口にどっさりたかった蛆虫がまるで死体の表情を動かしているように見えるのに恐懼《きょうく》した重松が思わず吐露する「戦争はいやだ。勝敗はどちらでもいい。早く済みさえすればいい。いわゆる正義の戦争よりも不正義の平和の方がいい」という告白も、「遥拝隊長」で無名の兵士が思わずもらした「マレー人が、わしゃ羨ましい」という告白同様、「内面」の真実のずっしりとした重みが滲《にじ》んでいる。

だが、本来不確定で未決定であるはずの心を「内面」へと鋲止めしてしまうのは、多数の声たちの闘技場《アリーナ》であるはずのテクストに消失点をもちこんで美しい「風景」をしつらえようとするのは、「モノローグ小説」の特性ではなかったか。その意味で『黒い雨』は、モノローグとポリフォニーのあいだで宙吊りにされているのではなかろうか。

こう問いなおしてみてもよい。「最後の言葉」はどこにある?――バフチンは『地下室の手記』の分析をつうじて、ドストエフスキーの主人公は「最後の言葉は自分のものだと知っており、何としてでもその自分に関する最後の言葉を自らに留保しておこうと努めている」と述べている。他の登場人物はおろか、作者にさえ自分に関わる「最後の言葉」をけっしていわせまいと奮闘する主人公こそ、終わりなき対話の担い手にふさわしい。彼が「最後の言葉」を自分のもとに留保しようとするかぎり、それを掠《かす》めとろうとする他者/作者との闘争は無限につづくはずだから。『黒い雨』ではどうか。登場人物たちの「最後の言葉」を握っているのは、たしかに井伏ではない。だが、重松やシゲ子や矢須子でもない。彼らの対話が行きつく果てに待ちかまえているのは、「原爆」の一語だからだ。『黒い雨』の登場人物たちは、自分に関わる「最後の言葉」をそろって一発の爆弾に握られてしまっているのだ。

＊

「原爆」という「最後の言葉」。このことは『黒い雨』の周到に設計された時間構造にも不吉な影を落としている。

ふたたび第一章冒頭の、勤労奉仕団員たちが竹槍を農家へ置土産にする場面をふりかえってみよう。ジョン・トリートは井伏鱒二論『*Pools of Water, Pillars of Fire*』（University of Washington Press, 1988）でこの場面をとりあげ、『黒い雨』を構成する二つの時間——竹槍＝農民一揆が暗示する前近代の時間と、重松が出来事を想起している一九五〇年の現在と、一九四五年八月の敗戦時——のひと所への収斂を見ている。鋭い指摘ではあるが、物足りない。まず「あの夏」が重大放送によって戦中と戦後にすぱっと断ち切られていることを考慮する必要がある。さらに、重大放送を聞かないと決めた重松が裏庭の用水溝をさかのぼる鰻《ピリコ》の子を見ている最終章との呼応を見れば、愚かで有限な人間の時間と対比される自然の悠久たる回帰もまた、他の時間のレイヤーと肩をならべて重大放送を聞きにラジオのほとりに集っていると考えるべきだ。

くりかえすが、個々の体験者が語る被爆の惨状は、アイロニーと親和的な単数形《シンギュラー》の時間を採用せざるをえない。したがってそれは、前節で「夏の花」に即して検討したように、一発の原爆が一瞬で経験的世界をまるごと壊滅させてしまう巨大なアイロニーにいずれは追いつかれ、呑みこまれてしまう。原爆を扱った小説や体験記を読むなかで単数形《シンギュラー》の危険に気づいた井伏は、一つに結合したウラン塊が一九四五年八月六日午前八時十五分に広島上空で核分裂《フィッション》をスタートさせたという単数形《シンギュラー》でしか語りえない時間を、異なる時の流れを幾層もコーティングした「格納容器」に封じこめた。それによって、あらゆる人間的意味をメルトダウンさせる原爆のニヒリスティックな暴走を、近代小説の制御下に置こうとしたのである。こんなイメージだ。

自然　人為を超越した悠久たる回帰

戦中　竹槍＝「撃ちてし止まん」

原爆炸裂の瞬間

戦後　竹槍＝無意味な置土産

前近代　旧暦にのっとった共同体の伝統行事の数々

原子炉の周囲に安全性確保のための計器や配管が複雑にはりめぐらされているように、『黒い雨』の核分裂《フィッション》のまわりにも多様な時刻をさす大小の時計が複雑にはりめぐらされた。だが、この周到に組み立てられた建屋にほころびはないだろうか。点検すべきポイントは、一日ごとにきっちり枠取られた戦中＝被爆の時間にたいして、あるいはノスタルジックに理想化された前近代や自然の時間にたいして、戦後の時間が作品の進行につれて奇怪な形にねじ枉がってゆくことだ。

どういうことか。前半の諸章では、原爆症に悩みながらも自然あふれる故郷の村で療養生活を送る重松らの戦後の日常が、「芒種」や「虫供養」といった伝統行事に縁取られつつ、ゆったりと落ち着きをもって描かれている。そこでストーリーの軸となっているのは、重松・庄吉・浅二郎の原爆症トリオが、農繁期に釣りをしていることを揶揄された腹いせに、孵化場から鯉の稚魚を大量に購入し、成魚に育ててから池へ放って思うぞんぶん釣りまくるという計画である。このいくぶんコミカルな筋立てには、小さく幼いものの生をわが手で養い育てるというあかるい積極性がある。だが連載第八回めに「黒い雨」と改題されてからはそうした日常の積極性は急速に色あせてしまい、「被爆日記」からあふれでる屍の行列が章をまたいで延々とつづくようになる。日記に封緘された過去として「あの夏」を対象化していたはずの戦後が、「あの夏」の死体の山に呑みこまれてゆく。日記を清書する重松の目玉が、日記の登場人物たる「僕」の目玉に搦《から》めとられてゆく。——だが、戦後の視点は消滅してしまうのではなく、「後日記（戦後‐日記？）」というふしぎな形式で「被爆日記」にとり憑いてゆくのである。

はじめのうち「後日記」は「高橋夫人の消息は知れなくなった。たぶん火に巻かれたのだろう」「翌日、宮地さんは亡くなったそうだ」などと簡潔に添付されているだけだった。これらは昭和二十年九月に避難先で書かれたという「被爆日記」[6]執筆時か、あるいは五年後の清書時——作品の語りの現在——において重松が書きくわえたものと考えてよい。

ところが第八章には「筆者注」と断って「昭和三十年八月六日発行の柴田重暉著『原爆の実相』」という書物がかなり長く引用されたうえで、「尚、柴田さんは後日になって原爆症で亡くなられた」と書かれている（第十二章にも同じ書物から引いたと思しき「後日記」がある）。重松が「被爆日記」を清書しているのは昭和二十五年六月からで、清書を終えるのは同年八月四日である。ここで作中の時間の流れは混濁している。昭和三十年八月六日に、あるいは柴田氏が原爆症で亡くなったときに、矢須子はまだ生きているのか？「筆者」とは重松のことか、それとも井伏なのか？ 未来完了時制で夥しい死を告知するこれら「後日記」は、テクストの語りや時間の構造といったいどのような関係にあるのか？ この時間の破けめは、原爆炸裂の瞬間を封じこめる格納容器の崩壊を告げているのではないか？――濁流のような問いとともに、作品は最後の渦へむかっておし流されてゆく。

八月十二日分「被爆日記」の筆写にまるまるあてられた第十五章で、日記に曖昧に寄生しつづけてきた「後日記」は、ついにその不気味な相貌を露わにする。ナイチンゲールに擬された女性の人となり、重松らに厳しく応接した陸軍軍医の原爆症死、大野浦国民学校に収容された被爆者数の公式記録がたてつづけに「後日記」としてならべられたうえで、小畠村から広島に出動した特設部隊救護班についての記述が数ページにもわたりカッコに括られ、その末尾で、ついに矢須子を原爆病が襲ったことが告げられるのだ。

これこそ『黒い雨』のクリティカル・ポイントにほかならない。そもそも重松が「被爆日記」を清書しはじめたのは、原爆病患者だという悪意の噂から矢須子を守り、戦後の安寧のなかで彼女に幸せな結婚をさせてやるためだった。だがアイロニカルにも、当の「被爆日記」の内部から癌腫のように湧きだし、日記執筆後に積み重ねられた大量死を含みこんでみるみる増殖してゆく「後日記」が、根も葉もなかったはずの悪意の噂を動かしがたい現実に変貌させてしまうのである。こういってもよい。原爆炸裂の瞬間を封じこめる分厚い壁だったはずの戦後の時間こそが、矢須子の体内で原爆病が炸裂する瞬間をいまかいまかとカウントダウンする時限爆弾だったのだ。原爆から矢須子を守るはずの「格納容器」は、じつは矢須子を爆心に監禁する「檻」でしかなかったのだ。「はじめ僕は茶の間でそれ（矢須子の原爆病：引用者）を打ちあけられたとき、瞬間、茶の間そのものが消えて青空に大きなクラゲ雲が出たのを見た。はっきりとそれを見た」という「後日記」を最後に、『黒い雨』という多層の時間をコーティングした原爆建屋は爆裂飛散しているといってよい。ここで「茶の間」は庶民の伝統的生活を、「青空」は自然の悠久を示しているが、「クラゲ雲」がそれらを一瞬で呑みこんでしまったというのだから。残りの五章は、作品が力尽きたあとの文字どおりの「後日記」にすぎない。

つづく第十六章の冒頭は鯉の養殖に短く触れているが、もはやそれは口実以上のものではない。以降、重松の日常生活は消去され、矢須子の病状が絶望的に増悪してゆくさまを描くおぞましい「病床日記」と、岩竹軍医の身も凍るような「闘病記」と、八月十三日から十五日にかけての「被爆日記」が、熱で癒着したように三つどもえでからまりあいながら、書き写すことだけが自己目的化されて叙述を引き延ばしてゆく。作品が依拠してきた時間の多層構造はもはや破壊されている。そして「被爆日記」をしまいまで清書しおわった重松が、鯉の幼魚と蓴菜《じゅんさい》の花を池の面に眺めながら、「今、もし、向うの山に虹が出たら奇蹟が起る。白い虹でなくて、五彩の虹が出たら矢須子の病気が治るんだ」と祈るという、将棋でいう投了前の「形作り」にも似た、書き割りめいた「風景」とその場しのぎの「内面」を立てかけて、この先に待っているだろう苛酷な運命から逃げさるように一篇は終わる。

自然の悠久、前近代からつづく伝統行事、戦中という特殊な時空、戦後という新たなはじまり——これらの時間の行きつく果てに待ちかまえていたのは、やはり原爆という白熱、不吉な「白い虹」でしかなかったのだ。

4　日本近代文学の敗戦

「黒い雨」　この作品は小説でなくてドキュメントである」。

井伏が自選全集第六巻の「覚え書」に書きつけたこの言葉は、前節で検討したような周到な文学的たくらみを凝らしたにもかかわらず、『黒い雨』が小説としては「失敗」していることを著者自身が率直に認めたものだ。ガー・アルペロヴィッツの先駆的研究『原爆外交 *Atomic Diplomacy*』などが否定しがたい説得力で論証しているように、原爆投下が軍事的必要ではなく戦後のソ連封じ込め政策の切り札として日本に投下されたことを考慮すれば、井伏のこの言葉に、原爆という「政治」にたいする「文学」の敗北という、お馴染みの構図を読みとる者もあるだろう。だが、いったん「政治／文学」というダイコトミーを自明視してしまえば、著者の井伏に抗して「政治」にたいする『黒い雨』の勝利を言祝《ことほ》ぐことも同じくらい容易だ。後で述べるように、両者はともに「政治／文学」の対立が耐用年数の切れた制度にすぎないことを見ていないが、ひとまずその射程を追尾してみよう。

戦後日本は一見、平穏な日常と生の明るさを庶民のもとに取り戻したように見えた。しかし、そこにはあるゴマカシがあった。重松が「被爆日記」を清書しはじめた昭和二十五年六月は、金日成《キム・イルソン》の軍隊が大挙して南下し、朝鮮戦争が勃発した当の月であった。これは前年のチャイナ・ロストとあいまって、日本が東アジア全域を覆う冷戦フレーム——最終的には米ソの核の均衡に帰着する――に完全に組みこまれてゆくことを決定づけた出来事だった。だが『黒い雨』に朝鮮戦争をうかがわせる記述は一行たりとも存在しない。朝鮮戦争のオミットは、数万人にのぼる朝鮮人被爆者の作中からの除外（「金髪の白人青年」の死体は第七章に登場する）にも通底しているだろう。これをしかし、井伏の死角と決めつけ、「政治」にたいする「文学」の屈服だと鬼の首をとったかのように非難するのは浅薄ではないか。戦後日本の死角を見ぬいた井伏が、作品の開始を朝鮮戦争勃発にダブらせつつもあえてそれを無視するという形で、彼の地の人々――ほんの数年前まで大日本帝国の臣民同胞だった――の苦難を尻目にひたすら朝鮮特需に浮かれ騒ぐ占領期の現実そのものを、重松の言葉を借りれば「悪写実」したとも考えられるからだ。[7]

　戦後日本の「政治」が口先で奇蹟を祈る以外には何もしないまま、曖昧に幕引きをはかったスキャンダルがもう一つある。原爆が放出した大量のガンマ線や中性子線によって、また核分裂生成物や未分裂のウラン／プルトニウムが放射性降下物《フォールアウト》となって地表に降りそそぐことによって、被爆者の身体が外からも内からも蝕まれ、甲状腺や内臓、生殖器や骨髄が遺伝子レヴェルで破壊される放射線障害の問題である。日本国家は、長い潜伏期のあとで内臓癌や白血病を発症する「晩発障害」に苦しめられる被爆者たちに、残留放射能は存在しなかったという虚偽の前提のもと、体質の個人差や被爆後の生活環境、他のリスク因子の介在などを口実にして、被爆と障害との因果関係を否定しつづけてきた。具体的には原爆症認定をもとめる被爆者たちの申請を、厚生大臣（のちに厚生労働大臣）の名のもとに、あたうかぎり却下しつづけてきたのである。かの悪名高き「アメリカ原爆障害調査委員会（ＡＢＣＣ）」が、原子力時代における主導権確保というアメリカの最優先国策にもとづき、一方で将来の核戦争にそなえて原爆の人体への影響データを精力的に収集しつつ（たとえば一九五一年には被爆者が生んだ死産児の組織をホルマリン漬けにしたものが百七十七件もアメリカに送られたという）、他方で核エネルギーは邪悪で汚れた生物／化学兵器などとは根本的に異なり、発電や医療に有効かつ安全に利用できる最先端のイノベーションだと主張するために用いた「放射線障害は爆心から二キロ以内の被爆者にしか見られない」という邪悪で汚れたレトリックに、日本政府は自律的な検証も行わぬままただひたすらに追従し、爆心からの距離を絶対的基準とする機械的選別によって、病魔に冒された被爆者たちを冷ややかに拒絶しつづけたのである。その立場が、一方で科学的にまったく無根拠だと反駁され、他方で被爆者集団訴訟で連戦連敗するにいたって、ようやく今世紀に入り日本国家は固形癌や白血病など一部の「晩発障害」は積極的に原爆症と認定する姿勢に転じたが、それでもその条件として「爆心からの距離」が重視されていることは変わらない。だが「爆心からの距離」の絶対化とは、被爆者を救済するはずの制度の視点が、地上で熱波と放射線を浴びた被爆者個々に寄りそうのではなく、上空で炸裂した原爆に同化して彼らを見おろすという度しがたい倒錯を犯していることの紛うかたなき証憑である。[8]

「わしらは、国家のない国に生まれたかったのう」。凄惨な屍の山を運ぶ兵士にこうつぶやかせた井伏は、原爆と同化した日本国家の酷薄なまなざしによって被爆者が見くだされるという戦後の「政治」の醜状を、これも「悪写実」というべきか、矢須子の病状にとことん寄りそうことをつうじて、鋭く批判しているように思われる。[9]

附添婦の話では、病人は一日に一回必ず激痛に襲われて、このときばかりは苦しくてたまらなくなるらしい。七転八倒の苦しみをする。からだ全体が疼痛の塊のようになるのである。主に夜ふけてこの発作が起るそうだ。

病人は痛々しく痩せ細り、かさかさの唇は皮膚と同じく蒼白で爪は土色である。

「口をあけてごらん。」

と云ってあけさせると、門歯はいつの間にか欠けて無くなっているが根は残っている。数日前までは、ぐらぐらと根ごと揺れていたにもかかわらず、中途からぽろりと折れたらしい。脹れた歯茎からは絶えず血が滲み出て、硼酸で含嗽したぐらいでは血がとまらない。口をつぐんで暫くすると、唇の合せ目に赤い糸のような細い筋が浮いてくる。

お尻にまた新しい腫物が二つ殖え、それが隣合って瓢型にはびこりかけている。今までの六つの古い腫物はみんな切開手術され、しかし創口が治癒しないで肉が赤く盛りあがって水瓜が破れたようになっている。その周囲の皮膚は青黒く腐色を帯びている。

だが、占領下の一九五〇年当時はもちろん、ビキニ水爆事件後の一九五七年にようやく制定された「原爆医療法」の施行後までかりに生きのびたとしても、原爆炸裂時に爆心から三キロ以上離れた古江町にいた矢須子が原爆症だと認定されることはなかっただろう。生きながら腐れてゆく矢須子の肉体は、原爆病だといいふらす噂の私的な悪意と、原爆症ではないと断定する国家の政治的な悪意のはざまで見殺しにされつづけるのだ。

＊

反核と反戦の願いを昇華した『黒い雨』の文学の力。それにたいし、アジアを侵略した加害者としての歴史を隠蔽し、被爆国ながらアメリカの国際原子力体制の一翼を嬉々として担う政治の論理。「政治／文学」というダイコトミーのもとで、ある者は『黒い雨』はリアル・ポリティクスを無視していると非難するだろうし、ある者は狭隘《きょうあい》な国家論理を超えた『黒い雨』の普遍性を称揚するだろう。だが、こうした批評の化かし合いにはもはや意味がない。なぜか。「政治と文学の葛藤」という日本近代において見なれた「風景」は、とっくに終わっているからだ。もはやこの国には、「政治」の言葉も「文学」の言葉も存在しないからだ。それを見て見ぬふりをして「政治／文学」の取引《インターコース》・性交に淫することは、鈍感という以上に猥褻である。

柄谷行人は『日本近代文学の起源』定本版で、「政治／文学」という制度の起源について、こう書いている。

明治二十年代が重要なのは、憲法や議会のような制度が確立されただけでなく、制度とは見えないような制度——内面や風景——が確立されたからである。

近代文学を扱う文学史家は、まるで「近代的自己」なるものが頭のなかで成立するかのように考えている。自己あるいは内面性が存在するには、もっとべつの条件が必要なのだ。たとえば、フロイトはニーチェと同様に、「意識」を、はじめからあるのではなく「内面化」による派生物としてみる視点をとっている。フロイトの考えでは、それまで内部も外界もなく、外界が内部の投射であった状態において、外傷をこうむりリビドーが内向化したとき、内面が内面として、外界が外界として存在しはじめる。ただし、フロイトはこうつけ加えている。《抽象的思考言語がつくりあげられてはじめて、言語表象の感覚的残滓は内的事象と結びつくことになり、それによって、内的事象そのものが、しだいに知覚されるようになったのである》(『トーテムとタブー』西田越郎訳、「フロイト全集」第三巻、人文書院)。

フロイト流にいえば、政治小説または自由民権運動にふりむけられていたリビドーがその対象をうしなって内向したとき、「内面」や「風景」が出現したといってもよい。しかし、ここで重要なのは、「内部」(したがって外界としての外界)が存在しはじめるのは、「抽象的思考言語がつくりあげられてはじめて」可能だということである。われわれの文脈において、「抽象的思考言語」とはなにか。おそらく「言文一致」がそれだといってよい。言文一致は、明治二〇年前後の近代的諸制度の確立が言語のレベルであらわれたものである。

西洋文学の「翻訳」——国木田独歩の近代的散文には、二葉亭四迷の小説『浮雲』ではなく、彼の『あひびき』の翻訳こそ決定的だったと柄谷は強調する——をテコに創出された言文一致体は、日本語で書かれたテクスト上に「内面」や「風景」を仮構し、日本近代文学の歴史をスタートさせただけではない。国民規模で共有される「抽象的思考言語」としての近代日本語は、「文学」という「内面」を発見すると同時に、「文学」と対立しつつも相互補完の関係にある「政治」という「風景」をも出現させた。日本近代文学を構成する〈内面‐風景‐言語〉の三位一体《トリニティ》は、それを包摂するより大きな〈文学‐政治‐言語〉の三位一体《トリニティ》と同時に、明治二十年代に一挙に創設されたのである。[10]

入れ子状をなすこの二重の三つ組こそ、そののち百年にわたって日本人の行動と思考の諸相にわたる経験の領域を隈取ってきた制度だったといってよい。それが制度である以上、いずれは朽ちはて、崩れさる。1節で私は一九七五年に「それ」は死んだのではないかという仮説を述べた。具体的には、井伏鱒二の『黒い雨』と原民喜の「夏の花」が国語教科書に採録されて国民が共有すべき日本近代文学の代表作と位置づけられると同時に、長岡弘芳の『原爆文学史』が「原爆文学」というジャンルを批評的言語によって定礎した時期である。いまや私たちは、この「原爆文学の正典化」という出来事が、なにを意味していたのか、明瞭に見てとることができる。

広島と長崎に投下された原子爆弾は、大日本帝国の抗戦力を破壊し、大陸に雄飛するアジアの盟主という明治以来の「政治の風景」を日本人から剝奪した、「言語」を絶する出来事であった。だが、「文学」はどうなのか。もし近代文学が「原爆」を表象することに成功したら、すなわち「文学」が「原爆」に打ち克ったなら、明治・大正・昭和の三代にわたって日本を支えてきた〈文学‐政治‐言語〉のシステムは、きわどいながらも延命をはかることができるのではないか。――こうして「原爆」対「文学」の勝負は、日本近代総体の命運を一手に握る試金石となった。それを前にして逡巡や屈折が生じるのは当然である。たとえば、「体験と表現との落差がはなはだしすぎて、大概の文学的表現を嘘にしてしまう」から「原爆小説というものがすきではない」

と断言する一方、『黒い雨』にたいしては「広島におこった異常事を語るにあたって、作者が見事にこの平常心をつらぬき通している」と絶賛する江藤淳の批評のぶれには、「原爆」にたいするアンビヴァレントな心情がありありと透けて見える。

だが、2節と3節で検討したように、「夏の花」だけでなく『黒い雨』も原爆を表象する過程で苦い挫折を味わった。作家の才能云々の問題ではない。原民喜や大田洋子ではなく、井伏鱒二のような大才が八月六日の広島にいたら、原爆の残虐をあますところなく書き尽くした傑作が生まれていたかもしれない、などという想像に意味はない。原爆に敗北したのは個々の作家や作品ではないからだ。一方で西洋文学の翻訳を契機に「内面」と「風景」の文学的パースペクティヴを創出しつつ、他方で朝鮮半島、満州、ついには東アジア大陸全域が帝国の死活的利益線だと主張するにいたるメガロマニアックな「風景」を描く政治的運動をも可能にした制度すべてが、原爆に敗北したのである。

一九七五年の「原爆文学の正典化」は、その意味でやはりナショナリズムの勝利ではなく、百年にわたって近代日本を支えてきた制度の敗北の公認にほかならなかった。なぜ公認したのか。敗北を隠蔽する最も狡猾な手段とは、敗北を別の言葉で置換しつつ、すすんで衆目に晒《さら》してしまうことだからだ。私たち日本人はその好例を知っている。「終戦」という言葉だ。「原爆文学の正典化」とは、「敗戦」ではなく「終戦」、つまり「文学」と「原爆」の戦争は終わった、という宣言なのである。

この、いわば「第二の終戦宣言」を国民に告げ知らせたのは誰か？　もちろん「第一の終戦宣言」を告げたあの人、昭和天皇である。一九七五年十月三十一日、はじめての訪米から帰国した昭和天皇は、これもはじめての公式記者会見において、記者たちからの質問にこう答えている。

質問：陛下は、いわゆる戦争責任について、どのようにお考えになっておられますか？

天皇：そういう言葉のアヤについては、私はそういう文学方面はあまり研究もしていないので、よくわかりませんから、そういう問題についてはお答えができかねます。

質問：戦争終結にあたって、原子爆弾投下の事実を、陛下はどうお受止めになりましたか？

天皇：原子爆弾が投下されたことに対しては遺憾には思っていますが、こういう戦争中であることですから、どうも、広島市民に対しては気の毒であるが、やむを得ないことと私は思っています。

豊下楢彦は、ワシントンでフォード大統領主催の晩餐会に招かれた天皇が「私が深く悲しみとする、あの不幸な戦争（most unfortunate war which I deeply deplore）」とアメリカ国民に事実上謝罪したことと対照しつつ、「戦争責任」をめぐる天皇の立場の、国境をまたいだ複雑な揺らぎを見てとっている（『昭和天皇の戦後日本』岩波書店、二〇一五年）。ハーバート・ビックスはより強く踏みこんで、「広島の悲劇を導いた過程における天皇の役割をまったく否認する」発言であり、「日本国民の多数の感覚からずれている」と手厳しく批判している（『昭和天皇』講談社、二〇〇二年）。だが彼らの見方は、天皇の発言を戦後政治の枠内においてのみ評定しており、そこに埋めこまれた歴史的地層のひろがりを見落としてしまっている。

どういうことか。「戦争責任」は、もちろん第一義的には「政治」の領域で問われるべきものだ。昭和天皇が大日本帝国憲法下で唯一の政治的主権者であったことはいうまでもない。だが彼は「戦争責任」は「言葉のアヤ」すなわちレトリックの問題であり、「文学」の領域であつかわれるべきだと述べている。これをたんなる責任逃れととらえてはならない。天皇制において、「政治」と「文学」は明確に分離した二つの自律的領域ではなく、「言語＝レトリック」のグレイゾーンを介して曖昧に癒着しているからだ。そのグレイゾーンのなかに置かれると、「戦争責任」の問題は、「政治」のシステムによっても「文学」のシステムによっても思考できない決定不能性をおびた空白のマス目となって漂流しはじめる。

そもそも近代天皇制とは、日本の伝統的価値を担ってきた文化的中心という文学的虚構と、近代化の大波のなかで西欧的な立憲君主制を導入せざるをえないという政治的現実とを、明治期にむりやり癒着させることで生じたものだ。したがって天皇は、文学的身体でありながら政治的身体でもあるという虚実の二重性をおびた決定不能な存在＝漂流しつづける空白のマス目であり、その身体の周辺にたなびくグレイゾーンに「国体明徴」「天壌無窮」「万世一系」「八紘一宇」「神州不滅」といった空疎なレトリックを絡みつかせ、それらが虚空に描きだす妄想の地図上に空白のマス目を着座させんとする欲望が、帝国を自滅的な戦争へ追いやっていったというのが日本近代史のエスキスにほかならない。そう考えれば、昭和天皇の発言を戦後政治の枠内でのみ勘案することは、「文学」と「政治」を一身に帯磁した近代天皇制という未決問題から目をそむけてしまうことになる。

だが、本章との関連においてより重要なのはつぎのことだ。昭和二十年八月十五日に文語体でラジオ放送された「第一の終戦宣言」は、「敵ハ新ニ残虐ナル爆弾ヲ使用シテ頻ニ無辜ヲ殺傷シ惨害ノ及フ所真ニ測ルヘカラサルニ至ル」と原爆に触れつつも、「戦争責任」の所在は明言しないまま「堪へ難キヲ堪へ忍ヒ難キヲ忍」べと呼びかけ、それを臣民は従容と受けいれた。それから三十年のち、昭和天皇が自ら言文一致体に翻訳してテレビ放映した「第二の終戦宣言」も、「戦争責任」については明言を避けつつ、原爆には堪え忍ぶほかないとまったく同じことを呼びかけ、そして国民はふたたびそれを従容と受けいれたのである。「第二の終戦宣言」にふくまれる日本的、あまりにも日本的な三段論法を——**①戦争責任は「文学」の問題である→②「原爆」の戦争責任は問い得ない→③「文学」は「原爆」を堪え忍ぶ**——戦後の言葉は論破しようとはしなかったのだ。それはつまり、原爆の熱線によって「政治」と「文学」の自律性という近代的制度の化けの皮がひっぺがされたこと、そして両者を支える近代日本語が原爆の衝撃波になぎ倒されたことを追認しつつも、同時にそれらの敗北を「終戦」というニュートラルな言葉のもとで隠蔽することに、私たち国民が同意し、加担した証しである。[11]

その結果、なにが起きたか。一九七〇年代は、ベトナム戦争とオイルショックに揺すぶられた時代だが、じつはその激動の波濤をかいくぐって、一つの巨大プロジェクトが日本列島を着々と覆っていった時代でもある。一九六七年に「動力炉・核燃料開発事業団（動燃）」を設立する法案が衆参両院で可決されたさい、自民・社会・民社・公明四党共同提案による「附帯決議」には「動力炉及び核燃料の開発並びに原子力産業の樹立は、エネルギー政策の推進、科学技術の振興等の見地から、国家的にきわめて重要な課題である。よって、政府はこれを重要国策として経済の変動等に左右されることなく長期にわたり、強力に推進すべきである」（傍点は引用者）という戦時下と見紛う昂《たか》ぶったマニフェストがある。この大政翼賛会めいた「挙国一致」のコンセンサスのもと（当時の衆議院議員総数四百八十六名中、四党所属議員は四百七十四名に達する）、戦前・戦中に商工省／軍需省として産業統制を行った通産省の強力なプッシュによって一九七〇年代に陸続と営業運転を開始した発電用原子炉は、その数じつに二十基にのぼる。この状況を評して、科学史家の吉岡斉《ひとし》は「原発建設はエネルギー安全保障等の公称上の政策目標にとって不可欠であるから推進されたのではなく、『原発建設のための原発建設』が、あたかも完璧な社会主義計画経済におけるノルマ達成のごとく、続けられてきたように見受けられる」（『原子力の社会史』朝日新聞出版、二〇一一年）と書いている。「原爆文学の正典化」は、共産陣営の核ミサイルに外部から包囲される冷戦期において、日本列島を内側から包囲するように、いつでも核兵器工場に転用可能な施設が全国の海岸線にばらまかれてゆく時代のただなかで行われた、「文学」の側からの「終戦」宣言だった。こういってもよい。「政治」だけでなく「文学」も、内と外の両方から日本人を締めあげる核力がもたらす「被包囲強迫」に、「終戦」の偽名のもと、三十年遅れで無条件降伏したのである。

あたかも「敗戦」などなかったかのように、その後も日本近代文学は、基本的には国木田独歩の「武蔵野」と同じ言語で、無数の「内面」と「風景」を手をかえ品をかえ生産しつづけている。だがそれらをいまだに「文学」と呼ぶべきなのだろうか？　原民喜の生き難さはどこにある？　井伏鱒二の壮大かつ精緻なたくらみはどこにある？　彼らの「敗北」はいま、どのように「翻訳」されているのか？　二〇一一年三月十一日に福島第一原発の原子炉が起こしたメルトダウンを、かつて「文学」と呼ばれた言語はどう描いたのか？　唯一の被爆国と自称しながら、国連の「核兵器禁止条約」には詭弁を弄して反対票を投ずる「政治」とはいったいなんなのか？　国民の多くが反対する原発再稼働を、事故の総括も反省もなんら行わぬまま粛々と進めてゆく「政治」は、もはや「政治」の名に値するだろうか？　私たちはその「政治」ならぬ「政治」に対抗する、どのような言葉をもっているだろうか？

　すべての問いはひらかれたままだ。どの一つをとっても巨大なこれらの問いは、しかもたがいに固く絡みつき、解きほぐしがたい問題複合体《プロブレマティーク》を私たちの喉ぶえに突きつけてくる。だが、スタート地点だけは見えている。日本近代文学を百年にわたって支えてきた〈内面－風景－言語〉の三位一体《トリニティ》が、ひいては日本近代を作りあげてきた〈文学－政治－言語〉の三位一体《トリニティ》が、「原爆」に敗北したと率直に認めること。私たちがふたたびはじめるべきなのは、ここを措いてほかにない。

1　たとえば大田洋子の『屍の街』などと比較した場合に驚かされるのは、「夏の花」における政治性の極端な希薄さである。原爆を投下したアメリカ軍や、無謀な戦争へ国民を駆りたてた大日本帝国のリーダーたちにたいする非難はおろか、原爆は許されざる悪である、といった至極当然の主張すら見られない。『三田文学』初出時にプレスコードをはばかって自己規制された「愚劣なものに対する、やりきれな

い憤りが、この時我々を無言で結びつけているようであった」という箇所は有名だが、「愚劣なもの」という表現は、原自身の政治的立場の表明というよりはむしろ、それを一般性のうちに溶解するアイロニーにほかならない。

2　『新潮』で連載が開始されたときの長閑《のどか》で一般的なタイトル「姪の結婚」が、中盤にさしかかって突如「黒い雨」という即物的で不吉なタイトルへと変更されたことがはらむ意味を、「夏の花」のタイトル変更の陰画《ネガ》として分析することもできるだろう。

3　『破戒』「蒲団」にはじまる自然主義／私小説の流れの起源に「告白」があるという文学史的常識の、さらなる起源へと遡行する柄谷行人は、「内面」の重力を創出する「告白」というキリスト教由来の制度が明治二十年代の文学者たちに共有されていたことを指摘したうえで、「告白は弱々しい構えのなかで、『主体』たること、つまり支配することを狙っている」と述べている。明治国家の立身出世コースから爪弾きにされた落伍者たちのルサンチマンにみちた「告白」により、「文学」が「政治」に優越しうるカウンターとして権威づけられたのなら、「政治」から徹底して目を背ける「夏の花」は「告白」の失敗を「告白《ブンガク》」していることになる。

4　たとえば松浦寿輝は『明治の表象空間』（新潮社、二〇一四年）で、「『破戒』も『ねじまき鳥クロニクル』も、『それから』も『燃えつきた地図』も、『或る女』も『半島を出よ』も、『旅愁』も『夢の木坂分岐点』も、若松賤子訳『小公子』も亀山郁夫訳『カラマーゾフの兄弟』も、おおよそのところ似たり寄ったりの文章で書かれている」と日本近代文学の単調さを嘆いている。松浦は同書で柄谷行人の『日本近代文学の起源』にたいして批判的スタンスをとっているが、しかし理論的な水準におけるある徹底したペシミズムを柄谷と共有しているように思われる。日本近代文学は、未知のフロンティアを真摯に夢みる力をすでに失っており、それはインターネットなど他メディアとの競合に敗れただとか、グローバル化がすすむ現代社会の状況に置いてけぼりを喰らったとか、そうした外的事情に蝕まれた結果ではなく、明治中葉に仮構された制度の耐用年数が過ぎた、端的にそうした単調な理由によるものだ。柄谷と松浦の、ときに正反対のベクトルをとりつつもそれぞれに強靱な思索は、この認識においては一致しているように思われる。

5 『黒い雨』は、広島の被爆者・重松静馬が戦後に書いた日記を剽窃《ひょうせつ》したものだという批判が一九九〇年代に一部の論者によってなされたが、重松の日記にくわえ、『黒い雨』執筆時に井伏が参照した岩竹博の日記、そして重松に宛てた井伏の書簡を収録した『重松日記』の出版によってそうした批判に理がないことが証明された。「重松日記」と『黒い雨』を対照すれば、両者の関係が剽窃や盗作などではなく、「創造的翻訳」にほかならないと了解できる。

6 『重松日記』の相馬正一の解説によれば、重松静馬は被爆の翌日からその体験や見聞をメモしていたが、周囲に原爆症で亡くなる人が相次ぎ、自らの行く末にも不安を感じだした一九四九年から一念発起し、二年かけて本格的な「日記」にまとめた。その折りに書き残していた八月十四日と十五日分を追加したのはさらに十年の時を経た一九六〇年であった。十五年越しで脱稿したこの「日記」が井伏のもとに送られたのは、一九六二年七月のことである。『黒い雨』の作中ではこの曲折にみちた長い時間が、敗戦の翌月というごく短期間に縮約されている。

7 ただ、ある息苦しいアイロニーを井伏はどうとらえていたか、私としては気にかかる。朝鮮戦争の激化と原爆再投下の悪夢に打ちのめされた原民喜が鉄路に身を横たえたのは、重松が奇蹟を願ってからわずか半年後の夜だったというアイロニーである。一方、映画版『黒い雨』（監督今村昌平、一九八九年公開）では、朝鮮戦争勃発や、原爆の使用可能性にふれたトルーマンの演説などが作中に取りこまれている。この映画については次章で論じる。

8　二〇二一年七月二十六日、国が「大雨地域」と規定した区域以外で「黒い雨」を浴びた被爆者にも被爆者健康手帳を交付せよと命じた広島高裁判決を受け入れて、政府が上告を断念したことは、たしかに前進ではある。だが国の判断の遅れが、多くの被爆者を無念の死に至らしめたことを忘れてはならない。くわえて翌日に発表された首相談話が、残留放射性物質による「内部被曝」がひきおこす健康被害を否定している点はまったく容認しがたい。ここには、被爆者訴訟における国の全面的「敗戦」――残留放射性物質の害を広く認めること――を狡猾に避けて「黒い雨」の問題を一特殊例に矮小化しつつ、「終戦」の名のもとで曖昧な幕引きをはかろうとする国／政府の、被爆者たちへの相も変わらぬ非情さが露呈している。

9　一九八六年、チェルノブイリ原発事故の一報にふれて書かれた井伏のエッセイに「原発事故のこと」がある。電力会社に勤務していた息子を原発の放射線被曝による癌で亡くした友人の手記の引用が、全体の三分の二超を占める異例のテクストである。「平和利用の原子力の『絶対安全』を信じ、その『安全』に裏切られた」父親の憤怒を受け、井伏は「怖るべき原発はこの地上から取去ってしまわなくてはいけない」と結論する。『井伏鱒二自選全集　第十一巻』（新潮社、一九八六年）の末尾の「覚え書」には、このエッセイに関して「人間は絶対に原爆に手を触れてはいけないこと」とのコメントがある。被害者の手記の引用という『黒い雨』と同じ手法を用いて、放射線被曝の危険に原爆＝原発の連続性を見ぬき、両者の廃絶を訴える井伏の姿勢は一貫している。

10　たとえばこのようなイメージを思いうかべればよい。

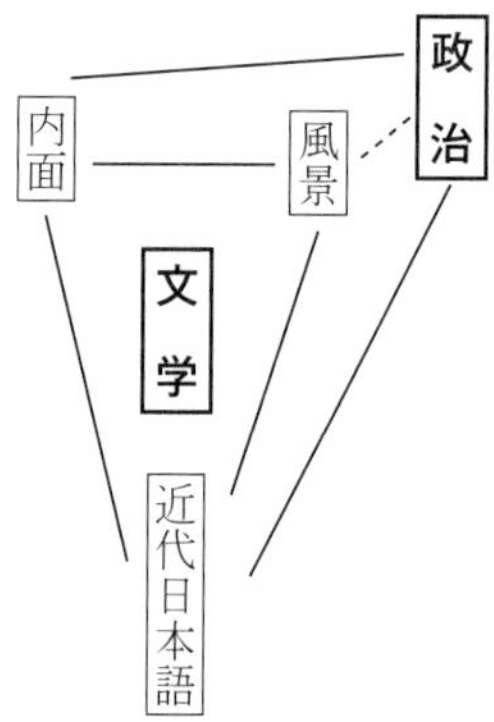

11　一九七五年は、「祭りの場」によって林京子が芥川賞を受賞した年でもある。林の作品は、同年の昭和天皇の発言への根本的な異議申し立てとして読むことができる。林にとって「原爆」と「文学」の闘いに終わりはない。近年の高等学校国語教科書には、「夏の花」『黒い雨』ではなく、林の「空缶」が採録されるケースが多いが、被爆死した父母の骨をおさめた空缶を毎日学校に持ってきていたクラスメイトの思い出を描いたこの作品においても、爆風で背中に突き刺さったガラス片がもたらす持続的な痛みによって、「原爆」との終わりなき闘いが象徴されている。

Ⅳ　歪められた顔、奪われた言葉

「原爆乙女」をめぐって

広島と長崎への原爆投下という人類史上に突出する惨劇において、被害者と加害者を「愛」によって媒介したとされる出来事が存在する。二〇一六年五月二十七日にアメリカの現職大統領としてはじめて広島を訪問したバラク・オバマが、原爆死没者慰霊碑の前から全世界にむかって語りかけた演説[1]は、その「愛」をクライマックスに配置している。「私たちはこうした（共通の人間性 common humanity を他者に伝える：引用者註）ストーリーを被爆者の方たちに見てとります。原爆投下機のパイロットを赦した女性がいるのです（the woman who forgave a pilot who flew the plane that dropped the atomic bomb）」。

オバマが称揚する「女性」が誰なのかは特定できない。だがこのエピソードを、一九五七年に「原爆乙女」が、原爆投下にたいする罪障感から精神を患ったとされる「原爆パイロット」に宛てた手紙にしるした、「私たちは、あなたに対して友人としての気持ちを持たなければいけないと知りました。そして、あなたご自身も私たちとおなじく戦争の犠牲者なのだと思っております」という一節に重ねて読むことが無理筋だとは思われない。厳密にいえば、オバマは単数形で語っている（だが woman には定冠詞 the が付され、ある種の集合的な象徴性をおびているようには感じられる）のにたいし、「原爆乙女」の手紙は二十九人の連名であり、また、手紙の宛てさきは原爆投下機「エノラ・ゲイ」のパイロットのポール・ティベッツではなく、原爆投下にさきだって広島上空の天候を偵察した気象観測機「ストレート・フラッシュ」を操縦していたクロード・エザリーである。だがこれらは些事にすぎない。「原爆乙女」の手紙は、たしかに原爆投下にかかわった者に「赦し」をあたえていると読めるからだ。

共通の人間性を信じる「愛」がもたらした「赦し」を媒介として、被害者と加害者がひとつに結ばれる。美しいストーリーではある。だが、美しすぎる。原爆やホロコーストに、美しいストーリーなど必要ない。それらは人類が自らの膚《はだ》に焼きつけた恥辱にほかならず、その恥辱のなかにむりやり美を見つけだそうとする欲望は、人体を焼いた灰のなかに金歯の輝きをあさる貪欲と、ひょっとして紙一重ではなかろうか。じっさい、オバマの広島訪問を「美談」として語ろうとする欲望が隠蔽しようとしているのは、核兵器廃絶を高らかに謳《うた》った二〇〇九年のプラハ演説後もオバマ政権は新型核実験をくりかえすばかりか、核戦力のアップデートのために三十年で一兆ドルの巨費を投じることを決定していた事実であり、またオバマ訪問のわずか一ヵ月前に、岸信介の「潜在的核武装論」を踏襲した安倍内閣が「核兵器でも、必要最小限にとどまるものであれば、保有することは必ずしも憲法の禁止するところではない」との政府答弁を閣議決定している事実である。そもそも核兵器廃絶というゴールを、「美しい理想」ととらえてしまう時点で根本的に倒錯している。核兵器廃絶とは、人間が排泄した愚かしい恥辱の堆積を、自分たちの世代だけでなく未来の世代のためにも早急に片づけねばならないというたんなる汚物清掃でしかなく、ナルシズムに爛《ただ》れた審美的判断など、ひとかけらも入りこむ余地はない。

だから私たちは問わなければならない。「原爆乙女」が加害者を「愛」によって赦す。この美しいストーリーは、なにを隠蔽しているのか？　この「愛」はほんとうに「愛」と呼ぶべきものなのか？

＊

「原爆乙女」。この言葉自体に、すでに美的倒錯がはらまれている。

いつどこでどうやってこの言葉が生まれたのかは、敗戦後の混沌とした闇に紛れてしまっている。自称として生まれたはずがないから、「広島と長崎で被爆し、顔や体にケロイドなどが残る、妙齢の女性」に該当する者たちを、外部から名指す概念として造語されたのはまちがいなかろう。一九四五年八月以降という時期も動かせない。新聞の見出しなどに「原爆乙女」が顔を見せるのは、サンフランシスコ条約が発効して日本が独立を回復した一九五二年である。その年の『アサヒグラフ』八月六日号は、「原爆被害の初公開」と銘うって被爆直後の広島と被爆者の写真を大々的に掲載し、即座に五十万部を売り切って増刷されるほどの大反響をよんだ。ほぼ同時に「原爆乙女」の語は、広島に本社を置く地方紙・中国新聞だけでなく、朝日新聞などの全国紙にも周知の言葉のごとく頻用されてゆくことになる。

隠された素性、突如の氾濫。「原爆乙女」という語がたどった謎めいた道ゆきは、おそらくは日本人の集合的無意識が、非常に屈折したかたちで紡ぎだしたものだった。どういうことか。

①「原爆乙女」は、百万度の熱線と猛毒の放射線を放つ絶滅兵器である「原爆」と、無垢で嫋《たお》やかな肉体に、未来の嬰児をやどす安らかな褥《しとね》を秘めている「乙女」という、本来たがいに強く反発しあうはずの二者を、強引に接合した言葉である。両者の熔接には巨大なエネルギーが必要となる。非被爆者である大多数の日本人たちの、無意識的で集合的な欲望のエネルギーが——。「乙女」の肉体は、美の象徴であると同時に可傷性《ヴァルネラビリティ》の象徴でもある。ナショナリスティックな思考は、自国の女の美しさを高らかに称揚しつつ、同時にそれが外来の悪習によって堕落しつつあることを憂えてやまない。すなわち「乙女」とは、古来の美しさをいままさに失おうとしている祖国・日本を表象している。したがって、超兵器のはなつ熱線に肉体を踏み躙られた「原爆乙女」は、豊かな自然と安寧な暮らしに彩られていた祖国が、圧倒的な外部の力によって徹底的に破壊され、いまなお蹂躙されつつあることを日本人にあからさまに告げるナショナリスティックな表象として発見された。

②「原爆乙女」たちの奥ゆかしい「大和ナデシコ」ぶりをほめちぎる新聞記事などにくっきりとあらわれているが、彼女たちに割りふられた内向性と受動性は、うちつづく戦争をもっぱら「外地」でのみ（むろん沖縄も「外地」に含まれる）戦い、その意味で戦禍の処女地であった近代日本の写し絵である。乙女が手にするのは武器ではなく花である。つまり、原爆の被害者として「乙女」だけを強調することは[2]（「原爆青年」「原爆兵士」といった言葉は存在しない）、皇軍が殺戮マシーンとしてアジア諸国を侵略していく過程で自分たちも存分にうまい汁を吸ってきたという事実に目をつむり、無辜の民たる日本人は空襲によって一方的に陵辱された被害者にすぎ

ないというイメージを共同主観化しようとする欲望の産物である。

③「原爆」と「乙女」は①で述べたように、物質と反物質めいた対蹠性をもつ。だが占領期に「民間検閲支隊ＣＣＤ」による徹底したメディア検閲が開始されるきっかけを、この両者は共同で作りだしているのだ。九月十五日付朝日新聞は、「原子爆弾の使用」は「毒ガス使用以上の国際法違反、戦争犯罪」であると訴える鳩山一郎の談話を掲載した。翌々日十七日付の記事はたびかさなる米兵の婦女暴行を糾弾する内容だった。この二つの記事がＧＨＱの逆鱗にふれ、一九四五年九月十八日の朝日新聞発行停止命令を招来し、そこから占領期の全面的なメディア検閲への道がひらかれていったのだ。注意しよう。占領期の検閲問題の肯綮《こうけい》は、江藤淳が『閉された言語空間』などで告発するように、大日本帝国内務省の検閲は「伏せ字」によって検閲の存在をあからさまに告げていたが、ＧＨＱは問題視した部分を事前に削除して印刷させたことで、検閲の事実自体を隠蔽するはるかに陰湿な社会操作であったということではない。見なければならないのは、検閲に従事していたＣＣＤ職員のほとんどが日本人で、一九四七年にはその数じつに八千人を越えていた（吉見俊哉『親米と反米』岩波新書）という事実である。占領期の検閲は、ＧＨＱの意向を忖度する日本人自身による自己検閲の側面をもっていたのだ。生き血をしぼる総動員体制をもってしても夢にも作り得なかった究極兵器を、敵があっさりと実用化し二発も自国に見舞ったこと。そして敵国の兵隊が自国の女性をレイプしてもしかたないとあきらめるほかないこと。自分たちは敵に完膚なきまでに屈服し、無条件降伏によって主権を剝奪された隷属民でしかないという「敗戦」の現実。これを「原爆」＋「乙女」というクリティカルな接合のなかで、日本人

はこれ以上ないほどはっきりと認識しつつ、自己検閲のもとで隠蔽したのである。

④ではなぜ、独立回復後すぐさま、「敗戦」の紛うかたなき証憑である「原爆乙女」がメディアにあふれだしたのか？　第一次大戦直後に発表されたフロイトの論文「不気味なもの Das Unheimliche」を援用しつつ考えてみよう。フロイトはそこで、「隠されているはずのもの、秘められているはずのものが表に現れて来た時は、なんでも不気味な（unheimlich）と呼ばれる」というシェリングの言葉に着目し、unheimlich がもつ否定の前綴り un は抑圧の刻印にほかならず、抑圧を経て回帰してきた「馴染みのもの Das Heimliche」が不気味なものとして感受されると説明している。七年近い占領軍の統治を経験してきた日本人にとって「敗戦」すなわち「原爆」と「強姦」は、自己検閲によって抑圧されるべき「馴染みのもの」だった。だが占領軍というタガが外れた以上、いずれ抑圧の Un の底から「敗戦」が亡霊のように回帰して、日本人の神経を痛めつけるだろう。この回帰そのものを「抑圧」するにはどうすればよいか。「不気味なもの」を社会の表面にあらかじめ引きずりだしてしまうこと、これ以外にない。そのとき回帰の運動はベクトルを失い、Un の暴力は瓦解して、「敗戦」は「終戦」という無害なものへ変換されるだろう。そうすればもう、凝視の必要はない。いや、凝視してはならない。凝視はふたたび闇の力 Un を氾濫させる怖れがある――。

こうして、あからさまに眼前に剝きだされながら、けっして見られることのない存在である「原爆乙女」がスポットライトを浴びた。彼女らは数年後、「原爆パイロット」を「愛」によって赦す手紙を書くことになる。だがその前にも「原爆乙女」は、何度もくりかえし「赦し」のドラマを演じることを強いられたのである。

「原爆乙女」たちは、一九五三年にエレノア・ルーズヴェルトやノーマン・カズンズと対面して、加害者である「アメリカ」と出遭うことになる。だが彼女たちはその前年に、別の加害者とも対面していた。巣鴨プリズンに収監されていた「戦犯」たちを慰問したのである。六月十二日付中国新聞はそのもようをこう伝えている（中野和典「『原爆乙女』の物語」からの引用）。

＊

予めこのことを伝え聞いていた受刑者たちは拘置所正門から本館までの長い舗道につっ立って感謝を込めたまなざしを送り、本館内の面会室には受刑者約百名がつめかけ所内で組織された巣鴨楽団が彼女たちを合奏で迎えるという歓迎ぶりだった。

一行を代表して川崎景子（一九）襄《ママ》輪豊子（二五）の両嬢が、こもごも「私たちがこういう様子で人前に出るのは世の人々に戦争の悲惨さを認識してもらいたいと思ったからです、帰ったら今日の様子をぜひご家族に伝えます」とあいさつすれば、県人を代表して賀屋興宣氏（元蔵相）が「郷土の皆さんをこういう目に会わせたのはA級戦犯たる私にその罪がある、慰問をしてもらうどころか私こそ皆さんを慰問しなければならぬと思っていたのだが囚の身で……」と自分の娘にでもわび、かつ訴えるような口ぶり。ついで他の府県を代表してめっきり老い込んだ畑俊六元大将も「当時私は広島の陸軍の最高指揮官をしていた、広島は西部日本の中軸で旧敵国がこれを狙ったのは当然です、私どもが広島にいたばかりに皆さんをこういう目にあわせました」と頭を下げる、こうしていつの間にか慰問団の少女たちが逆に慰問されるようなかっこうになり拘置所内の花園班が花束を持ち込んで来て一人一人を花で飾れば、美術班その他の班から心づくしの画帳などが贈られる。

感にたえかねた新本恵子さん（一九）が「あなた方のせいだなんてちっとも思っていませんのに…戦争の悪を身をもって体験している私たちをみることで戦争をなくするように努力しましょう」と悪魔の性根を一パイ刻んだ顔を涙でくしゃくしゃにした《ママ》おえつする

一読してわかるのは、この慰問が極度に演劇的な構造をもっていることだ。長い花道、楽団の演奏、大勢の人垣、花束贈呈。こうしたもので華やかに彩られた舞台上で「原爆乙女」は「戦犯」の謝罪を受けいれ、彼らを「赦す」。メディアが伝えるこの「美談」の外郭を不特定多数の読者が取り囲むことで、演劇的構造は二乗され、拡張される。この拡張プロセスはすべての日本人におよびうる。「原爆乙女」は愚かしい戦争の被害者を象徴し、「戦犯」は祖国を未曾有の戦禍へと引きずりこんだ加害者の代表である。これらを両極とするスペクトラムの内部にすべての日本人は自らを位置づけうるからだ。舞台上で上演された「愛」と「赦し」のドラマは、国民全員の内面に分有され、自らの加害者性に自らの被害者性でもって「赦し」をあたえるというかたちで代表上演《レプリゼント》されるだろう。その意味で中野和典がこの和解に被害者へと同一化してゆく戦後日本の心的プロセスをみているのは正しい。だがそれは、ことの半面にすぎない。

ホームステイしていた「原爆乙女」たちと少年期に親しく交流したロドニー・バーカーも『*THE HIROSHIMA MAIDENS*』（Viking Penguin Inc., 1985）でこの出来事を取りあげている。バーカーはこの「心をゆさぶる物語 stirring story」について、戦争の犠牲者が戦争指導者を慰めなければならないなんて馬鹿げている、多くの広島市民はそう受けとめたと書いている。そのうえで、乙女たちに抵抗感がさほどなかったにせよ、この慰問が彼女らの自発的な行動であるとは考えにくく、第三者（バーカーは流川《ながれかわ》教会の谷本清牧師の名をあげている）によってセッティングされたものだろうと推測する。つまりバーカーは、中野が同一化をみた当の地点に、分裂と排除をみているのだ。広島の被爆者たちは、すべての日本人にむけて上演《レプリゼント》されたこの「赦し」のドラマから排除されており、その意味で「原爆乙女」が彼らを代表《レプリゼント》しているとは見なしていない。[3] また、乙女たち自身も他者によってコントロールされており、彼女たちは戦禍に歪んだ肉体を表象《レプリゼント》する一方で、内面を刳《く》りぬかれたマリオネットを受動的に演《レプリゼント》じている。出来事のこうした解釈もまた正当だと認めざるをえまい。

「原爆乙女」の「戦犯」慰問は、こうして本質的な両義性を抱えることになる。自らの加害者性を免罪し、被害者への全面的な同一化をはかる戦後日本の欲望が片方にある。もう片方には、その被害者共同体を成立させるために、極限的被害者たる原爆被爆者の肉体を召喚しつつ、同時に彼らの心情を屠《ほふ》る供犠がある。なぜ被爆者を排除するのか？　答は簡単だ。彼らの深く複雑な不安は、新たな共同体の構成要素として包摂するには重たすぎるからだ。ここには放射線被曝の問題が影を落としている。被爆者たちは、空襲の被害者と異なり、親や兄弟や友人を亡くしたり家や学校や職場を失ったりしただけではない。切除しても切除しても盛りあがってくるケロイド、異常な増減をくりかえす白血球数といったかたちで具体的に突きつけられる、身に食い入った放射線の毒素に苦しめられてもいるのだ。十年後二十年後の内臓や造血機能を、さらには次世代次々世代の遺伝子をすら破壊する可能性をもつ内部被曝の不安は、けっして完了形へと遷移することのない、ひしゃげた時間性をおびざるをえない。この時間性は、『存在と時間』でハイデガーが描出した時間性の、正確なネガをなしている。日常的な雑事のなかに埋めこまれたハイデガーの現存在《ダーザイン》は、未来における自己の死へと先駆することを通じて、現在の生に本来性への確たる自覚を取りもどす。体内にいつ爆発するかわからぬ時限爆弾を埋めこまれた被爆者は、現在のなかに嵌入した死を未来へ押しやろうとつとめつつ、予後にまつわる本質的な不確定性のなかで自我の分裂を強いられる。[4] ハイデガーの本来性が民族意識への覚醒を含意していたとすれば、被爆者の不確定性が戦後日本における共同体の再起動《リブート》から排除された理由もうなずける。Ⅰで分析した「政治少年死す」の、被爆者にたいする「ぼろぼろ人間」というヘイトスピーチは、日本民族の「敵」はソ連や中共といった外部だけでなく、被爆者の体内にひそんでもいるという「被包囲強迫」から発していたことを想起しよう。

　戦後日本の傷を癒やす「愛」と「赦し」のドラマの主役であるはずの「原爆乙女」が、しかし当のドラマから決定的に排除されてしまっているという倒錯は、中国新聞の記事にもくっきりと刻みこまれている。「原爆乙女」を「原爆乙女」たらしめているのは、残酷に傷つけられた顔であるが、記事ではそれを「こういう様子」「こういう目」といった、直示語を用いながらもその指示対象が意図的に消去された奇妙な婉曲語法でほのめかすのみである。それどころか彼女たちの顔は、花束や涙で美々しく飾られている。引用部の末尾には「悪魔の性根を一パイ刻んだ顔」と書かれているではないか、という反論があるかもしれない。だが「悪魔」とはいったい誰なのか？　その場で「赦し」をさずかっているA級戦犯たちではない。原爆という機械を「悪魔」と呼ぶことは、それを投下するプロセスに介在した人間たちを免罪することにつながる。「安らかに眠って下さい　過ちは繰返しませぬから」と刻まれた原爆死没者慰霊碑の「過ち」の隠された主語を「人類」だとする解釈があるが、ここで「悪魔」を「人類」に読みかえるのも、その解釈と同じくらいナンセンスな詭弁でしかあるまい。では、「悪魔」とは、アメリカを名指しているのだろうか？

ちがう。なるほど、「戦犯」を裁いた主体、そして「乙女」の上に原爆を投下した主体はアメリカである。したがってこの「赦し」のドラマは、アメリカという黒幕がスクリプトを書いたといえなくはない。だが、アメリカはドラマの黒幕に甘んぜず、「戦犯」との第一幕の三年後に演じられた第二幕に、自らアクターとして舞台にあがってきたのだ。「原爆乙女」たちは、こんどはアメリカに「赦し」をあたえる役を演じることになるだろう。

＊

四千万ものアメリカ人がその映像を見ていた、という。一九五五年五月十一日の晩にＮＢＣチャンネルで放送された、ラルフ・エドワーズの「これがあなたの人生だ This Is Your Life」。番組冒頭、ソファに腰かけたエドワーズは、視聴者に微笑みながら話しかけた。「みなさんこんばんは！　私の横に座っているのは、一九四五年八月六日、時計の針が八時十五分を指した瞬間、人生が一変してしまった人物です！」。

エドワーズが紹介するのは、広島流川教会の牧師、谷本清である。原爆投下一年後に『ニューヨーカー』に発表され、文飾や感傷を排したジャーナリスティックな文体をつうじて、キノコ雲の下にいた人間たちの苦しみをアメリカ社会にはじめて伝えたジョン・ハーシーの『ヒロシマ』に描かれた被爆者のひとりであると同時に、一九四九年に出版されたその日本語訳を手がけたひとりでもある。彼はまた、教会を訪れた被爆女性たちに声をかけて自力更生会を組織させる一方、日本人では作家の真杉静枝ら、アメリカ人では『サタデーレヴュー』編集長ノーマン・カズンズらに精力的に働きかけ、「原爆乙女」に東京やニューヨークで形成外科治療を受けさせるプロジェクトを推進した、現代風にいえば敏腕プロデューサーでもあった。

エドワーズが原爆投下当日のことを谷本にインタビューするかたわら、スタジオでは舞台装置がてきぱきと設えられてゆく。日本の地図が大写しされ、空襲警報のサイレンが鳴り響く。ガラス扉の背後に立つ謎のシルエットが「一九四五年八月六日の朝、私はヒロシマへむかうB29に搭乗していた」とマイクにつぶやく。時計が八時十五分を指した瞬間、熱球がテレビ画面で炸裂した。「何千フィートも下の広島を見おろしながら、神よ、われわれはなにをしでかしたんだ？　その思いだけが私の頭をよぎった」。この声を待って、エドワーズはガラス扉のむこうの人物をスタジオに招き入れた。「米空軍ロバート・ルイス大尉、ポール・ティベッツとともにヒロシマに原爆を投下した飛行機を操縦していた人物です！」。

ルイスと谷本がぎこちない握手をかわしたあと、エドワーズは、こんどはルイスに当日のことを話すよう促す。ふるえる声で語りはじめたルイスは、途中、額をこすって涙をこらえるようなしぐさを見せつつも、ヒロシマ壊滅を目撃したことを告げる。「谷本さん、あなたは地上で、ルイス大尉、あなたは空で、同じ時に同じ言葉を口にしたのです。『おお神よ』」。両者の出逢いについて簡潔にコメントしたエドワーズは、もうひとつの出逢いへむけて番組を進行させてゆく。じつは谷本が今回アメリカを訪れたのは、ヒロシマで被爆した二十五人の若い娘たちに形成外科手術を受けさせるためなのだ。そのうちの二人をこれから紹介するが、二人とも原爆に体をひどく損なわれているので、顔を映しだすことはひかえたい。

マイクの両側に分かれて立つ二人のバストショットがガラス扉に黒く浮かびあがる。拍子をとるようにうなずきあってから、乙女たちは声を合わせる。「私たちはアメリカに来ることができ、ほんとうに幸せです。そしてみなさまが私たちにしてくださることを感謝しています」……。

最後にエドワーズは、この思い出に残る瞬間を日本でも楽しめるように、と谷本に番組を収録した16ミリフィルムと映写機を贈る。それから娘たちの滞在費用にあてる募金を全米の視聴者に呼びかけると、ルイスが歩みより、自分と同僚からと断って五十ドルの小切手をエドワーズに手渡した。番組のスポンサーである化粧品会社からは千ドルが贈られることを告げ、「これがアメリカ式だからね for this is the American way」。エドワーズは決めゼリフを口にする。——

原爆投下機のパイロット——「エノラ・ゲイ」の操縦士は機長のティベッツで、ルイスは副操縦士だったが――と、被爆者が出逢い、握手をかわす。核爆弾の究極兵器たるゆえんは、落とした側と落とされた側の懸隔を無限大に押し広げること、あるいは両者のあいだに死の太陽を挿入してあらゆる人間的紐帯を断ち切ることにあるとするなら、この遭遇をショーアップしてゴールデンタイムの人気番組で放送するのは、やはり驚くべき事態にちがいない。だが私たちをとらえるのは、深い既視感である。

じっさいここで行われているのは、三年前に巣鴨プリズンで演じられたドラマの、ほとんど逐語的な再演《レプリゼント》である。被爆者は、自分の上に原爆を落とした者の嘆きや涙をこらえる身ぶりを受けいれ、握手をかわし感謝の言葉を述べることで、彼を赦す。その「赦し」はテレビの前のアメリカ市民にリアルタイムで電送される。日本人に誰かを赦す資格などないと考えているアメリカ人は大勢いただろうし、それは弱さと受けとられかねない姿を見せたルイスにたいする激しい抗議として現実にあらわれもしたが[5]、番組放送後に五万五千ドルを超える募金が集まった事実や、あるいはそもそも数千万人が視聴する番組にこの企画が組まれたこと自体が、アメリカ人の潜在的な罪障感を物語っていよう。「原爆乙女」の感謝の言葉が、彼らの良心の呵責に「赦し」をあたえたのである（ヒロシマ演説でオバマの念頭にあったのは、この番組であった可能性もある）。

だが、巣鴨プリズンでの第一幕がそうだったように、この第二幕にも、ある徹底した排除が存在する。主人公であるはずの谷本その人がドラマからオミットされているのだ。破局までの時間が容赦なく刻まれるなか、高空と地上というトポスが劇的に対照される構成を導入しつつ、エドワーズは、被爆者という他者とコミュニケーションをとろうなどとはこれっぽっちも思っていない。彼はルイスとともにヒロシマの上空を飛んでおり、その時が来ると軍の撮影したフィルムで都市の壊滅を一瞥する。谷本とルイスの出逢いも、もちろん地上ではなく、地上と高空の中間地帯でもなく（中間地帯の完全な抹消こそが核爆弾の本質である）、高空に浮かぶ機内に谷本を引きずりあげるかたちで行われる。ヒロシマ上空の機内が、アメリカの法が支配するアメリカの領土であることはいうまでもない。

こうした態度が端的にあらわれているのが、エドワーズが谷本に発した「ヒロシマが原子力を体験した世界初の都市だと、あなたは気づきましたか？」という傲慢な質問であり、時計の針が八時十五分を指した瞬間、「パノラマ記憶」を模して谷本の人生をフラッシュバックで挿入するあざとい演出である。前者にたいして谷本は「なにが起こったかわかりませんでした」と答えるほかない。なにが起こったかわかっているのは「われわれはなにをしでかしたんだ？」と自問する機上のルイスであり、谷本が否定するほかないこうした質問を投げかけることは、コミュニケーションの誘いというよりむしろディスコミュニケーションの確認であり、憐れみどころか優越感の誇示にほかならない。後者の演出にせよ、そこで紹介されるのはエモリー大学への留学やカリフォルニアの教会に短期滞在したことや真珠湾当時はオキナワにいたが連合軍の進撃にともないヒロシマへ移ったことなど、まるで谷本が日本にいた時間で意味があるのは原爆投下に居合わせたことだけだといわんばかりに、アメリカに関わる記憶ばかりが再生される。そもそも原爆を投下した側が「パノラマ記憶」を被爆者に外挿するほど奇怪な倒錯はないだろう。[6]

「原爆乙女」に関してはもはや贅言を要すまい。ガラス扉に頭部の黒い影だけを映す彼女らは、四千万人の前に姿をあらわしながらも、キノコ雲のむこうに遠く隔離されている。もちろん、「これがあなたの人生だ」という辛すぎるタイトルの番組にあえて出演したのは、乙女たちの自発的行為ではない。滞在費用の不足を埋めるために谷本にテレビ出演を勧めたのは、ノーマン・カズンズだった。乙女たちはここでも顔と意志を刳りぬかれ、影絵だけをスクリーンに映す徹底して受動的な存在として、自分たちを損なった敵に「赦し」をあたえているのだ。[7]

＊

爆心に立ったオバマが、ヒューマニズムの発露として高らかに謳いあげた「原爆投下機のパイロットを赦した女性」という「美談」のソースになったと思われる、「原爆乙女」がクロード・エザリーに宛てて書いた手紙について、ジャーナリストの佐藤とよ子は、差出人のひとりであるアーデン山中（山中豊子）に数十年の時を経てインタビューしている（『〝原爆ヒーロー〟エザリーの神話』朝日新聞社）。それによれば、エザリーへの手紙はクウェーカー教徒などを中心とする非暴力反戦運動の国際組織F・O・R（Fellowship of Reconciliation）日本支部などの企図で出されたものだった。山中はこう語っている。

「いいえ、私も乙女たちもあの手紙を書き起こしたわけではないんですよ。お話が来たとき、それはすでに英文でしてね。みんな、どうしよう、どうしようと口ぐちにいって悩んだものです。いくらそのパイロットの人が悩んでいるとか、精神病になってしまったとかいわれても、自分たちの生涯をメチャクチャにしてしまった敵国の軍人の一人には違いないですものね。署名してくれといわれたって、そうおいそれとできるものじゃございません。……ですが、やはり最後にはサインしましたよ。アメリカで手術をして貰ったのだから、その乙女たちだけでも、敵を敵といわずにせめていまから許す心を持ってほしいと説得されましてね」

「手紙がアメリカと日本のマスコミで公開されたとき、日本人からの反発はありませんでした。けれども、強制収容所へ送られた日系アメリカ人のなかには怒りを隠さない人も多かったのです。あれほどのことをしたアメリカではないか、そのうちの何人かが精神病になったなどというのは、当然の報いではないか。なぜそれを許すなどというのだ、と。どうしよう、どうしようと考えあぐね、サインするそのときでさえ私たちの心はまだ揺れていたのですよ。手紙が公開された後で、傷ついた乙女もおりましてねえ」

「原爆乙女」の「赦し」が、自発的なものではまったくなく、周囲に強いられた結果だったということが当事者の口からはっきりと証言されている。「赦し」の文面自体がすでに他者によって書きあげられたものだった。しかも敵国の言葉である英語で。——

被害者と加害者を「愛」によって媒介したとされる「原爆乙女」たちには、そもそも「言葉」すらあたえられていなかったのだ。彼女たちは、「自分たちの生涯をメチャクチャにしてしまった敵国の軍人」に「赦し」をあたえる英文の手紙に、アルファベットで署名するよう強要された。誰に強要されたのか？　もちろん、かつての敵であるアメリカ人と和解しようとつとめる戦後の日本人たちに、である。つまりこの「美談」の中核にある「愛」は徹頭徹尾フェイクだったのだ。「原爆を投下したパイロットを赦した女性」としてオバマにその人類愛を称揚された人たちは、アメリカ軍が投下した原爆によって顔と身体を細胞レベルで傷つけられて人生を「メチャクチャ」にされただけではなく、戦後も他の日本人たちによって徹底的に受動的な立場へと押しこめられ、いわば他人の口パクをするだけの「原爆乙女」という人形《ひとがた》のなかに幽閉されていたのである。

一九五五年五月から約一年半、ニューヨークのマウント・サイナイ病院で治療を受けた二十五人の「原爆乙女」には、のべ百三十回以上の手術が施された（途中ひとりが麻酔ミスで亡くなるという不幸な事故があった）。渡米のさいアメリカ領事から特例としてパスポートの顔写真を免除された彼女たちは、結果として著効とはいいがたかった治療を終えたあと、ある者は帰国し、またある者はアメリカにとどまり、それぞれの人生の道を歩みつづけた。けっして少なくないメンバーがその後「原爆乙女」について語ることを拒絶した。とはいえバーカーが取材した一九八〇年代初めには彼女たちはいまだ強い精神的絆で結ばれており、「五月会《さつき》」として定期的に集まってもいたという。

バーカーが著作の末尾に書きつけた元乙女の証言が、かつて「原爆乙女」という不気味な名前を押しつけられ、それを拭い去ろうと何度も顔にメスを入れた女性たちの苦悩を象徴的に示している。「自殺は考えられなかった。個人的な決断としてではなく、『原爆乙女』のひとりが自殺したと報じられるだろうから」。——

自殺という極私的行為すら、「原爆乙女」という空虚な人形《ひとがた》のなかに呑みこまれてしまうだろうと、彼女たちは直感していたのだ。

＊

原爆をテーマとした小説や映画では「薄幸の乙女」たちの死がひとつのクリシェとなっているが、その代表例ともいえる『黒い雨』の高丸矢須子は、戦後日本が「原爆乙女」に押しつけた徹底的な内向性と受動性を、井伏鱒二が「悪写実」したものだととらえることもできる。そもそも矢須子が、原爆投下時に家族の住む小畠村を離れて広島に出てきていたのは、叔父である閑間重松が、軍需工場への徴用を逃れさせようと工作した結果だった。また、矢須子がのちに原爆病を発症したのは、荷物を疎開させていた古江から閑間家にもどる船上で黒い雨を浴びたこともあるが、重松本人も認めているように、勤務さきの工場に避難するという重松につきしたがって爆心近くを何時間もさまよったさいの入市被爆も影響している。作品の冒頭にあるように、重松は矢須子にたいし「二重にも三重にも負目を引受けている」のである。

だがその「負目」を返済しようとする重松の行動は、逆に矢須子からさまざまなものを奪いとってゆく。矢須子が原爆病であり、そのことを重松夫妻が隠しているという噂に対抗し、矢須子と自らの「潔白」を証明するために重松が被爆当時の日記を清書してゆく、という骨格をもつ『黒い雨』において、矢須子は徹頭徹尾、重松夫妻によって保護され、彼らによってその「無垢」

を保証されるべき受動的な存在として描かれている。「勿体ないほど喜ばしい縁談ばなし」がもちこまれたさい、原爆病の疑いを先回りして払拭するために、重松ははじめ矢須子の日記を清書しはじめるが、すぐに自分の被爆日記の清書に切りかえ、向後二度と矢須子の日記は言及されない。つまり矢須子は庇護者たる重松によってあらかじめ声を奪われ、彼の言葉の圏内に存在を封じこまれてしまっているのだ。

矢須子が剝奪されるのは「言葉」だけではない。「愛」も、である。医師の健康診断書を前もって仲人に郵送するという自分のアイディアによって、むしろいっそうの疑惑を招いてしまったことにさらなる負目を感じつつ、重松はこう考える。

今度こそ矢須子の結婚を破談にさしてはいけないのだ。このごろ矢須子は今までとは見違えるほど色っぽさを増して来た。バセドー氏病ではないかと思われるほど目に艶も出た。実に水々しい。目につかないようにお洒落に工夫しているのがよく分る。矢須子が今度の縁談にどんなに乗り気になっているか、察してやらなくてはならぬのだ。

重松の独断的な行動によって矢須子は原爆禍にまきこまれ、縁談の順調な進展をも阻害されているばかりではない。縁談の当事者なのに自分の考えをいっさい述べようとしない矢須子は、重松のいうがままに動くマリオネットの役柄に忍従している。それどころか、「察してやらなくてはならぬ」という口実のもとで、そのからっぽの内面を重松に占拠・横領されるがままになっているのだ。「勿体ないほど喜ばしい縁談ばなし」というのは重松にとっての話にすぎず、矢須子が相手に「愛」を感じているかどうかは疑問だといわざるをえない。

原作の発表から二十年後、『黒い雨』を映画化するにあたって監督の今村昌平は、おそらくこうした部分に弱点を見たのだろう。原作よりももっと高丸矢須子という人物に焦点を合わせたかったとインタビューで述べている（「黒い雨―22年間温めた井伏作品」、『読売新聞』一九八八年九月二十日付夕刊）。じっさい、原作にはない朝鮮戦争のニュース報道（中共軍に原爆投下を検討するというトルーマンの発言も含まれる）や、妻のシゲ子や郷里の仲間たちのあいつぐ原爆病死といったこれも原作にはない不吉なシーンを、翳《かげ》りの濃いモノクロで撮影した映画『黒い雨』において、田中好子が演ずる矢須子は小説とは異なり、自分の意志をしっかりもった人物として描かれる。朝鮮特需でボロ儲けする鉄工所の御曹司にプロポーズされたさい、矢須子はすすんで原爆投下当日の入市被爆について明かすことで、「勿体ないほど喜ばしい縁談ばなし」を自らの責任で破談に追いやっている。姪の結婚に執着する重松夫妻にたいし、もう嫁にはいかないと矢須子はきっぱり宣言するばかりか、実家に帰ってこないかという父親にたいしても、今後も重松夫妻とともに暮らすと決意を告げる。

「言葉」だけではない。映画版の矢須子には、「愛」もめばえる。爆弾をかかえて敵戦車に特攻せよと命令された戦場での経験がトラウマになって、車やバイクのエンジン音を聞くや、我を失って「突撃」してしまう悠一という青年に、悠一さんにならピカのことでもなんでも気安く話せる、と心をほどいてゆく矢須子は、彼から寄せられる好意を、重松の意向に反してまで受けいれようとするのだ。

こうした点で、たしかに映画『黒い雨』は、小説では「言葉」も「愛」も奪われていた矢須子に、それらを回復しようと試みているといえる。だが、その試みは中途半端に終わったきらいが否めない。もともと今村は、原作の設定から十五年後、四十歳まで生きのびた矢須子が、死亡した重松からの遺産も悠一とのせつない愛も捨て、死を覚悟で四国遍路の旅にでるラストシーンを、カラー映像で撮ろうと考えていた。原作の有名な「今、もし、向うの山に虹が出たら奇蹟が起る。白い虹でなくて、五彩の虹が出たら矢須子の病気が治るんだ」という重松の最後のセリフにある「奇蹟」を、生きのびた矢須子の姿をカラー撮影することで半ばは成就しつつも、いっぽうでその道行きの苛酷さと悲惨さを強調する（矢須子は町のチンピラたちに性的なからかいを受けたり、バスに乗った学生たちからこれでも食えとゆで卵を投げつけられたりする）ことで、矢須子の「聖女化」を避けようとする二重のもくろみがあったと想像される。だがカラーで撮られたそれらのシーンをあらためていま見てみると、画面の明るさと反比例するかのような暗鬱さを感じずにはいられない。「私はいま、自由だ」とつぶやいて遍路へとむかう矢須子は、そのじつ少しも自由ではなく、自分だけが幸せになるわけにはいかないという負目に強く縛りつけられているからだ。被爆当日に叔父らと休憩をとった竹林に矢須子が時間を飛びこえて迷いこみ、重松夫妻と自分をかたどった石像と対面して絶句するシーンは、いったんは矢須子がとりもどしたかに見えた「言葉」と「愛」もやはり幻像でしかなかったことを暗示している。

当初は強い意欲をいだいていたカラー映像の挿入を、今村はけっきょく断念した。公開された

『黒い雨』は、矢須子の容態のただならぬ悪化から徹底して目をそむけ、快復したらいつでも嫁に行けるとか、自分の遺産を持参金にしたらいいと、もはや妄執に近い結婚願望をいいつのる重松の圧迫に死をもって応えるかのように、悠一に花嫁のごとく横抱きにされた矢須子が救急車で運ばれるアイロニカルな場面で終わる。「白い虹でなくて、五彩の虹が出たら矢須子の病気が治る」という「奇蹟」に賭ける重松の思いは、寒村を俯瞰する白の勝ったモノクロの画面にあらかじめ裏切られてしまっている。

ここに私たちが見るのは、原爆によって顔と身体を歪められた「原爆乙女」が、原爆を投下したアメリカ軍や、悪意の噂を流す周囲の非被爆者たちだけではなく、同じ被爆者の男性によってすら一方的に「言葉」と「愛」を剝奪されてしまうという、あまりにもむごい事態である。[8]

1　オバマ演説の冒頭は「七十一年前の明るく晴れわたった朝、空から死が降ってきて death fell from the sky 世界は一変しました。閃光と炎の壁によって町が破壊され、人類が自らを破滅させる手段を手にした mankind possessed the means to destroy itself ことがはっきりと示されました」となっており、「死」を投下した主体が欠けている。これはオバマが背にしていた原爆死没者慰霊碑の碑文「安らかに眠って下さい／過ちは繰返しませぬから」が主語を欠いているのと平仄《ひょうそく》があっている。だが、この主語を抹消されたメッセージのかたわらに、真に世界を統《す》べている主体がひそんでいた。Ⅱでも言及した核ミサイル発射命令を下す移動式ディヴァイスである。訪問翌朝の読売新聞には、ずっしりとした黒鞄を右手にさげる軍人の後ろ姿の写真とともに「来日したオバマ米大統領が帯同した軍人が、ずっと持ち歩いていた黒い革かばんがある。オバマ氏が27日に訪れた広島の原爆死没者慰霊碑前でも、軍人の足元に置かれていた。かばんは、『核のフットボール』と呼ばれる機密装置。大統領が米軍最高司令官として核攻撃をいつでもどこでも承認できるようになっている」という記事が掲載された。「核のフットボール」が自らの在処に攻撃指令をだすことはありえない。そう苦笑してやんわり身をかわすには、このアイロニーの切っ先はあまりに鋭い。

2　いうまでもなく広島には無垢の「大和ナデシコ」だけが住んでいたのではない。まず広島には、沖縄陥落後に米軍上陸が確実視されていた九州地方を含む西日本本土防衛の重責を担う畑俊六元帥率いる第二総軍司令部（一九四五年四月設立）が置かれていた場所だった。もちろん、朝鮮半島から強制労働のために連行された人々を中心とする、戦後は「日本人」の範疇から除かれた数多の被爆者たちのこともけっして忘れてはならない。

3　「原爆乙女」にたいする広島被爆者たちの複雑な感情については以下を参照。Robert Jay Lifton, *DEATH IN LIFE / Survivors of Hiroshima*, The University of North Carolina Press, 1991, pp.337-338. 被爆者たちはアメリカ帰りの「原爆乙女」を、「えらそう haughty」「アメリカかぶれ Americanized」「甘やかされてダメになった spoiled」などと批判した。

4　こうした不安を凄絶に描いた作品に、大田洋子「半人間」がある。作中には「原爆乙女」の巣鴨訪問に触れた一節もある。「彼女たちは巣鴨に出向いてA級戦争犯罪者に見舞いをのべた。A級戦犯に向って、原子爆弾にほとんど全身を焼かれた娘らが（お気の毒です）と挨拶し、泣き伏したという情報は、こっけいであった」。大田にとってこの慰問は笑劇である。

5　エドワーズの番組の待遇に不満をもったルイスは、ショーがはじまる前にしたたか酒をあおっていたらしく、その酔いが涙ぐむような身振りにつながった可能性もある。また、出番待ちのあいだに「原爆乙女」の控え室をのぞいたルイスは、「あれに似たのがほかに十万人もいるのかい？」と蒼白な顔でささやいたという。巣鴨プリズン同様、ここでも指示対象が消去された直示語 that が用いられている。Rodney Barker, *THE HIROSHIMA MAIDENS*, p.94.

6　「走馬燈現象」「パノラマ記憶」と呼ばれる心理現象はよく知られている。死を目前にした危機において脳が情報処理能力を急激に昂進し、残されたわずかな時間を、人生の記憶の湧出で埋めつくそうとする状態を指す。誰にでも生じる普遍的な現象ではないが、これが私たちにある深い納得をもたらすのは、差し迫る死にたいする生の側からのぎりぎりの抵抗という、ある種の自由の感覚をそこに読みとるからだろう。だが一瞬で蒸発した都市に住んでいた人間にその自由はない。高速放射線とともに飛来する死のスピードは、人間の脳に外界から自律する形で内蔵されている時間性をはるかに凌駕している。つまり谷本は、アメリカ人に奪われた当の自由をアメリカ人に事後的に押しつけられているのだ。

7　だがひとつだけ、第一幕とは決定的に異なる点がある。巣鴨プリズンの「戦犯」たちは花束や絵といった素朴な贈与しかなしえなかったが、アメリカ人たちは被爆者にたいして圧倒的な贈与——乙女たちには五万五千ドル以上の募金と無料の手術、谷本には番組を収録したフィルムと映写機、谷本夫人には十四カラットの金のブレスレット——を行ったのだ。口紅やマニキュアの宣伝を随所に挿入したり、オーケストラのＢＧＭで進行を盛りあげたり（原爆炸裂の映像にはホーンの金切り声がかぶせられた）、谷本夫人だけでなく四人の子どもたちまでスタジオに招いたりといった俗悪《キッチュ》さも、過剰ではあれ、いや過剰だからこそやはり一種の贈与ととらえるべきなのだ。物質文明の俗悪《キッチュ》な過剰さこそ、大和魂が完敗した敵の本体であり、この「アメリカ式 the American way」の悪趣味なまでの大量贈与に応じられなかった負目こそが、日米地位協定や核密約から、湾岸戦争のトラウマや安保法制にまでいたる、対米従属と俗にいわれる戦後日本の卑屈な態度を生みだした主因だからだ。

8　カナダの作家シェーナ・ランバートの小説『ラディアンス』(Shaena Lambert, *Radiance*, Random House Canada Ltd, 2007) は、現実の「原爆乙女」たちに先だち、一九五二年にマウント・サイナイ病院で顔のケロイドを取りのぞく形成外科手術を受けることになって渡米したケイコという架空の人物を中心に、彼女をとりまくアメリカ人たちの愛憎劇を描いた作品である。自分が仮病をつかって徴用を休んだせいで祖父に弁当を届けなければならなくなった母親が被爆死したことを負目に感じているケイコは、他方で平気で嘘をつき、元大統領夫人のエレノア・ルーズヴェルトの机から黒檀でできたミニチュアの象を盗むような、一筋縄ではいかない人物である。将来の核戦争のためデータを収集したいと考える医師や、反核運動の象徴にまつりあげようともくろむジャーナリストなど、周囲の人間たちはケイコを利用しようとさまざまに思惑をめぐらすが、かえってケイコに翻弄されてしまう。ほぼ完璧な英語をあやつるケイコは、反核の国際講演旅行に連れだそうとするスポンサーたちに最後まで気をもたせたうえで、報道カメラマンのトムとひそかに結婚し、ゆくえをくらます。人物造型にややステレオタイプな面も見られるが、「原爆乙女」を巧みな「言葉」と奔放な「愛」をかねそなえた主体として描くこのような作品は、日本では現在にいたるまで書かれていない。

第三部　暴力の語り

V

二つのフィリピン戦

大岡昇平と奥泉光における死者の顔

1　戦争小説の危機／戦争小説という批評

明治期中葉にスタートした日本の近代小説史において、現在、とりわけクリティカルな地点に逢着しているジャンルがある。戦争小説である。

戦争小説は、日本近代文学の黎明期から、特異かつ重要な位置をしめつづけてきた。「武蔵野」や「忘れえぬ人々」などで近代散文のモデルをつくりあげた国木田独歩が、印刷資本主義《プリントキャピタリズム》が大きく発展し、同じ新聞を読む共同体として日本人のあいだに国民意識が広汎に醸成された日清戦争時に、「國民新聞」に連載した従軍記「愛弟通信」からキャリアをスタートさせたことは象徴的だ。独歩が軍艦千代田に海軍従軍記者として乗りこんだのは一八九四年である。その日清戦争を皮切りに、一九〇四年から翌年にかけての日露戦争、一九一四年から四年あまりつづいた第一次世界大戦、一九一八年以降のシベリア出兵、一九三一年の満州事変にはじまり一九四五年の破局をもたらしたアジア太平洋戦争と、大日本帝国はほぼ切れ目なく他国と戦いつづけてきた。それと歩みをともにして、日本の文学者たちは戦争をテーマとする作品群を次つぎに生みおとしてきた。近現代における戦争文学を全二十巻に集成したアンソロジー『戦争×文学』の編集委員をつとめた浅田次郎は、「わが国の戦争文学が世界に冠たる」ものだと「自画自賛して憚《はばか》らない」と高らかに言祝いでいるが、集められた作品群の質と量を見れば、たしかにこの揚言は首肯できる。

だが、戦争放棄をさだめた日本国憲法第九条のもと、戦後日本はすでに七十余年、他国と公式には干戈《かんか》を交えていない。戦争がないということは、つまりは敵に殺された者がいない――晩発障害による被爆者の死といった例外をのぞいて――ということだ。戦争の原理とは、とりわけ絶滅収容所や原子爆弾が猛威をふるった二十世紀のそれは、ひと言でいえば「敵をみな殺しにせよ！」という命令以外のなにものでもないからだ。いないのは殺された者だけではない。人間の一生に匹敵する七十余年という時の経過は、戦争の死者を直接に見知った者たちをも死の帳《とばり》のむこうがわへほぼ押し流してしまった。

いうまでもなく、戦争がないのはそれ自体としては悦ばしい事態だ。だが、戦争小説というジャンルがフェイドアウトしつつある現状を、私たちはどうとらえるべきなのだろうか。かつて大岡昇平は「戦争を知らない人間は、半分は子供である」と書いたが、日本人全員が「半分は子供」になったとき、戦争小説はもはや書かれなくなり、読まれなくなるのだろうか？　それは戦争にたいする日本人の想像力が失われたあかしではないだろうか？　日本をふたたび戦争のできる「大人の国」にしようという蠢動があらわないま、日本の現代文学から戦争小説というジャンルが消えつつあるなら、それは危機的《クリティカル》な事態ではないだろうか？　それとも、戦争を知る者が誰もいない、という日本近代がいまだかつて経験したことのない未知の状況を批評的《クリティカル》にのりこえ、戦争体験者とは別のしかたで戦争への想像力を解き放つことが、はたして可能なのだろうか？

こうした観点から見たとき、一九七九年生まれの若い作家が戦争のリアルを見事に活写したと話題を呼び、デビュー作ながら第百五十二回芥川賞候補作にノミネートされた高橋弘希の『指の骨』にたいする奥泉光の選評はとりわけ示唆的である。

大岡昇平「野火」では、最後、全体が「狂人の手記」であったことが明かされる。これが自分はかねがね疑問で、つまりそんな構成など必要ないのではないかと思っていたのだけれど、戦争を直接体験した大岡昇平ですら、体験から虚構を編むにあたって、メタフィクショナルな構成をとらざるを得なかったのだと、今回思い至った。遭遇した敵兵の「顔」を見ながら射殺する。飢餓のあまり人肉を食す。そうしたことを現実に体験した人はいただろう。しかし、体験をせぬ者が、それをリアリズムの手法で描くには、深い懼れが必要ではないだろうか。

この問いはむろん、奥泉自身の戦争小説にもさしむけられずにはいまい。高橋より年長とはいえ、敗戦からすでに十年あまりが経過した一九五六年生まれの奥泉の戦争小説は、戦争体験者である大岡の小説を、どのように懼《おそ》れているのか？　その「深い懼れ」は、「体験をせぬ者」である彼の戦争小説になにをもたらしているのか？　大岡昇平と奥泉光、二人の作家の戦争小説のあいだに存在する連続と断絶を主題とする本章を導くのは、これらの問いである。

2-1 「原情景」への遡行

大岡昇平の戦争小説の、というより、戦後日本において書かれた戦争小説のひとつの頂点は、ミンドロ島に上陸してきた米軍の攻撃で部隊がちりぢりになったあと、マラリアに憔悴してひとり林のへりに倒れていた「私」にむかって、ふいに敵兵が近づいてくる「俘虜記」[1]の有名なシーンだろう。

わずか数十秒の出来事は、こう書かれている。「それは二十歳位の丈の高い若い米兵で、深い鉄兜の下で頬が赤かった。彼は銃を斜めに前方に支え、全身で立って、大股にゆっくりと、登山者の足取りで近づいて来た」。なかば無意識のうちに「私」は銃の安全装置を外す。だが間合いが半分ほどにつまったところで、右手の山上でふいに機銃音が轟き、ふりむいた敵兵はそちらへ身を転じて「私」の視界から消えた。

なぜ撃たなかったのか? 小説家大岡昇平のデビュー作はこの問いへの詳細かつ執拗な注釈である。しかしそこで展開される内省については、かねてより疑問が呈されてきた。たとえば大岡の死後に、長年彼と交友のあった福田恆存は、撃たなかったのは敵の包囲下で身の安全をはかった結果にすぎず、大岡の自己省察は「一種の『見え』に過ぎぬ」と断じている(『新潮45』一九九二年一月号)。こうした疑念は浅薄だ。保身に走ったとか、恐怖心が先立つはずだとかいう答が浅いといっているのではない。疑いそのものの質が浅い。福田はむしろこう問うべきだった。「私」が撃たなかった理由は、「私」が敵兵に遭遇しなかったからではないか？

日本の戦争小説のクライマックスは、じつは文学的効果をもとめて創作された虚構だったのではないか？　『野火』はフィクションだが『俘虜記』は体験記だといった区別は無意味だ。たとえば『俘虜記』と同じく体験記の体裁をとっている短篇「出征」における、門司からフィリピンへむかう輸送船上で妻からもらった千人針を海へ投じる印象的なシーンは、じつはまったくのフィクションだと大岡自身が認めている。『俘虜記』が小説として通用したのは日本に私小説という伝統があったから、とはこれまた大岡の弁だが、私小説に書かれたことがすべて「事実」だとナイーヴに信じる者はあるまい。鬼籍に入ったかつての友人にたいする福田の一見底意地の悪いコメントは、大岡のご大層な内省は臆病者のいいわけ《プレテクスト》だと揶揄するものではなく、このシーンの虚構性を疑う視線から、畏友のデビュー作を守るための口実《プレテクスト》だった、と見るのは穿《うが》ちすぎだろうか。

だが、このシーンがはらみもつ文学的な力を精密に測定するためには、この遭遇が現実に起こったかどうかということをいったんカッコ入れし、テクストに書かれていることのみにフォーカスするリゴリズムが不可欠だ。そのうえで、このシーンが「俘虜記」というデビュー作にどうしても書きつけられねばならなかった必然性を凝視しなければならない。その必然性が十分に深く、切実なものであった場合にかぎり、このシーンはたんなる体験記にはけっして至りえない、「文学的事件」の特異なリアリティで私たちを撃つ。

反復、そして分裂。敵の接近という切迫とともに、大岡昇平が自らのはじめての小説に導入した主題はこれである。敵兵が視界から消えるやいなや書きつけられる「私はこの後度々この時の私の行為について反省した」という文に注目しよう。傑出した大岡論『個我の集合性』で亀井秀雄が看破しているとおり、「この一句が鍵」なのだ。いきなり「この後度々」と予告される反復は、敵兵が消えた直後にすぐさま開始され、俘虜の日々をつらぬいて（『俘虜記』中の「タクロバンの雨」でもこの接近は精細に反省されている）、復員後も家族や旧友に体験談を語るそのつど反芻され、最終的にはまさに当のテクストを書いているさなかにおいてくりかえされる。この反復は、想起の主体である「私」が想起の対象である「私」の行為／無為を反省するというかたちで、そもそもの最初から「私」の分裂をはらんでいた。現在の「私」が過去の「私」を不断に解釈しなおし、そのたびに他者の相貌をまとってあらわれる過去の「私」が、逆に現在の「私」の解釈格子を根底から組み換える。書く「私」と書かれる「私」はそれぞれに複数化し、厳しく対峙しつつも、たがいに見わけがたく混淆する。それら複数化した「私」たちが呼びかわしあう、なぜ撃たなかったのか？　という問いは、敵味方を超えたヒューマニズム、殺生を厭《いと》う動物的反応、若々しい美にたいする畏敬、父親が息子を思う感情、善意の証人としての神の臨在といった一般解を波うちぎわの文字のごとく書いては消しつつ、一回かぎりの問いとしておのれをいつまでも反芻しつづける。

　小説における人称の問題にひきつけて考えれば、内省における反復と分裂をつうじ、「俘虜記」の「私」は乱反射するような多重性へとひき裂かれており、いわば多人称化した「私」たちがたがいに投げかけあう「なぜ?」のテンションが語りを駆動していると見ることができる。だがこのあたりで立ちどまってはいけない。デビュー作で大岡が実践しようと試みているのは、一人称の多元化などといった凡庸な企図ではない。彼がめざしたのは、「私」という一人称が出現するその手前へ遡行することであり、そこにあらわれるものを「私」ぬきで「見る」ことである。小説というジャンルの始点そのものを切り崩しにかかるそうした批評性こそが、大作『レイテ戦記』へと結実してゆく大岡の戦争小説を、ある特異な「かけがえのなさ」へと方位づけているのだ。

どういうことか。「俘虜記」における大岡の息の長い内省が、二つの特異な描写の挿入によって縁取られているのに注目しよう。大岡が「原情景」と呼ぶイメージのなかでクローズアップされるのは、若い兵士の「顔」である。「私」がはじめて姿を認めたとき、すでに草原をひとりこちらにむかって歩いていた兵士は、前方に「私」という敵がひそんでいることに気づいていなかった。一方的に敵を見るという、いわば狙撃兵の視点を偶然あたえられた「私」は、銃の安全装置を外しながらも、「狙う」意識から解離して「見る」欲望に心身をまるごと吸いとられている。その欲望の始点と終点を縁取るのが、兵士の「眼のあたり」にあらわれる二つの表情だ。「その顔の上部は深い鉄兜の下に暗かった。私は直ちに彼が非常に若いのを認めたが、今思い出す彼の相貌はその眼のあたりに一種の厳しさを持っている。／谷の向うの兵士が叫び、彼が答えた。彼は顔を斜め声の方向に向けた。私が彼の頰の薔薇色をはっきり見たのはこの時である」と書きだされる「原情景」は、去りぎわの兵士がやはり「眼のあたり」に浮かべた「一種の憂愁の表情」

の分析によって閉じられる。「この憂愁の外観は決して何等かの悲しみを示すものではなく、また私自身の悲しみの投影と見る必要もない。これが一種の『狙う』心の状態と一致するものであることを私は知っている。対象を認知しようとする努力と、次に起そうとする行動を量る意識の結合が、屢ゝこうした悲しみの外観を生み出す」。

現実の戦場で敵兵をこんなふうに観察できるはずがない、といった駄弁とはすっぱり手を切り、テクストに書かれていることを丸呑みしよう。「私」を多重化してゆく反復と分裂の運動のさなかに見出されたのは「顔」の生動だった。いや、事態は逆だ。「顔」の生動こそが、それを撃たないという行為を、そしてその理由をめぐる反復と分裂の果てしない運動をスタートさせた。そしてその運動のさなかに、はじめて書く者としての「私」がかすかな湧水のように滲みでてくるのである。

この始原的な「顔」のあらわれは、存在のかなたの高みから「汝殺すなかれ」と命じてくるレヴィナスの「顔」に似ている。「私」は安全装置を外して殺す準備をしているではないか、というのは反論にならない。デリダが「暴力と形而上学」で指摘しているように、レヴィナスの主著『全体性と無限』には「暴力が目ざしうるのは顔だけなのである **La violence ne peut viser qu'un visage**」とはっきり書かれているからだ。顔のみが暴力をとどめることができるが、しかしそれは顔のみが暴力を挑発しうるからなのだ。この逆説をレヴィナスほど徹底して考えぬいた者はいない。「私」に安全装置を外させたのも、しかしけっきょく撃たなかったのも、兵士の「顔」が原因だったとするなら、ここで薔薇色に輝いているのはレヴィナス的な「他者」だと考えたくなる。

だが、重要な点でレヴィナスの「顔」と兵士の「顔」は異なっている。言葉の発出そのものが倫理であると考えるレヴィナスにとって、「顔」とは倫理を告げる「言葉」とイコールだ。それに反し、兵士の「顔」を貪《むさぼ》るように見る「私」は、のちに俘虜収容所で通訳となるほど英語力があり、しかも「その声はその顔にふさわしいテノルであり、いい終って語尾を呑み込む様に子供っぽく口角を動かした」という精細な観察までなしているにもかかわらず、兵士が同僚とやりとりした「言葉」の内容をあっさり聞き逃している。のみならず、撃たなかった理由を執拗に追尋してゆくなかで兵士の「顔」をきわめてヴィヴィッドに想起している「私」は、彼の「言葉」についてはなんの未練もなく忘却の淵に置きさっている。「私」にとって「顔」と「言葉」はイコールではないのだ。兵士の「顔」は、二人称で「私」に呼びかけ、「倫理＝言葉」を告げ知らせるレヴィナス的他者ではない。だがその「顔」は、見つめる「私」のまなざしを赤い糸のふるえのように伝い来て、私たち読者の目交《まなか》いにまで鮮やかな薔薇色を滲ませてくるほど激しく生きている。この生動は、いったいなんなのか？

シンプルに答えよう。敵兵の「顔」をテクストに出現させ、私たちの眼前で生動させているのは人物描写《ポートレート》である。ただし、大岡の戦争小説において人物描写《ポートレート》とは、登場人物の外面を言葉に写しとるという一般的技法を指しているのではない。そうした技法の浅薄さについては大岡自身が『現代小説作法』で批判している。英語では「description（自然描写）」・「portrait（人物描写）」・「analysis（心理描写）」というように明確に分化している概念を、日本語ではなべて「描写」と呼んで疑わないのは、フローベールやゾラのリアリズムを平板化することから生じた「作者という主体が眼前の客体を模写する」という図式の盲信に起因すると指摘したうえで、大岡は「実際この何とか描写というものくらい曖昧なものはないので、例えば性格描写といえば人間の内面を描くことであり、人物描写は主として人間の外面を描くというぐらいの相違はありますが、厳密にいえば、眼は心の窓で、内面も外面も一つであるのが人間です」（傍点は引用者）といっている。大岡が残した唯一の体系的な小説技術論に読まれるこの断言と、大岡のデビュー作に忽然と出現した「顔」を掛けあわせてみよう。その積として算出されるのは、モノの外面を写す対物描写と人間の内面をかたどる心理描写を総合するのが、外面・内面を「一つ」と捉える人物描写だ、などという安手な技法論ではない。大岡にとって人物描写《ポートレート》とは、心理描写はむろんのこと対物描写すらそこから派生してくるような、小説を書く行為そのものの根底にある「原情景」にほかならないという認識だ。[2]

　兵士の「心の窓」である「眼のあたり」に漂っていた「一種の厳しさ」が「一種の憂愁」へ移ろってゆく数十秒間、いつ血の海へ落ちるかもしれぬ綱渡りめいてきわどく持続していたのは、自己と他者に対象化される以前、内面と外面に分化する以前、言葉と身体に裂かれる以前にひろがっている、〈誰かが誰かを見る〉という行為そのものの「原情景」であった。その「原情景」において、「撃たない」という不能《インポテント》が「見る」の全能《オムニポテント》とともに息づまる持続をもちこたえることで、「俘虜記」の中核をなす反復と分裂が生みおとされた。「厳しさ」と「憂愁」は兵士の内面ではない。外面でもない。それらはひとりの人間そのものである。主体的なアクションとしての

「狙う／見る」は消滅している。いまだ誰のものともいえぬ眼＝心の窓がひたすら外部へと開け放たれているだけだ。この草原に敵はいない。味方もいない。ただ「顔」だけが薔薇色に輝いて近づいてくる。その生動を子細に読むことによって、「私」ははじめて書き手としての一人称にもたらされつつ、同時に反復と分裂の運動になすすべもなく巻きこまれていったのだ。

　この意味での人物描写《ポートレート》が大岡の戦争小説全般をつらぬく背骨となっているのであれば、デビュー作の核心にこのシーンがおかれた必然性はあきらかだ。すでに書いたように、大岡がじっさいにこうした体験をしたか否かは、小説にとっては些事にすぎない。現に「私」は兵士を目撃した日の晩、イワン・カラマーゾフの挿話を想わせる奇妙な幻聴に責め苛まれ、「みんな熱のせいなんだ」と叫んでいる。幻覚がこの少し前、接近してくる兵士を見るというかたちではじまっていたと考えて、なんの不都合があるだろう。「私」が叫ぶごとく、みんなマラリアの熱のせいでもよかったのだ。ニーチェによれば、病者の光学は健康な者たちが信奉する価値観を転換する。ならばこういってもよいだろう。病者の光学によって戦争という闇の奥にひそんでいた「原情景」を幻視した「私」は、描写の工学によってその中核をなすイメージを生動する「顔」として取りだすことで、「俘虜記」の書き手たる一人称を獲得したのだ、と。

2-2　歩みよる／歩みさる人物像《ポートレート》

大岡の戦争小説を読むとは、あの兵士のごとく暗い林のなかから突如あらわれ、目の前の開けた草原をゆっくりと近づいてきては、ふいに視界《テクスト》の外へ消えてゆく死者たちの姿を、「私」が「私」になるその閾に横たわりながら何度もくりかえし見つめつづけるという反復の経験に身をまかせることにほかならない。

たとえば大岡の上官だったミンドロ島警備隊の中隊長、西矢政雄中尉の人物描写《ポートレート》を見つめてみよう。大岡の作品にはじめて彼があらわれるのは、「俘虜記」の冒頭、米軍の上陸によって山中に追いやられた中隊がマラリアに襲われ、毎日三人ほどが無為のうちに病死してゆく絶望的状況のさなかである。その「顔」はこう描写されている。

彼は幹部候補生上りの若い中尉で、二十七歳であったが、無口で陰気で、三十歳より下には見えなかった。彼がノモンハンで何をなし何を見たか、彼は一度も語らなかったが、その眼その顔には現れていた。私は彼の体にその僚友の死臭を嗅ぐ様にさえ思った。(中略)彼の言動には常に一種の諦めがあり、彼の動作はいわば過度に緩慢であって、時々歯の間から押し出す様に弱く笑った。犠牲者の笑いである。

一九三九年の五月から九月にかけ、満州に駐屯していた関東軍とソ連・モンゴル連合軍がぶつかりあったノモンハン事件は、第二次世界大戦の帰趨に重大な影響をあたえた激戦として知られる。戦闘機や戦車といった殺戮機械に剝きだしの状態で曝された兵士たちがなすすべもなく虐殺されてゆく光景を見て、現代戦の苛烈な教訓を引きだしたゲオルギー・ジューコフは、のちに赤軍司令官としてヒトラーの軍隊を葬りさったが、一方の日本軍指導部は、ソ連機甲部隊の破壊力を目のあたりにしたこともあり、明治以来の伝統的な北進計画を南方進出へと百八十度転換した。西矢中隊長はノモンハンを生きのびたが、僚友たちの累々たる屍が、はるか南方の島での孤立死を彼に運命づけたのだ。マラリアでばたばたと死んでゆく部下たちを見つめて立ちつくす中隊長の「眼」と「顔」に、「私」はノモンハンの死者たちがとり憑いているのを見たにちがいない。無口で陰気で、緩慢な動作に一種の諦めを滲ませる、死臭につつまれた男。生ける屍のようなこの人物は、しかし笑っている。この「犠牲者の笑い」とはなにか?

じっさい大岡の作品にあらわれる西矢中尉は、前線指揮官としてはちょっと異様に感じられるほどよく笑っている。中隊の兵士にその虚弱と貪食を軽侮されていた小隊長について「木下少尉は食べてさえいればいいんだよ」といって笑う(「食慾について」)。ゲリラ討伐戦のおり緩慢な動きを見せる兵士たちに「馬鹿野郎」「そんな散歩みたいな恰好で偵察が出来るか、何故伏せないか」と笑いながら怒鳴る(「西矢隊奮戦」)。上陸を支援する米軍の艦砲射撃に、兵舎の廊下を歩きながら「何を慌てるか、来るべきものが来ただけだ」と笑う。米軍上陸後、無線で敵戦車の有無を問うてきた大隊本部を「今時戦車を持たない米軍がいるものか」と笑いとばす(「敗走紀行」)。これらの笑いは、しかしつねに死に肉迫されている。「俘虜記」に「サンホセ駐屯中行った討伐戦において、彼は常に先頭に立って戦い、決して自分を遮蔽しなかった」とあるように、西矢中尉はいつ敵弾が飛んでくるかしれぬ開放空間にまっさきに身を暴露しながら、死の至近にあるこれらの笑いを反復していたのだ。

重要なのは、この西矢中尉の笑いと「私」の笑いが同期していることだ。[3] 米軍の艦砲射撃をうけ、兵舎を棄てて山中に転進する準備をしているとき、にやにや笑っていた「私」は僚友から注意されている。その僚友によれば「この時中隊で笑っていたのは、彼の見た限り中隊長と私の二人だけだった」（「敗走紀行」）。米軍上陸という最悪の事態の到来に周囲が混乱するなか、二人きりで共有された笑いの背後には、将校と兵という階級を超えた秘めやかな絆が感知される。それを「愛」と呼んでもよい。じっさい「俘虜記」には「一種の共感から私はこの若い将校を秘かに愛していた」とある。西矢中尉にたいする「一種の共感」は、自己の死という最悪の事態をあらかじめ確信するという点で彼と「私」が一致していたことから生まれたものだ。「私」が自分の笑いを帰している、そしておそらくは西矢中尉の笑いもその一例に含めている「ベルクソンの『機械的』笑い」を、念のために参照しておこう。ベルクソンは『笑い』において、笑いを誘うおかしさ《コミック》は①人間的なものに関わる、②無関心な傍観者の立場を必要とする、③社会的／集団的意識を前提とする、という三点を確認したうえで、社会／集団の表面に浮上した機械的な硬直性《こわばり》を、活力にみちた心身の弾力性《しなやかさ》という生本来の姿へ解きほぐすために「笑い」があるという。西矢中尉と「私」の笑いにはしかし、ベルクソンの定義からはみだすアイロニーがひそんでいる。米軍の攻撃がいよいよはじまったとき、フィリピンへ赴いて以来つねに死へと凝らされていた意識のこわばりが、自己を傍観視するまなざしを得て解きほぐされるという筋道は、逆説的ではあるがありえなくはない。だが、ベルクソンにおいて笑いは生にしなやかな持続をとりもどすもみほぐし《マッサージ》だったのにたいし、西矢中尉と「私」の笑いは、死後硬直してゆく自分の骸《むくろ》を戦場に放りだすあの世へのとおりみち《パッセージ》なのだ。
さきに述べたように、記憶の暗がりから突如あらわれ、いまだ「私」の内面や客観的な風景が構成される以前の「原情景」のなかをひたひたと行進してきては、ふいに死の闇へと紛れてしまう死者たちのひとりひとりに眼を凝らし、彼らの人物描写《ポートレート》をつうじて事後的に「私」の一人称を獲得することが、そしてこの喪失と獲得のかぎりない反復だけが、大岡にとって戦争小説を書くという行為の内実だった。「私」が笑っているのではない。ノモンハンの死者を背負った西矢中尉の「犠牲者の笑い」が、「私」に憑いているのだ。「私」が西矢中尉を描写しているのではなく、西矢中尉の人物描写《ポートレート》が「私」を書いているのだ。「私」が戦争の死者たちを見ているのではなく、死者たちの目にうつった暗い残像が「私」に視力をあたえているのだ。
中隊本部の移されたルタイ高地がついに米軍の砲撃に曝されたとき、火点観測のために単身前進した西矢中尉は、やはり笑っていた。

中隊長が出て来た。彼は鉄兜を背負いその上から上衣を羽織って傴僂の様な恰好をしていた。彼は笑いながら「賑やかでいいじゃないか」といって双眼鏡を持ち添え、弾の来る方へ映画の画面を横切る人の様に歩いて消えた。これが私が彼を見た最後である。

迫撃砲にやられてまっさきに戦死した西矢中尉の、鉄兜を背負ったどこかユーモラスな姿と「賑やかでいいじゃないか」という笑いが、果てしなく再生される映画のワンシーンのように大岡の意識の画面《スクリーン》を生涯にわたって横切りつづけたことは、それから四十年近くのち、埴谷雄高との対談で「まじめないい中隊長だったよ。山梨県の勝沼の農家の息子だった」とふりかえっていることからもうかがえる。つづいて「切腹してたそうだ。アメリカ兵がいってた」と明かされるとき——銃剣で腹を突き刺すときもやはり彼は笑っていたろうか？——「私」の目にうつった西矢中尉の「犠牲者の笑い」が、はるか南島の山中から突如あらわれ、白く開けた海原《スクリーン》を私たちのほうへゆっくり近づいてくるのが見えはしないか。

2-3　二つの反世界《アンチワールド》

『俘虜記』に収められた連作とほぼ同時期に書きつがれた長篇『野火』は、周知のように大岡が自らのミンドロ島での経験と、レイテ島の収容所で聞きとった日本人俘虜たちの体験談をもとに創作した、この作家が書いた戦争小説のなかで唯一の純粋なフィクションといってよい作品である。復員後、あいさつに出向いた大岡に、「X先生」こと小林秀雄は「何でもいい、書きなせえ。書きなせえ。ただ三百枚は長すぎるな。百枚に圧縮しなせえ、他人の事なんか構わねえで、あんたの魂のことを書くんだよ。描写するんじゃねえぞ」と「従軍記」の執筆をすすめた（「再会」）。自分の生還をひどく喜んでくれたことに感激する一方、一兵卒として前線に赴いた自分に「従軍記」を書けというトンチンカンに苦笑する大岡は、師の慫慂《しょうよう》に複雑なかたちで応答した。その屈折した応答から、『レイテ戦記』へ結実してゆく彼の戦争小説の弁証法的契機を抽出することができる。

　半年後に成稿なった「俘虜記」を読んだ小林は、「ふむ、こりゃいいもんが出来たが、どうもあんまりフィリピンの緑の感じが出てねえな。八犬伝の雑兵が、清澄山から東京湾を見下してるようじゃねえか。時々ちょっと描写を挿むと効果的なんだ」と留保つきで褒めた。ほんとうは留保どころではない。百枚という枚数をのぞけば、「俘虜記」は師のアドバイスを完全に裏切った作品だった。他人にかまわないどころか、「俘虜記」はアメリカ人・日本人・フィリピン人ら他人の「顔」ぬきには存在しえないテクストだ。また「魂のこと」など書かれておらず、「私」という一人称が出現する以前の世界を統《す》べる反復と分裂の運動がむしろマテリアルに追求されている。小林が効果的だとする「描写」は風景を中心とする対物描写だが、「俘虜記」における対物描写《デスクリプション》や心理描写《アナリシス》は、いずれも人物描写《ポートレート》由来の二義的な派生物にすぎない。「八犬伝の雑兵」というけなし文句が小林の批評家としての慧眼をむしろ逆説的に証しているように、「俘虜記」で大岡が試みたのは、日本の近代小説を構築している〈内面‐風景‐言語〉の三位一体《トリニティ》が成立する前の「原情景」へ、愛国者＝文学者としてあらかじめ主体化された「従軍記」の著者とはまったく異なる「雑兵」という前‐主体的な存在として、呼びかけるべき国民共同体などもたぬまま、孤独に遡行してゆくことだったのである。

　一方で大岡は、同時期に執筆された『野火』においては、「三百枚は長すぎる」という点をのぞき、小林の忠告にぴたりと寄り添っているように見える。じっさい『野火』の世界は正確に「俘虜記」の反世界《アンチワールド》だ。敵兵の「顔」が書き手たる「私」を生みだす「俘虜記」にたいし、『野火』では確固たる所与の「私」が他者の「顔」を構成している。この逆転は冒頭近くの「別れを告げる時、偶然顔を見合せた一人の兵士の顔は歪んでいた。私自身の歪んだ顔が、欠伸のように伝染したのかも知れない」という文章にあきらかだ。やはり冒頭近くの印象的なフレーズ「この道は私が生れて初めて通る道であるにも拘らず、私は二度とこの道を通らないであろう」（傍点は原文）は、『野火』では反復が抑圧されていることを告知している。生動する「顔」のかわりに『野火』の語りを動かしてゆくのは、部隊からひとりはぐれてさまよいつづける「私」による「風景（フィリピンの緑）」と「内面（孤独な魂）」のバランスのとれた端正な描写である。「俘虜記」で敵兵を撃たなかった「私」は、『野火』では夜の教会にあらわれた現地の女をためらいもなく射殺する。ミンドロの山中では、「敵をみな殺しにせよ！」という戦争の原理とそれへの抵抗が数十秒の緊迫した持続において生きられたのにたいし、レイテ島での数ヵ月にわたる彷徨が飢餓の果てに見出すのは、人肉を喰らうことへの誘惑と拒絶のドラマである。人肉食のタブーに敵／味方の区別はない。したがって人肉食を禁止するためには、人間を超えた普遍的存在が必要だ。それが田村一等兵のイメージするような、衰え、萎《しな》び、人間に助けられなければ存在しえないほど弱い神であろうとも。

さきに引用した芥川賞の選評で奥泉光が指摘していた「狂人の手記」という設定も、「俘虜記」と『野火』の差異をきわだてている。だが『野火』にそうしたひねりが必要とされたのは、戦争という狂気を虚構化することの困難からのみではなく、告白文学の創始者ルソーが一種の「狂人」であったように、「魂のこと」を告白するためには「狂人」になる必要があったからではないか？　けだし「魂」とは自己の内部で独語する「狂言」にほかならないのだから。「狂人」と「病人」を混同してはならない。「狂気」はむしろ世界という「病気」を超越しようとする意志である。「狂人」は世界全体に抗してでも自己の「真実」を守りとおそうとする「強者」の謂いであり、「病人」は世界が突きつける「真実」によって自己のすべてを引っさらわれてしまった「弱者」の謂いである。「病者＝弱者の光学」は世界の側に立って自己を描写しようとするが、「狂者＝強者の工学」は自己の内観に即して世界を改鋳しようとするのである。

　小林秀雄の忠告と批評にたいし、大岡昇平は「病人」と「狂人」へ分裂した二人の「私」の創造で応答したといえる。[4]「私」の輪郭がマラリアの高熱で溶けさったあと、いわば世界そのものがおのれを現象学的に還元して出現した「原情景」にフォーカスする「俘虜記」と、人肉食の地獄のうちに世界が陥没してゆくなか、神に見つめられていると独語する「私」の魂に肉迫する『野火』。両者の対照を、①語りの機制、②人称の発現、③主要な描写法、④テクストの運動を組織する外部、という四点で整理して表にしてみよう。

	「俘虜記」	**『野火』**
①	病者の光学	狂者の工学
②	人称以前の「顔」↓一人称の出現	一人称↓三人称の「顔」の構成

③	人物描写	対物描写＋心理描写
④	反復と分裂	弱い超越性

だが、二つの反世界《アンチワールド》の対峙にはひとすじの隘路がついていた。『野火』の終章「死者の書」にあるイメージを見よ。

> 草の中を人が近づいた。足で草を掃き、滑るように進んで来た。今や、私と同じ世界の住人となった、私が殺した人間、あの比島の女と、安田と、永松であった。
> 死者達は笑っていた。もしこれが天上の笑いというものであれば、それは怖しい笑いである。

大岡は、この草原を通って『レイテ戦記』にむかっていったにちがいない。これら死者たちの「顔」を、彼らの「笑い」を見つめながら。

2-4　自由間接話法の戦場

亀井秀雄は『個我の集合性』の冒頭で、『レイテ戦記』の心臓を正確に照準している。

どんな細部をとってみても、作者以外の人を言語主体とする表現が媒介されていること。それはかならずしも典拠の明らかな引例箇所だけにかぎられたことではない。しかもこの作品は、資料の欠けているところは想像によって補うという、小説家にとってまことに好都合な言い分を、みずから禁ずるところに成り立っているのである。にもかかわらず、それら細部の全てがそのまま作者自身の表現にほかならぬという烈しい印象は、これを否定しがたい。なぜ、他人の証言を用いて、それを作者の表現に変えることが可能だったのだろうか。

亀井はこの問題を考えるために、『レイテ戦記』に登場するさまざまな人物像《ポートレート》――伊藤上等兵、井畑一等兵、村川中尉、原口大尉、友近参謀長、片岡師団長、大西中将、加登川参謀らにくわえ、特攻隊の飛行士や白旗を掲げて米軍を欺こうとした一団や棍棒一本で戦おうとした者ら名前のわからない兵士たち――を生還者／戦死者の区別なくとりあげ、彼らが作者・大岡の自我にどのようなかたちで喰い入っているのかを綿密に分析している。亀井の鋭い指摘を参考にしつつ、しかし作者の自我の構造がそのままテクスト上の「私」の構造に重なるという反映論的な図式は避け、テクストに書かれていることに集中することで、自他が嵌入しあう『レイテ戦記』のナラティヴの謎を追究していこう。

問いはこう定式化できる。他者の言葉と自己の言葉を近づけ、触れあわせ、ついにはその境界が不分明になるまでに重ねあわせる語りとは、どのようなものか？　あるいは、綿密に考証され相互に突きあわされた膨大な資料の客観性に依拠し、それらの空隙を主観的想像で埋める誘惑に身をまかせることをあくまで拒みながらも、同時に「小説家である著者が見た大きな夢の集約」(『レイテ戦記』あとがき)でありうる書物とはどのようなものか? そして、他人の証言と作者の表現がひとつに縒《よ》り合わされてゆくその語りの運動が、読む者を「烈しい印象」で揺さぶってくるとは、どういうことか?

他者の言葉と自己の言葉を近づけ、触れあわせ、ついにはその境界が不分明になるまでに重ねあわせる語り。これを追求していけば自由間接話法に至りつく。ドゥルーズ哲学固有の「方法」として自由間接話法にフォーカスする國分功一郎『ドゥルーズの哲学原理』の説明を借りよう。直接話法は、語られた内容をカッコで括ったうえで語り手がそのまま引用する(He said, "It's not true". 彼は言った、「間違っている」)。間接話法は、伝達動詞/接続詞の使用や時制の一致などで自らを間接話法と印づけたうえで、語られた内容を語り手が自らの描写に組みこむかたちで報告する(He said that it was not true. 彼はそれは間違いだと述べた)。たいして自由間接話法は、「語られた内容が、組み込まれたことを指し示す印のなきままに描写に組み込まれてしまう話法」(傍点は原文)である(例文でいえば、it was not true. がカッコや伝達動詞などをともなわずに地の文として書かれるケース)。したがって自由間接話法においては、語られた内容が誰かの言葉の引用/報告なのか、それとも語り手の判断/推測なのかわからなくなる。小説の語り手の目線をとれば、自由間接話法とは語りの主体を漂流させるためにあえて凝らされた破格といってよい。この破格の成功をあらかじめ保証するルールはない。直接話法/間接話法を印づける明瞭な形式が棄てられている以上、たんなる文法ミスではなく自由間接話法による効果的な表現だと文脈に照らして事後的に了解できるかどうかにすべてはかかっているからだ。

ドゥルーズは『シネマ』において〈カメラのとらえた客観的物語⇕登場人物の抱く主観的物語〉という二項対立を乗り越え、両者を地滑り的な混淆へ導くものとして〈自由間接話法／自由間接主観表現〉を見出したパゾリーニの洞察をくりかえし参照している。またガタリとの共著『千のプラトー』においても、「一つの声の中にはあらゆる種類の声、あらゆるざわめきや異言異語が含まれている」としたうえで、「私の直接話法もやはり、他の世界、他の天体からやってきて、私を貫通する自由間接話法である」といっている（第4章「言語学の公準」）。ドゥルーズ＝ガタリは、バンヴェニストの口をそれこそ自由間接話法的に借用しながら、言語の条件を蜜蜂によって例解してもいる。蜜蜂は有機的なコード化機能をもち、比喩さえもちいるが、言語はもっていない。蜜蜂は自分の見たことを伝えることはできるが、自分が伝えられたことを第三者に伝えることはできないからだ。

見た者から見ていない者へ伝達できるだけではいまだ言語ではない。見ていないなにかを伝えられた者が、おなじく見ていない者にそれを伝達できて、はじめて蜜蜂は人間へと飛躍する。このジャンプを可能にするものこそ、見た者の語りと見ていない者の語りを交錯させ、溶融させる自由間接話法にほかならない。ドゥルーズ＝ガタリ／バンヴェニストから抽出されるこのテーゼを、大岡に即してパラフレーズしよう。レイテ島の惨劇を体験者から伝え聞いた「私」が、おなじくレイテ戦を知らない読者にその「烈しい印象」を伝達できたとき、言語のかなたへ沈みかけていた無数の記憶の断片は「夢の集約＝小説」へと飛躍する。そのとき語り手の「私」は、レイテ島の死者たちが集う「他の世界」からやってくる「あらゆるざわめきや異言異語」を、「私」でありながら「私」でない者として、「私」に充たない者でありながら「私」をあふれでる者として、自由間接話法で書きとめるのだ。「死者の証言は多面的である。レイテ島の土はその声を聞こうとする者には聞える声で、語り続けているのである」という『レイテ戦記』の有名な結語は、「あの故郷を何千里も離れた異郷の町で、野で、林の中で、同僚が或る瞬間とった姿勢とか表情が、まるで私の一部となってしまったかのように、思い出されて来る。そしてその人がいまは亡いということは、なにか重大な意味を持っているらしく、思い出すだけで、まるで実在しているかのように、働きかけて来る。死者がいつまでも生きているように感じられる時、生きている者は、涙を流すほかはないらしいのである」という「ミンドロ島ふたたび」における切々たる哀悼は、自由間接話法の戦場に身をおいた者のみにおとずれる悲痛な認識をしめしている。

注意しよう。直接話法と間接話法のはざまに自由間接話法が寄生しているのではない。むしろそれは、話法のルールにさきだつ古層から湧きあがってくる言語の「原情景」であり、言葉をめぐるある根源的な「自由」を縁取る描線にほかならない。言葉が言葉になったとき、つまり蜜蜂が人間になったとき、確固たる「私＝語り手」など存在していたはずがない。あるのは〈誰かの語りを誰かが聞く〉という集合的な経験であり、そこでは誰かが見たなにかが、その誰かの「私」とは切り離され、聞く者に「烈しい印象」をあたえる「こと／ことば」として、「あらゆる種類の声、あらゆるざわめきや異言異語」の波間をはるけく渡っていったのだ。それら人称以前の語りの群れは、生死の境をもたやすくあふれでていったにちがいない。死者の声はいつまでも語りつづけ、死者の姿勢や表情は生者の身体にのりうつり、死者と生者をつなぐ言葉は両者の「心の窓」を伝ってくりかえし往還するだろう。

『レイテ戦記』第六章の、米軍上陸時の凄まじい光景に目を凝らそう。

彼等はヤシの丸太を粘土で固めた砲台が、土台ごと吹き飛ぶのを見た。ヤシの並木が根元から燃え、梢から仕掛花火のように焔を吹き上げるのを見た。隣にいた戦友が全然いなくなり、気がつくと彼自身も大腿の肉がそがれていたりした。ある者は胸に手を当てて眠るような恰好で横たわっていた。頬をくだかれ、眼球が枕元に転がっている死体もあった。首がない者もいた。手のない者、足のない者、腸が溢れて出ている者、想像を絶したこわれ方、ねじれ方をした人間の肉体がそこにあった。

「ヤシの丸太を粘土で固めた砲台が、土台ごと吹き飛ぶのを見た」のは「彼等」、すなわち米軍の圧倒的な艦砲射撃に曝された十六師団の兵士たちである。「彼等」が見た凄絶な光景を伝え聞いた語り手は、レイテ戦を知らない読者たちにむけてその「烈しい印象」を伝達する。このリレーにおいて「彼等」という三人称複数は、語る「私」や読む「私たち」をも繰りこみつつ、見ることの「原情景」へとひたすら目を瞠《みは》ってゆく。つづく「ヤシの並木が根元から燃え、梢から仕掛花火のように焔を吹き上げるのを見た」という文には主語がない。省略ではない。焔を「見た」のは誰のものでもないがゆえに誰のものでもある集合的な目であり、主語《サブジェクト》＝主体などという檻に幽閉される以前の非人称的なまなざしの息づまる揺らぎである。「隣にいた戦友が全然いなくなり、気がつくと彼自身も大腿の肉がそがれていたりした」という文に唐突に登場する「彼」はあいまいな複数態（「〜たりした」）に下半身を溶かしており、「ある者は胸に手を当てて眠るような恰好で横たわっていた」になると、匿名化された死者の胸のうちに非人称的なまなざしがなかばめりこんでいる。「首がない者もいた。手のない者、足のない者、腸が溢れて出ている者、想像を絶したこわれ方、ねじれ方をした人間の肉体がそこにあった」と列挙されるとき、もはや〈誰かが誰かを見ている〉としかいいようのない「そこ＝原情景」に、死者と生者が一体になって寄り集っているさまを、「彼等」とともに語り手の「私」は、そして読者である「私たち」は、息を殺してただただ見つめるばかりなのだ。

この「原情景」を通って、数多の「顔」がふいに近づき、消える。「いつもの大言壮語に似ず眼を吊り上げて、ふるえている下士官」や「両手をだらりと下げて、壕の外へ歩き出す見習士官」がいる一方で、「アメリカ兵を射つまでは死ぬものかと思っている下士官」や「自分が眼を開けていることが出来、時々壕から首を出して、前方の輝く海を眺めることが出来るのに、自分で驚いていている補充兵」がいる。これら「顔」たちを鋭い斜光のようにつらぬいて、自由間接話法が射しいってくる。「こういう相違は精神よりは肉体の構造から来た。兵隊の中には神経の鈍い、犯罪的傾向を持った者がいた。石のように冷たい神経と破壊欲が、あくまでも機関銃の狙いを狂わせないこともあった」。これは十六師団の兵士の「証言」なのか、語り手の「推測」なのか？

どちらでもあり、どちらでもない。「彼等」と「私」、「証言」と「推測」が見わけがたく重なる「原情景」にこれらの言葉は書きつけられているからだ。「彼等」と「私」は、死者たちの集う「他の世界」からやってきた自由間接話法に貫通されており、それを読む「私たち」もまた、非人称複数へと生死の境をまたいで地滑りしてゆくテクストの急斜面をただ目を瞠って滑落してゆくだけなのだ。

「俘虜記」と『野火』という二つの反世界《アンチワールド》が交わるのは、この急斜面だ。前節の表を見てほしい。無謀ないくさに疲弊しきって人外《にんがい》の世にさまよいでた兵士たちの「病者の光学」と、人肉食が生じるほど非道な作戦を立案した将軍や参謀たちの「狂者の工学」とを両極に、そのあいだにひろがっているまなざしの驚くほど多様なグラデーションが『レイテ戦記』のポリフォニックな語りを織りなしている。日本人・アメリカ人・フィリピン人・台湾人らの「顔」の生動が「私」の語りを支えている一方で、資料の徹底した読みこみや膨大なインタビューによって縁取られた集合的想起の錯綜する襞に彼らの「顔」をひとつひとつ織りこんでゆくのは、語り手の「私」をおいてない。それら多様な「顔」を囲繞《いにょう》しているのは、レイテの豊かな自然のさなかで犯された酸鼻な虐殺の描写であり、そこで戦うことを強いられた者らの感情の激しい揺動が、何百人もの人物像《ポートレート》を戦場《テクスト》でまざまざと生動させている。くりかえし過去に遡って語りなおされる戦闘経過は、そのつど新たな視角を付与されて複雑に分岐してゆくが、アナーキーへと雪崩《なだ》れずに全体をゆるやかに括っているのは、「弱い兵士」だったと自称する語り手の、数多の「顔」に助けられてはじめて存立しうる「弱い超越性」なのである。[5]

薔薇色の頬をした兵士の「顔」を見つめることによって生まれた「私」という語り手がついにたどりついたのは、何十万という将兵が生死を賭して戦った時空を、自由間接話法という言語の「原情景」に重ねあわせることで出現した、壮大な「夢の集約」であった。

3-1 緑色チャートという「手紙」

あなたがたに言っておく、もしこの者らが沈黙するなら、石が叫ぶであろう。——

奥泉光の戦争小説「石の来歴」は、『ルカによる福音書』のこの一節をエピグラムとしている。激しい言葉だ。師・イエスを高らかに誉め讃える弟子たちを見咎めたパリサイ派にたいし、イエスはこの言葉をまさに石のごとく投げつけたのだ。イエスは神を見る者である。自分が見たものを伝えるイエスの教えを、さらに他者へ伝えようとする弟子たちのいうことを、パリサイ派は聞きいれない。ここにあるのは、言語以前の蜜蜂どうしの関係である。自らを刺し殺そうと迫ってくる蜜蜂の暴力にたいして、イエスは応えている。もし弟子たちの声を「証言」として聞かないなら、彼らを「証人」としてあつかわないなら、石が「証人」となって「私」という奇蹟を「証言」するであろう。このとき石とはなんなのか。擬人法ではない。象徴や隠喩でもない。石が文字どおり石でありながら、同時に言葉でもある世界とはどういう世界か？ 逆に、言葉が文字どおり言葉でありながら、同時に石でもある世界とはどういう世界か？

戦後、亡き父の蔵書を売ることから本屋稼業をはじめた真名瀬剛は、無口で真面目でこれといった特性のない男だが、石集めにだけはとことん惑溺する「言葉」と「石」の人である。彼は一九四四年十二月には決戦に敗れた兵士としてレイテ島にあり、マラリアの高熱に魘《うな》されながらジャングルをさまよったあげく米軍に捉まって、フィリピンの捕虜収容所で一年半すごしてから復員した過去をもつ。つまり真名瀬は、『俘虜記』の「私」の境遇をほぼそっくり反復しており、どこかの収容所で「私」にレイテ戦の悲惨な現実を語りきかせていたとしても不思議でなく、『レイテ戦記』にカンギポットやカタバランやピナの山中を彷徨する遊兵のひとりとしてその「顔」を書きつけられていてもおかしくはない人物なのだ。

主人公の設定だけではない。「石の来歴」は、大岡昇平の戦争小説の特質を深いレヴェルで受けついだ作品である。一篇の背骨をなすのは「俘虜記」同様、反復と分裂だ。「河原の石ひとつにも宇宙の全過程が刻印されている」。敗残兵たちが身を隠すレイテ島北部の洞窟で、瀕死の上等兵が語りかけてくる言葉に心をつかまれた真名瀬は、戦後日本の復興に平々凡々とつきしたがうかたわら、石を採集し、切断し、研磨し、標本として整理する作業に異常なまでに打ちこむようになる。名も知らぬ上等兵の言葉にとり憑かれて石集めにはげむ父の背中を見て、やはり岩石や地層に興味をもちはじめた長男に、真名瀬は「変哲のない石ころひとつにも宇宙の歴史が刻印されている」と記憶にある言葉をくりかえす。石は、宇宙の歴史をありのままに語る「証人」であり、生々流転する世界という奇蹟を告げる「証言」である。石は言葉だ。なぜなら石も言葉も、古い地層から発掘され、研磨され、読み解かれ、崇められ、投げ棄てられ、千々に砕かれては、過去と未来をくくりつけるメビウスの環のごとく、くりかえし地層の褶曲へと吸いこまれてゆくからだ。

だが、石は言葉であるという呪言の反復から、不気味な分裂が生じてくる。絡まりあう二重の分裂が。ひとつは、レイテ島の洞窟に蝟集する敗残兵たちを玉砕にむけて鼓舞する陸軍大尉の、戦力にならぬ者は殺せ、という命令にたいする真名瀬の記憶の分裂である。軍刀の刃に血糊のように死の魅惑をこびりつかせる大尉にとって、足手まといの病者や負傷者は、部隊が決戦を覚悟した以上もはや殲滅すべき「敵」でしかない。「敵をみな殺しにせよ！」という戦争の原理が洞窟を修羅場に変えたことを想起するうち、真名瀬は、石は宇宙の歴史を証言しているとうわごとのようにくりかえす上等兵の頸動脈に、大尉に貸しあたえられた軍刀をふりおろす自分の姿を幻視するようになる。もうひとつは、かつて真名瀬が連れていった洞穴に、父の留守中ふたたび採石に出かけた長男が惨殺された事件の犯人にまつわる分裂である。真名瀬のせいで息子が殺されたと責めなじる妻がアル中で廃人となる一方、不遇な少年時代を強いられた次男は学園闘争にのめりこむなかで革命の「敵」を虐殺するにいたるが、交番を襲撃して警官に射殺される直前、ふいに父の部屋にあらわれる。標本の石をつまみあげた次男に、真名瀬は石は宇宙の歴史の凝縮物なのだと例の呪言をくりかえすが、鼻で嗤《わら》う次男は石集めに賭けた父の生涯を全否定したうえで、洞穴の奥で兄を殺したのは真名瀬ではないか、と詰問する。じつはその日、兄といっしょだった次男は、おとうさんの声がするといって兄が洞穴の奥へ吸いこまれてゆくのを目撃したのだ。これは次男だけの悪夢ではない。長男の死後、真名瀬をくりかえし襲った悪夢とは、レイテの洞窟で大尉の命にしたがい軍刀をふりおろしたとき、やめてよと泣き叫ぶ長男の声を聞くという怖ろしいものだった。洞窟の上等兵は殺されたのか？　殺されたとしたら、刃をふるったのは真名瀬なのか、それとも死神のごとき大尉なのか？　洞穴で長男は誰に殺されたのか？　幼い身体を二十数ヵ所も刺したのは実の父親か、それとも匿名のシリアルキラーか？

　レイテ戦で犯された無慈悲な虐殺と、戦後の安寧をひっくりかえす無惨な殺害は、時空をねじまげる洞窟の闇の奥で、果てしなく再演される悪夢としてひとつにつながれる。この悪夢を上演しているのは、ひとつの石の光跡である。緑色チャート。古生代を生きた放散虫らの死骸が堆積してできた石だ。グレイの地に緑の筋が射しいったそれは、レイテ島の上等兵が洞窟の底から拾いあげた石であり、米軍の俘虜となったときなぜか真名瀬の胸ポケットにひそんでいた石であり、長男が殺された洞穴内で見事な層理をなしていた石であり、亡き長男の作りかけの標本箱に真名瀬が手向けた石であり、ふいに父の前にあらわれた次男がつまみあげた石である。真名瀬の人生の転換点に姿を見せては、すぐさま彼の手をすりぬけて消えてゆく、このどこにでもある平凡な石こそ、誰からも見えるところにあるがゆえに誰にも見ることができない「盗まれた手紙《パーロインド・レター》」（ポー）にほかならない。

　数多の人の手をへめぐってゆくこの石は、なにを「証言」しているのだろうか？　真名瀬ともども、瀕死の上等兵の声に耳を傾けよう。

　岩石を作るのはマグマばかりではない。宇宙から飛来する隕石もある。しかしなにより重要なのは生物の働きである。風化作用を引き起こすのはなにも水や氷だけとは限らない。生物が岩石の風化に一役買うのであるし、生物の軀そのものが今度は石に変わる。石炭が太古の樹木の化石であるのは君も知っているだろう。石灰岩やチャートなどは水底に溜まった生物の死骸が凝り固まったもので、たとえばわれわれの軀にしても、骨のカルシウムはいずれ岩になって鉱物の循環に投げ入れられる。だから君が河原で拾う石ころは、どんなによそよそしく疎遠にみえようとも、君とは無縁ではありえない。君自身を一部に含む地球の歴史の総体を君は眺めるのであり、いわば君は君の未来の姿をそこに発見するのである。

フロイトのいう「死の本能《タナトス》」とは、有機体が無機物へ回帰しようとする「衝動」だ。だがそこに「証言」を読むことも可能ではないか？　上等兵はそう問いかけている。有機体にとって究極の「敵」であるはずの石という無機物のなかに、生そのものの「証言」がある。鉱物が蜜蜂になり、蜜蜂が人間になり、人間が「私」と「君」になり、そして「私」と「君」がふたたびまじりあって鉱物へと生成変化してゆくその果てしない反復のさなかから、過去と現在と未来という時間の分節が滲みでてくる。数十億年の時を転がりつづける石は、「私」と「君」がありとあらゆる他者たちとともに織りあげる、この宇宙そのものの来歴と行く末をめぐる「証言」である。これこそ、石がそのまま言葉であり、言葉がそのまま石である世界の蔵するメッセージだ。

次男にもちさられた緑色チャートを、長男が惨殺された洞穴へ採りにゆくことを決意した真名瀬は、その洞穴とあのレイテの洞窟が緑色チャートの層でつながっているのを見出し、時空の境を踏み越えてまたもや瀕死の上等兵のそばに立つ。敵をみな殺しにせよ！　背後から押しよせる声に怯えながらも、真名瀬はいつしか「この緑色チャートは太古の生き物の骨が凝ったもの。ぼくらの骨もいずれはこうなる。死んだ者もこうして再び生きる」と語る上等兵に声を和してゆく。自他の声が近づき、重なり、融けあってゆく自由間接話法の場にあらわれるのは、「角閃石斑糲岩、石英閃緑岩、球顆輝緑岩、橄欖石玄武岩」という、まさに言葉がそのまま石化したかのような硬質な名のコーラスであった。

虐殺の穴から上等兵を背負って逃れでた真名瀬は、渓流の水音を耳に柔らかい草原に寝そべり、生の実感を満喫する。黎明がおとずれたとき、いまわのきわの上等兵は、さっき洞窟にやってきた二人の子どもにもらったという緑色チャートを真名瀬に手渡す。「盗まれた手紙」たる緑色チャートは、この宇宙に生きとし生ける物すべての死と再生を告げる「証言」を刻みつつ、数十年の時を往還した果てに、ついに正しい宛先にとどいたのである。

3-2 搾取の罠

「石の来歴」はここ数十年の芥川賞受賞作のなかでも、最も完成度の高い作品のひとつである。だが、戦争小説としての強度と作品としての完成度は比例しない。完成とは未了の可能性を犠牲にしてはじめて成立するが、戦争小説の強度は、死者と生者を結びつけるという未了の可能性の果てしなき追尋からしか生まれないからだ。「石の来歴」の冒頭で、真名瀬に石の世界の魅力を語りかける上等兵が握っていた緑色チャートは、真名瀬の息子たちが未来から父に届けにきた

「手紙」だった。未来と過去を結ぶこの円環の完成によって、「石の来歴」は再生を言祝ぐ見事な「証言」として世の喝采を浴びることとなった。だが、この円環には綻《ほころ》びが隠れていないだろうか？

　犯人ではないかと疑われる探偵。ミステリーのこの常套を真名瀬にあてはめてみよう。上等兵と二人の息子の死の謎を追及していった果てに、真名瀬は盗まれた石を探しあて、自分ではなく「敵をみな殺しにせよ！」という戦争の原理こそが犯人だったという「真理」をさとる。だが、殺された者の手に「石＝真理」がとどくことはない。死者たちの手を順繰りに伝ったあと、緑色チャートは生き残った探偵役の真名瀬のもとにとどけられ、その「証言」をあますところなく読みとられる。出来事の全貌を知ることができるのは、戦争と戦後を生きのびた真名瀬だけであり、死者たちはその感動的な「真理」の一要素に還元されてしまうのだ。ここで死者たちは、自分たちが書いたはずの／自分たちについて証言しているはずの「手紙＝真理」を、生者に盗まれてしまっているのではないか？

　ポーの傑作「盗まれた手紙《パーロインド・レター》」をめぐるラカンとデリダの対立は、この点に関わっている。[6]『エクリ』でラカンは、王、王妃、大臣、警視総監、デュパンらの視線を搦めとりつつ、中身を明かされぬままテクスト上をフローしてゆく手紙を、象徴界における運動を組織する〈分割しえない不在のシニフィアン〉として解釈する。だが、ラカンの「盗まれた手紙」の読解からは、逆に手紙の本質が盗まれてしまっていると批判するのが、デリダの論文「真理の配達人」だ。デリダが問題視するのは、精神分析＝ミステリーの装置が追跡する「不在のシニフィアン＝手紙」の運動にラカンがあたえている、手紙はけっして分割されたり破壊されたりせず、必ず正しい宛先にとどく、という前提である。真正の精神分析家＝探偵は、すべてを見透す視点から他の誰にも知りえない手紙の「真理」を読みとるのだというラカンにたいし、デリダは、書かれたもの《エクリ》である以上、手紙は分割されたり破壊されたりする危険に曝されており、したがって宛先にとどかずに行方不明になる可能性をつねにはらみもっていると主張するのである。

　生き残った者が、銃弾に五体を引き裂かれた死者をさしおいて、戦争のまったき「真理」を独占する。この綻びは「石の来歴」から五年後に書き下ろされた長篇『グランド・ミステリー』にも見てとれる。『グランド・ミステリー』は、真珠湾から硫黄島にいたる日米両軍の激闘を背景に、潜水艦という絶対的な密室のなかから「真理」を告げる遺書が盗まれ、飛行中の偵察機というこれまた絶対的な密室のなかで殺人が犯されるという、二つの不可能犯罪をめぐる戦史ミステリーである。これらの謎は、同じ登場人物たちの微妙にズレた生死が語られる「第一の書物」と「第二の書物」というパラレルワールドを往還しつつ、さまざまなかたちで反復され、分裂して、第三第四の新たな現実を生成してゆく。潜水艦や軍用機といった軍事テクノロジーを詳細綿密に描写してゆく筆力は圧巻だし、アモルフに分裂してゆくかに見えた語りを、昭和五十年代のヴェネチアの洞窟と昭和二十年の硫黄島の洞窟を接続する力業によってひとところに回収してゆく手際も見事である。だが、この完成度の高い長篇においても、殺された者たちは、やはり生者たちのやりとりする「手紙」の背景に追いやられてしまっている。それを如実にあらわしているのが、終戦直後、プロポーズの言葉をたずさえてやってきた元海軍将校が、かつての上官の妹に彼女の処女小説でもって出迎えられるというエピローグのあられもない美しさである。戦争小説が美しくあってはならぬ。そんな世迷い言を嘯《うそぶ》くつもりはない。だが生き残った者たちの甘美な「手紙＝真情」の交換が、戦争の死者たちというこの世界の破瓜の証しを自らの「配達人」におとしめてしまうとしたら？　それは美の名のもとに死者たちから「真理」を搾取する暴力ではないか？　高橋弘希の『指の骨』にたいする芥川賞の選評で、奥泉自身、戦争小説が「死者たちを、悲惨を舐めた体験者を、極端な言い方をするならば、ただ搾取することになってしまう」危険について警告していたではないか。

この搾取の罠をいかにして回避するか？　おそらく奥泉は、大岡昇平の戦争小説の最大の力を反転させることに突破口を見出したのだ。それは大岡の作品にいだく「深い懼れ」であると同時に、戦争体験者とは別のしかたで戦争小説を書くという鋭い批評性のあらわれでもあった。大岡の戦争小説の最大の力とはなにか。「顔」である。若い兵士の薔薇色に輝く頬、ノモンハンの死者に憑かれた西矢中隊長の目、フィリピン人の女や安田や永松の怖ろしい笑い、レイテで散った夥しい将兵たちの面影。これらの「顔」が人物描写《ポートレート》を通じてありありと生動し、その生動こそが書く「私」の一人称を作りあげてゆく。「俘虜記」以来、大岡を戦争小説にむかわせた最大の動機にして最大の目的は、このメカニズムを克明に書きしるすことだった。

だが、死者たちの「顔」を創作の起点となすことができないという条件は、戦争を知らない者たちにとって絶対的だ。ならばこの条件を、いかにして戦争小説の新たな可能性へと反転させてゆくのか？

3-3 マゾヒスティック／パロディック

二〇〇二年に発表された長篇『浪漫的な行軍の記録』（以下『行軍』と略）は、「さっきから私はずっと歩き続けているのだけれど、いつから自分が歩き出したのか、ほとんど思い出せないのは、歩きながら眠るせいである」という冒頭の一文で、いきなり読む者を「夢＝虚構」へとひきずりこむ。『野火』の「私」の「証言」はそのまま「狂言」であった。やはり中年の補充兵として南島へ送られたという設定の『行軍』の「私」の「証言」は、語り手自身によって「虚言」であるとのっけから宣言されていることになる。

じっさい『行軍』の虚構性は、語りのレヴェルにおいても主題のレヴェルにおいても徹底的に強調されている。「石の来歴」においては真名瀬がレイテの山中から米軍の捕虜収容所を経て帰国したいきさつが具体的に説明されているが、『行軍』では、戦後どこやらの僻村に棲みついた「私」がいかにして南方の島から生還したか、一行たりとも書かれていない。書くことができないのだ。「私」にとって確実なのは、いつからともいつまでとも知れぬまま大勢の兵士らと行軍を強いられているという一事のみであり、ここが南島のジャングルか日本の鄙《ひな》びた山村か一面の砂漠か、いまは戦争中か敗戦後か現代か、行軍のゆくえが祖国への生還か靖国への合祀か湾岸戦争への派兵か、すべては歩きながら見た夢々の果てしない移ろいのさなかで、未決事項として宙吊りにされているからだ。

虚構性の自覚。メタフィクションのこの端的な定義につけば、もちろん『行軍』はメタフィクションだ。だがこれではなにをいったことにもならない。現実から自律した世界の再帰的な構築こそが言語の本質である以上、書くという行為は多かれ少なかれ虚構性の自覚ぬきにはありえず、その意味ですべての小説はメタフィクションにほかならないという事実は、一番はじめの小説『ドン・キホーテ』を挙げるまでもなく自明だからだ。いや、『ドン・キホーテ』どころではない。二千年以上も前に荘子はすでにメタフィクションの完全無欠な表現を書き残している。だが「胡蝶の夢」の眼目は人生が虚構であるというメタフィクショナルな自覚にあるのではない。「私」の分裂を記述する言語の運動が、「夢＝虚構」をつうじて言語そのものの限界を突破してゆく過激なドラマを、この寓話は驚くべき密度で凝縮しているのだ。蜜蜂が言語をもたないように、胡蝶は言語をもっていない。胡蝶は言語の外部を舞い飛んでいる。言語の外部に遊ぶものと、「手紙」のように「夢」をやりとりすることができるのか？　胡蝶の幽《かそ》け き羽音をも繰りこんだ自由間接話法はありうるのか？——「胡蝶の夢」のラディカルな問いを変奏しよう。言語の外部へと暴力的に弾き飛ばされた者たち、それこそが戦争で殺された者たちであった。彼ら死者たちと「夢」を交換したり共有したりすることはできるのか？　死者たちの沈黙をも繰りこんだ自由間接話法は可能なのか？　「胡蝶の夢というなら、この胡蝶は行軍の足音をひたすら聞き続ける蝶々である」という『行軍』の「私」のつぶやきが放つ野心的な弾道を、メタフィクションなどという月並みな符牒で塞いではならない。

一篇の虚構性は、こうしたナラティヴの構造だけでなく、次々に登場する奇天烈な事物／状況によって主題論的にも強調されているが、とりわけ印象深いのは、三ヵ月の速成教育ののち砲兵として戦地に送られた「私」たちにあたえられた、「国体の精華」とあだ名されるダミーの砲である。

砲身も揺架《ようか》も担棍《たんこん》も防楯《ぼうじゅん》も轅桿《えんかん》も後脚も、金属であるべき部分がすべて木材と紙で再現されていた。実に丁寧で周到な仕事であった。遠目でなくとも、少し離れて眺めれば、本物と区別がつかなかった。天才的な職人技といって過言でなかった。浪漫主義精神に支えられたリアリズムの勝利であった。

近代戦をつらぬいているのは、相手よりいかに速く、相手のいかに遠方から、相手にいかに甚大な損害をあたえるか、この三つの欲望だ。これらの欲望を一身に集約した近代戦の精華こそ、男根そのものの形象で兵士たちのフェティシズムを強烈に煽りつづけてきた「巨砲」であった。だが「私」たちの分隊に割りあてられたのは、一発の砲弾も発射できない不能の男根である。しかしわれらが「虚砲」は、その屹立ぶりの浪漫主義的な見事さによって「精華」と呼ぶに値した。むろん「近代戦の精華」ではない。砲が贋物でしかない以上、それを扱う自分たち砲兵もオモチャの兵隊でしかない。野戦の花形たる砲兵がオモチャならば、野戦軍全体が遊兵の烏合にすぎず、そうした軍を決戦場に送りこんだ「国体」こそ、戦争ゴッコの総元締めということになる。「国体」とはしたがって、まったくの不能でありながら外見だけは隆々と勃起している偽男根《ハリガタ》として、けっして敵に見せてはならぬ恥ずべき「精華《フィクション》」なのだ。

ここで見逃してはならないのは、「精華《フィクション》」をつねに笑いの渦がとりまいていることだ。「なるほど国体の精華デアルカと私はうなずき、すると出し抜けに馬鹿笑いが突発して止まらなくなり、私と菅沼はげらげらと笑った。贋の砲の、本来あるべき位置に、菊の紋章が見事に浮き彫りされていたのを私は思いだし、また一段と激しい笑いの発作に見舞われ」た二人は、「発情した猿の鳴声」をあげて笑う。リアルな戦力として前線に送りこまれたはずの自分たちを恥ずべき虚構へと裏返してゆく「国体の精華」を前に、発情した猿の鳴声よろしくジャングルに放たれる、自虐の笑い。これは『俘虜記』において西矢中隊長と「私」が共有していたアイロニーにみちた笑いとは異なっている。菅沼と「私」の痩せ腹をふるわせているのは、マゾヒスティックなユーモアの暴発にほかならない。

『ザッヘル＝マゾッホ紹介』においてドゥルーズは、アイロニーをサド的な思考に、ユーモアをマゾッホ的な思考に割りあてている。アイロニーとは、法を根拠づける原理をことごとく破壊するサド的な否定の運動から生じるものであり、ユーモアとは、法の適用による苦痛をことごとくおのれの快楽へと変換してしまうマゾッホ的な否認から生じる。自らの死を先取りすることで生にまつわるあらゆる原理を否定する西矢中隊長の笑いは前者に通じる。一方、「国体」という空虚な「法《カノン》」が強いてくる不能の「砲《カノン》」を護持する『行軍』の「私」たちは、もはや戦力ではない虚構の兵士として一発も撃たずに散華する運命にある。この堪え難く忍び難い苦痛は、たび重なるジャングルの移動において、三トン近い本物の砲を運搬する分隊員がみるみる消耗してゆくのを尻目に、空気同然の「国体の精華」をひょいひょい持ち運ぶ剽軽《ひょうきん》な快楽によって、猿じみた哄笑へと変換される。『行軍』の虚構性をきわだてる主題群は、こうしたマゾヒスティックな笑いに終始とりまかれている。「鼠輸送」の潜水艦が海岸近くで放ったドラム缶を必死で回収し、そのなかに糧食ではなく夥しい竹槍の列を見出したとき、餓死しかけの兵士たちは笑う。陸軍幼年学校出のエリート士官で、軍刀をふりかざしつつ無謀な作戦を主張していた岩根少尉が、竹槍補給のショックから人前で自慰に耽り、たわごとを吐きちらすのを見て、部下たちは声をあげて笑う。竹槍を抱えた兵士がクウェートの多国籍軍に特攻し、ニューヨークの世界貿易センタービルに零戦が突っこんだというネット報道について冗談まじりに語る緑川の前で、姿の見えない「誰か」とともに「私」は笑う。

マゾヒスティックなだけではない。「私」たちはパロディックでもある。『ドン・キホーテ』が騎士道小説のパロディであるように、『行軍』は兵士道小説のパロディなのだ。不断に眠りこむ「私」のボケに、醒《さ》めたツッコミをくりかえす緑川――「私」の赴くところどこであれ出没するこのメフィストフェレスは、「狂言回し」ならぬ「虚言回し」と呼ぶべきか――は、なんと「俘虜記」のあの米兵を見ている。見ているばかりか、殺している！「海兵隊ですかね。野っぱらで寝てたら、ひとりでのこのこやって来る間抜けなやつを見かけたんで、撃ってやったんですよ。額のど真ん中をね。金髪で紅い顔の、まだ若い兵隊だったな」。『野火』で安田と永松が「私」によこした「猿の肉＝人肉」を、緑川は虚構の戦場へと密輸入し、肉の臭いにひき寄せられた「私」に喰わせる。「石の来歴」の上等兵は『行軍』では菅沼という名をあたえられ、集団から落伍して死を待つあいだに「変哲のない石ころひとつにも地球という天体の歴史が克明に記されているのである」と例の呪言をくりかえす。上等兵だけではなく、彼を殺せと命じた大尉も『行軍』に再来する。洞窟に蝟集した敗残兵を、その小柄な身体から発する鋭気で圧伏する大尉は、神意を示す誓約《ウケヒ》を得て、「殺セ。オ前達ノ同胞ヲ、仲間ヲ、戦友ヲ殺セ」と命じ、共喰いする兵士たちを靖国神社へむかう黄泉路へひたひたと率いてゆく。日本の「敵」は海のかなたからやってくるアメリカだけではない。日本人こそが、日本の究極の「敵」であり、彼らを鏖殺しなければ日本は滅びる。――「石の来歴」の米軍に包囲された洞窟で、自らの腹中の「敵」たる傷病兵を殺せと命じた大尉と、天皇のパロディとおぼしき『行軍』の大尉は、ともに「被包囲強迫」の罠にすすんでのめりこんでゆくのだ。

　反復と分裂の過激さは、こうしてテクストとテクストの境界を超えてあふれだす。その決壊の果てに見出されるのは、人物描写《ポートレート》のリアルさをひっぺがされたとことん薄っぺらなキャラたちの笑劇であり、「私」や「汝」や「彼／彼女」といった人称のバインドを解かれた無数の分身の跳梁であり、マゾヒストだったフランシス・ベーコンが描いたような顔の溶けた人間たちの群舞である。「俘虜記」で薔薇色に生動していた兵士の顔は、「間抜け」キャラとしてあっさり額を撃ちぬかれる。死を覚悟した西矢中隊長の崇高ですらあった「犠牲者の笑い」は、狂信者から狂人へと転げ落ちる岩根少尉の「皆ヨク死ンデクレタ。コレカラモ、挙国一致子孫相伝へ確《かた》ク神州ノ腐敗ヲ信ジ、朕ト共ニ死ンデ行カウ」という昭和天皇のパロディックな口寄せへと堕落する。「石の来歴」を語る上等兵の「針金細工に渋紙を貼りつけた趣の顔面」はその造作をかき消され、南島のジャングルで斃死する菅沼と、桜の森の満開の下で妻や息子や花見客を無差別虐殺する菅沼に分裂する。髭のない端正な容貌を目深な軍帽に隠し、垢にまみれた戦闘服を着ていても軍人らしい威厳を失わなかった「石の来歴」の死神めいた大尉は、『行軍』では「役者が衣装庫から出してきた」ような紫がかった服をまとい、紅い横縞の入った円筒形の帽子をかぶるピエロじみたキャラへ変換されてしまう。神出鬼没の緑川は黒眼鏡でつねに顔を隠しつつ、偶像の子牛を鋳造して神の怒りをかうアロンとなり、見捨てられた戦場に降下する空挺兵となり、靖国に蝟集する死者たちの不吉なガイドとなる。これらのキャラ／分身たちにかこまれて、「私」も語り手としての「顔」を剝奪され、才能のとぼしい探偵小説家から「虚砲」を捧げもつオモチャの兵隊となり、クソジジイと近在の子らに罵られ、通り魔と化して花見客を惨殺し、モーセにみちびかれてエジプトから脱出し、世界貿易センタービルに零戦で特攻し、砂漠でデイジーカッターの灼熱に焼かれ、それら場所ならぬ場所を行軍しながら眠りこむ匿名の兵士として、あらゆるページに「顔」のない分身を撒き散らしてゆくのだ。

4　いま、戦争を書く

大岡昇平の戦争小説とは別のしかたで書かれた戦争小説が、ここにある。『レイテ戦記』では、生動する「顔」のリアルさに支えられた語り手たる「私」の弱い超越性が、将兵たちのざわめきが交錯する自由間接話法の場に明滅することによって、戦争の死者たちをいまここにありありと甦らせていた。『行軍』では、「顔」をなくしたキャラ／分身たちの虚構性が語り手たる「私」の一人称を空中分解させ、多種多様な戦場にばらまかれた「私」の切片が、死者と生者の関係を猥雑に混線させることをつうじて、いわば裏声で編まれた自由間接話法の場を出現させている。そこで生起していることを三つあげよう。**①戦争の死者たちはむしろ〈希望〉とともに生きており、戦後を生きる者こそが〈希望〉を失った死人にほかならないという「逆転」。②マゾヒスティック／パロディックな笑いによって超越的な審級を爆破する「不敬」。③ひきちぎられた「手紙」と分身たちのあてどなき「漂流」。**

①『野火』の警句をふたたび引こう。「この田舎にも朝夕配られて来る新聞紙の報道は、私の最も欲しないこと、つまり戦争をさせようとしているらしい。現代の戦争を操る少数の紳士諸君は、それが利益なのだから別として、再び彼等に欺されたいらしい人達を私は理解出来ない。恐らく彼等は私が比島の山中で遇ったような目に遇うほかはあるまい。その時彼等は思い知るであろう。戦争を知らない人間は、半分は子供である」。こうつぶやく「私」が精神病院で手記を書きはじめるのは一九五〇年五月。「戦争」とはむろん翌月勃発する朝鮮戦争をさす。朝鮮戦争は、西側ブロックの経済大国へと成長してゆく原資を獲得させる特需を日本にもたらしただけではなく、半島へ出兵した米軍の後背を保安するという名目で創設された警察予備隊によって再武装への扉をひらくことで、アジアにおけるアメリカの対コミュニズム戦略の中枢に戦後日本を決定的なかたちで組みこんだ出来事であった。このとき以来、日本にとって世界はアメリカと同義となり、世界＝アメリカの外部は端的に「敵」と見なされた。世界認知のこうした極度の単純化は、

親の過保護に甘える子どものそれにほかなるまい。東側ブロックの崩壊によって世界の構造が根本的に変容した前世紀末以降も、日本の為政者が冷戦レジームにひたすらしがみつき、積極的なオルタナティヴをなんら示してこなかったのは多くの論者が主張するとおりだ。だが親が子をネグレクトし、死にいたるまで虐待するさまを日々ニュースで目にしているのに、アメリカという親にかぎって継子《ジャパン》を遺棄虐待するはずがないと、どうやったら信じられるのか？　日米地位協定を楯に殺人犯やレイプ犯の引き渡しを拒絶し、市街地の頭上を爆弾を満載した軍用機で我がもの顔に飛びまわり、原爆を二発も見舞った国に核兵器を勝手気ままに出し入れする、そんな親をどうやったら信じられるのだろう？　だが私たちは信じている。信じるふりをしている。解釈改憲で集団的自衛権を認め、安保法制をお膳立てして、親のいうがままに命がけで戦う子どもを演じようとしている。私たちはいずれ「私」が比島の山中で遇ったような目に遇うだろう。だがそもそも戦後の日本人は、兵士の任になど堪えない、世界から引きこもった七十過ぎの老人ではなかったか？　余生になんら〈希望〉を見出せない老人が、未来を託すべき新人を生めるはずがない。それが急激な少子化の究極的要因ではなかったか？　毎年数十万のオーダーで日本人が消滅してゆくという「日本人問題の最終解決」は、〈絶望〉によって自ら選びとられた粛々たる「絶滅計画」ではないのか？　大岡のいう「子供」はそのまま「老人」であり、それ以上に「死人」ではないのか？

緑川は嘯く。「《戦争を知らない子供たち》は死人です。シビトです。正真正銘のシビト。彼らは死産した赤ん坊なんです」。菅沼の三歳の息子は嗤う。「幽霊オ父サン、僕ハ、モウスッカリ死ニマシタ。コレカラハ、ミナト一緒ニ、ズット平和ニ死ンデ行キマスカラ、ドウカ、オ父サン、心配ナサラナイデ下サイネ」。見わたすかぎり死体に埋め尽くされた河原に棲まう最後の日本人は語る。「日本は負けたんだよ。戦争に負けたんだ。（中略）負けたってことは、全部が全部死に絶えたってことだ。日本人は全部死んだ。そっちも、さっきの河原を見たろう。あれが日本だ！」。——あらゆる〈希望〉を失ったシビトにすぎない戦後の日本人にたいして、「俺タチヲ見捨テナイデクレ！」とくりかえし訴える『行軍』の死者たちは、すくなくとも他者の記憶に刻まれるという〈希望〉を最後の最後まで手放さずにいる。これは彼らが生きている証しだ。じっさい彼らは「私」とともにいまも歩きつづけているではないか。我行軍する、ゆえに我生きる。それにしても、歩きながら眠りこむ「私」の脳裡を行き交うのは、生者が夢見る死者なのか、死者が夢見る生者なのか？　いやそれ以前に、生者とは、死者とは、いったい誰のことなのか？

②「顔」の生動が反復／分裂する「私」を生みおとすことによって大岡の戦争小説が始動したことを私たちは見た。死者たちの人物描写《ポートレート》によってかろうじて輪郭づけられる「私」は、作品世界のすべてを俯瞰しつつ書く著者のオーソリティー——たとえばトルストイのそれ——からは遠く隔たった、「弱い超越性」しかおびていないとも指摘しておいた。

大岡の昭和天皇にたいするアンビヴァレントな態度は、おそらくそこから説明できる。「国体」という輪郭の不明瞭な概念は、しかし不気味な筆圧で、アジアと太平洋の白地図に昭和期のすべての戦争を俯瞰的に書きしるした不吉な著者であった。大日本帝国を統べるこの「強い超越性」の奥処に坐《ま》しますす存在こそ、大元帥たる天皇である。「強い超越性」によってその死を地図上に書きこまれてしまった者たちの「顔」を思いつつ、「私」は『俘虜記』に憤然と書きつけている。「名目上の国体のために、満洲で無意味に死なねばならぬ兵士と、本国で無意味に家を焼かれる同胞のために焦立ったのは、再び私の生物学的感情であった。／天皇制の経済的基礎とか、人間天皇の笑顔とかいう高遠な問題は私にはわからないが、俘虜の生物学的感情から推せば、八月十一日から十四日まで四日間に、無意味に死んだ人達の霊にかけても、天皇の存在は有害である」。この生物学的な怒りが、四十年後の遺稿において「裕仁天皇重篤の報を聞いてまず思うのは、『おいたわしい』ということです」と大きく変化しているのは、なるほど読む者を戸惑わせる。だがこれは転向や変節でないのはもちろん、時の経過による怒りの寛解や老境に射しいった感傷といったものでもなかろう。おそらく大岡の末期《まつご》の目は、伊藤博文らが作成した明治憲法下の、天皇が元老や官僚や軍に担がれる神輿《みこし》であった立憲君主制も、マッカーサーらが作成した昭和憲法下の、天皇の地位は国民の総意に基づくとされた象徴天皇制も、裕仁を「国体」という収容所の俘虜とする点では同断であり、昭和史の書き手としての「朕／私」は、周囲の思惑によってその輪郭を朧化《ろうか》される「弱い超越性」しかもちえなかったのだ、となかば同情的に見ていたのではないか。

ともあれこうしたアンビヴァレンスの背後には、天皇陛下万歳！　と叫んで非業の死をとげた僚兵たちの「顔」があるのはまちがいない。ではそうした「顔」の記憶がもはや失われてしまった現在、歴史と戦争を書きしるす「超越性」にたいして、小説はどのように対峙すべきなのか？この問題に関しても『行軍』は敢然と答えている。マゾヒスティック／パロディックに笑いのめしてしまえ！

「国体」がタネなしの男根たるダミーの砲によって物笑いのタネにされていたのはすでに見た。『行軍』は、「国体」の奥処にいます「天皇／天皇制」にも発情した猿めいた笑声を浴びせかける。日本兵の夥しい死体が蛆・蠅・鼠連合軍に貪り喰われる〈死の谷〉で、日本が負け、日本人がすべて死んだのなら、天皇陛下はどうなるのか？　と下士官らに問われた菅沼は「負けたからには、いずれ捕まって首をちょんさ」と断言し、緑川も「裕仁の首がちょん斬られようと、十字架にかけられようと、そんなことは屁でもありませんやね」と「不敬」きわまるセリフをいってのける。天皇霊と三種の神器さえあれば、死人と病人と狂人のみが群れるこの〈死の谷〉だってそのまま日本である。そう挑発する緑川に、死者たちが痙攣的な笑いの渦で応えるなか、誓約《ウケヒ》をするために洞窟を出た大尉――「はじめて耳にしたその声は、予期に反して非常な高音であり、耳障りな雑音を含んで、多くの者が覚えず耳を手で塞いだ」という描写は、あからさまに玉音放送のパロディを企図したものだ――は、死の穴に戻るや「我々ハコレヨリ靖国へ向カウ」と告げて、「日本人問題の最終解決」を自ら命じるのだ。ここで超越性は斬首され、鼠に囓られ、臭い屁を浴びせかけられている。マゾヒスティックなユーモアに、パロディックなサーカスに、「国体」と「天皇」も呑みこまれ、ひたすら発情期の猿めいた卑猥な笑いが虚構の洞窟に反響する。
③けっして破壊しえないもの、それが天壌無窮の「国体」だったはずだ。けっして分割されないもの、それが万世一系の「天皇制」だったはずだ。けっして破壊しえず、けっして分割されない「手紙」として、「国体／天皇制」はアジア太平洋の広大な戦域で、敵弾や飢餓や熱病と戦っ

た日本人ひとりひとりの心にとどき、そしていまわのきわに彼らの口からもれた「天皇陛下万歳！」は、その「手紙」にたいする輝かしい返書だったはずだ。

だが『行軍』において、「国体」は「国体の精華」という虚砲へと崩壊し、「天皇制」はピエロめいた大尉——退位の倍音《ハーモニクス》が響いている——へと分身する。「真理の配達人」においてデリダが、「手紙＝真理」は必ず正しい宛先へとどくというラカンを批判しつつ、分割や破壊の危険に曝されている「手紙」は、つねに分身《ドゥブル》という不気味な残余にとり憑かれていると書いていたのをここで想起しておこう。

なるほど、「国体」は星条旗の普遍主義と菊の紋章の特殊主義をリミックスするというアクロバティックな詭弁によって戦後をも支配しているという見方には一理ある（『国体論』白井聡）。「天皇制」が近い将来に廃絶される可能性はありそうもない——存亡を賭した大戦争にふたたび日本が敗北しないかぎりは——どころか、少子化の果てに日本人が最後のひとりになっても、おそらくそのひとりは「天皇」であるにちがいない。だが、アジア太平洋戦争という日本近代史最大の、そして現代日本をも深く呪縛しつづけている不吉なミステリーに、戦争を知らない世代が真摯に向きあおうとするとき、かつてその謎を解いたと自称した超越者が日本内外の何百万何千万もの人びとに送りつけた「手紙＝真理」を、虚構の刃でバラバラにひきちぎる以外にどんな方策があるというのだろう？

私たちはもはや戦争という謎を解くことはできない。いやむしろ、私たちは謎を解いてはならないのだ。戦争という謎の解を見出したと錯覚した瞬間、私たちは『野火』の「私」のように、ふたたび飢餓と熱病に苦しみ、無差別に他者を殺し、同胞の肉を貪り喰らうことになるだろう。そして敗戦から七十余年を経たいま、戦争の謎を解いたと僭称する勢力のあからさまな台頭を前に、もし文学に対抗の手立てがあるとすれば、むしろ謎をこじらせ、謎を漂流させることをおいてほかにはない。「手紙＝真理」をひきちぎることによって謎を複数化し、殺された者ばかりでなく生き残った者をも分裂の運動にひきこんで、増殖する数多の分身たちがかわしあう哄笑と怒号と嗚咽のさなかを、バラバラになった手紙の断片を手にあてどなく漂流しつつ、かつての戦争の死者たちの叫びと、いまを生きる私たちの叫びが唐突に遭遇する稀有なチャンスに賭けるほかはない。『行軍』の末尾で混沌と渦巻いている、もはや誰が誰に語っているのかもわからない、生者が死者に語っているのかその逆なのか、人間が胡蝶に語っているのかその逆なのかすらわからない――靖国の満開の桜の下で腐敗する死者たちとその身体を貪る蛆虫たちとの混声合唱《コーラス》まで聞こえてくるのだ――自由間接話法のめくるめく乱舞は、「あらゆる種類の声、あらゆるざわめきや異言異語」の奇蹟的な遭遇を希求する言葉そのものの欲望のうねりとして私たちの目と耳に飛びこんでくる。[7]

その遭遇が「俺タチヲ見捨テナイデクレ！」という叫びと「あなたたちをけっして忘れない！」という応答として成就されるのか？　それとも「呑気に花を愛でる馬鹿幽霊どもを殺してやる！」という怨恨と「幽霊オ父サン、僕タチノコトハ、モウ、キレイサッパリ忘レチャッテ下サイネ」という嘲笑としてすれちがうのか？　そこに戦争小説のゆくえがかかっているだけではない。私たちの現在の生そのものが、その岐路の前で試されている。

1　短篇「俘虜記」はのちに「捉まるまで」と改題され、作品集『俘虜記』の冒頭に収録される。以下、この大岡のデビュー作を、作品集としての『俘虜記』と区別して「俘虜記」と表記する。なお、大岡の引用については、筑摩書房版『大岡昇平全集』（一九九四〜二〇〇三年）に拠った。

2　「地形について」というエッセイで大岡はこういっている。「私の書くものの中の自然描写は、大抵地形についての説明がつくことになっている。風景がどう見えるかだけではなく、つまり視覚的に捉えるだけでなくて、山なり谷なりが、どういう地学的経過で、いま見る姿になったかを書かないと気がすまない」。「風景」を静物ではなくむしろ生物のように捉えるこの偏執は、「機械仕掛のおもちゃを、必ずこわしてしまう子供がいるが、そのように、なにか私の中の幼児的なものに根ざしているのか」とすらいうほど大岡の深みに喰い入っていた。客観としての「風景」を対物描写するのではなく、それを主客分離以前の生成／生動としてとらえ、そこにいわば人物描写《ポートレート》のまなざしをさしむけてゆくのが大岡のやりかたなのだ。『武蔵野夫人』の描写は独歩の「武蔵野」におよばないという作家本人の自嘲に抗して、両作における描写の差異をこの観点から分析することもできるだろう。

3　『個我の集合性』に、死者との同期をめぐる亀井秀雄のすぐれた洞察がある。西矢中尉をはじめとするさまざまな死者の人物描写《ポートレート》を導きの糸としつつ、亀井は、大岡の作品に「他者が対象的に明瞭にとらえられてくるとともに主人公の自我も明確になってゆくという傾向」を見てとる。そしてそれが「自分の内面を通して他人の心を覗き見る」という近代文学の表現法とあきらかに異質だと指摘する。内面的自我の牢獄から外界を窃視するという袋小路から大岡を解き放ったのは、亀井によれば、知覚を介して身体ごと他者の経験に憑いてゆくという視向的に開かれたありかたである。そうした大岡の資質が「かつてここにいて今はもう存在しない他者の眼に映った自分を『改めて思い出す』」という想起の反復を駆動し、戦争の死者たちとくりかえし交感する可能性をもたらしているのだ。

4　『野火』の終章「死者の書」にはこうある。「それでは今その私を見ている私は何だろう……やはり私である。一体私が二人いてはいけないなんて誰がきめた」。

5　『戦争と平和』の有名なアウステルリッツ会戦の場面で、重傷を負って倒れたアンドレイ・ボルコンスキーは、ナポレオンですら卑小な存在と感じさせる、灰色の雲の流れる果てしなく高い空を見あげ、至福の感情にうたれる。『西部戦線異状なし』のパウル・ボイメルは、塹壕の泥土を見つめる日々の果てに、司令部が「西部戦線異状なし、報告すべき件なし」と報告した戦争終了直前のある日、おそらくは流れ弾にあたって戦死した。英雄たちの闘争であったナポレオン戦争では、兵士はまだ空をあおぎ見ることができた。超越性は人間たちの営みをはるか高みから俯瞰し、歴史をわしづかむ力強い手でそれを書きしるすことができた。巣穴を這う蟻たちの戦争と化した第一次大戦においては、もはや空は遮断され、兵士たちは土に埋もれた。超越性はおのれの主人公の死を「異状なし」とネガティヴにしか記述できない否定的なものへと逆転された。戦争文学の古典としてこの二作にたびたび言及した大岡は、空からも土からも疎外されてジャングルをあてどなく彷徨するフィリピン戦の兵士たちを描くさいに、肯定的／否定的のいずれであれ個々の兵士を超えた地点から作品全体を一望していた「強い超越性」を、死者たちにかろうじて支えられる語り手の「弱い超越性」へと引きずりおろしたのだといえる。

6　驚嘆すべき知的好奇心の持ち主であった大岡は、最晩年のエッセイ「盗まれた手紙」（一九八八年）でラカンによるポー作品の読解と、それにたいするデリダの反論についてふれたうえで、ポーの「盗まれた手紙」は「何か私の深層とかかわるものがある」と書いている。この言葉は、日本推理作家協会賞を受賞した『事件』などミステリーに分類される作品を大岡が手がけている事実とは、むしろ無関係なものとして読むべきだ。「盗まれた手紙」に大岡の「深層」が触発されるのは、語り手である「私」の弱さ、最初から語り手として確固たる地位を占めているのではなく、奇妙な友人であるデュパンの輪郭をなぞることではじめて語り手としての一人称を獲得してゆく、その超越性の弱さによってではないか。さらに踏みこめば、こうした「私」に語られるデュパンの相貌は、どことなく「かつては生きて目の前にあったが、いまはもうどこにもいない」という死者の翳りをおびていないか。

7　奥泉が二〇〇九年に発表した大作『神器　軍艦「橿原」殺人事件』は、『行軍』で敢行された死者と生者の遭遇路の探索を、より複雑・より大規模に、そしてよりいっそうのエンタメ的おもしろさを追求しつつ反復した作品である。石目上水の一人称の「俺」による語りと、三人称多元の語りが交錯／補完／対立しあって織りなされる複雑なナラティヴを、『小説技術論』の渡部直己は「移人称小説のひとつの模範」「日本で初めて成功した四人称小説」と評している。だが『神器』の融通無碍な語りは「移人称」などという小手先の技法を超えている。むしろ、渡部自身があげている『白鯨』『悪霊』『失われた時を求めて』とともども、小説における人称という制度を踏み破って、自由間接話法的な語りへ遡行しようとするスリリングな試みとして読まれるべきではないか。『神器』ではまた、どこにも居場所を見つけられない幽霊めいた現代の若者と、やはり敗戦後の日本に居場所を見つけられない戦争の死者たちが、ともに「人間」と「鼠」に分裂／分身しつつ、たがいの「証言」や「狂言」や「虚言」をぶつけあうシーンが中心的な役割を果たしている。それらの会話のなかで、天皇は「奴隷頭」「鼠の国の王」「贋物」と揶揄され――渡部直己は〈しんき／じんぎ〉という表題の読みの分裂から「この国の巨大な濁点としての『現人神』」への鋭利な批評性を読みとっている――、果てには「日本とかニッポンジンとか、そういう迷惑なものがこの世界に存在した痕跡が消えてなくなればいい！」と「日本人問題の最終解決」を謳う哄笑が炸裂する。これらキャラ／分身たちによるマゾヒスティックなユーモアの狂宴のさなかで、連続殺人事件の謎ばかりか、そもそも軽巡洋艦「橿原《かしはら》」がなんの目的でどこへ出撃したのかという、小説そのものを冒頭から駆動してきた謎も四分五裂して大海を漂流してゆく。だが『行軍』の〈絶望〉にたいし、『神器』にはわずかながら〈希望〉の光がさしている。沈没直前の「橿原」でこのまま死ぬのも悪くないかと観念しかけた石目上水に、「**むしろ生きれば。生きてみれば**」と声をかけたのは、行き場のない現代の若者の分身である「毛抜け鼠」だったのだ。「**漂流の友は痩せたる禿鼠**。これじゃ季語がない。俺がひとりで笑うと、鼠がこっちを見て**きゅう**と一つ啼いた」。壊れた俳句と鼠語が奇妙な明るさですれちがうこのラストシーンには、『グランド・ミステリー』をしめくくるロマンティックな甘美さとは対極にある、ナンセンスなユーモアが輝いている。

Ⅵ　虐殺の言語学

『慈しみの女神たち』のナラティヴ

ジョナサン・リテルの戦争小説『慈しみの女神たち』[1]は、二〇〇六年に発表されるや、すぐさまひとつの「事件」となった。同年のゴンクール賞とアカデミー・フランセーズ文学大賞を同時受賞するという史上初の栄誉に輝くばかりか、フランス国内のみならず多くの言語に翻訳されて世界中でベストセラーとなる一方で、その異様なナラティヴが克明に描きだす歪《いびつ》な世界像は、狭義の文学の枠を越えた激しい批判にさらされたのである。

まずは梗概を紹介しよう。全体のプロローグにあたる「トッカータ」は、「人間らしい兄弟たちよ、いったいどういうことであったのか、私に語らせてくれ」という、ヴィヨンの「絞首罪人のバラード」を模した大仰な頓呼法で幕をあける。そして、ドストエフスキーの『地下室の手記』にも通じる屈折にみちた挑発的な独白が、作品全体の主題と構造を予告する。すなわち、第二次大戦中にSS将校だった男が、戦後北フランスで平凡な家庭を築き、レース織工場の経営も軌道にのった初老のころ——作中のさまざまな示唆から一九七〇年前後と推定される——になって、スターリンが核戦争に喩《たと》えたという独ソの殲滅戦と、そのただなかで犯されたユダヤ人大虐殺が「いったいどういうことであったのか」、虐殺者の視点から語ろうというのである。

つづく「アルマンドⅠ　Ⅱ」は、〈特殊行動部隊《ゾンダーコマンド》〉に配属された語り手＝マクシミリアン・アウエが、破竹の進撃をつづけるドイツ軍の背後を敵対分子の策動から防衛するという名目のもと、ジトーミルやキエフやハリコフでの虐殺作戦に手を染めるありさまが、飛び散る脳漿や肉片、血と糞尿の混じりあう異臭に彩られてなまなましく描かれる。任務を遂行するなかで精神の平衡を失ったアウエはクリミアでの休暇を経て、ソ連南部で再攻勢をかけたドイツ軍とともにカフカス地方に入るが、山岳民族のユダヤ性を証明する任務に失敗して上官の怒りをかったうえ、同僚とのいざこざもあり、スターリングラードへ懲罰的に異動させられる。

「クーラント」では包囲下のスターリングラードの苛酷さが凍《い》てつく筆で描出される。極寒と飢餓と病気によって心身ともに崩壊したアウエは、ついに敵の狙撃兵に頭部を撃たれ、混濁した妄想の果てに意識を失う。ドイツの病院でアウエが蘇生するシーンからはじまる「サラバンド」は、アウエの回想のもうひとつの軸線である、家族の物語を主旋律とする章である。幼少期に近親相姦関係にあった双子の姉ウナと再会したアウエは、自分たち姉弟と父を裏切った妊婦として憎悪の念を凝らす母に会いに、彼女の再婚さきの南仏へ出かける。親子の息苦しい衝突のあと、酔って眠りこんだアウエは、翌朝になって母と義父の惨殺体を発見する。だが、バスに乗り遅れるからという奇妙な理由で、アウエは警察に通報もせず逃げるようにその場を立ちさる。

「メヌエット」において、謎めいた後見人マンデルブロートの工作によってヒムラーの信任を勝ちえたアウエは、逼迫する労働者需要に応えるため、ユダヤ人ら収容所の被拘留者を動員する計画の立案をまかされる。アウシュヴィッツなどの収容所を精力的に視察するかたわら、アウエは母と義父の殺害容疑で二人組の刑事に執拗につけまわされる。激しい空爆がベルリンを焼き尽くし、さらに連合軍のノルマンディー上陸、東部でも赤軍の大攻勢によって中央軍集団があえなく壊滅し、東西から挟撃されたドイツが断末魔に悶えるなか、アウエは姉の嫁ぎさきであるポンメルンの館にもぐりこみ、独りきりの淫蕩な饗宴に惑溺する。姉との倒錯したセックスを中心とする妄想で埋めつくされた奇怪な章が「エール」である。終章の「ジーグ」は、友人のトーマスにベルリンへ連れもどされたアウエが、赤軍の突入のさなか、正義の執行をめざす刑事たちの追跡からすんでのところで自分を救いだしてくれたトーマスを撲殺し、彼の偽造したフランス人労働者の身分証明書を手に入れるシーンで閉じられる。虐殺者としての素性と親殺しの嫌疑を、第三帝国の酸鼻な歴史ともどもこうして抹殺しさったアウエは、四半世紀後、「トッカータ」における匿名の不吉な声となって、瓦礫の下に遺棄した記憶の闇を語りだすのである。

このように概観しただけで、批判者たちの中心的な論点は容易に推測できよう。ひとつは、この大作が徹頭徹尾SS将校の、すなわち虐殺者の視点から語られていることへの反発である。もうひとつは、ユダヤ人絶滅という史上最大の犯罪を、小説として虚構化することへの抵抗である。つまり、ここで焦点化されているのは、アドルノの「アウシュヴィッツ以後に詩を書くことは野蛮である」という警句が、「アウシュヴィッツ以後に虐殺者がアウシュヴィッツについて小説を書くこと」という極限的な形式へと書き換えられた事態なのだ。むろんそれは「野蛮の極み」であるにちがいない。あえてそこへ踏み入らんとするリテル[2]の戦争小説は、批判者たちが主張するように、死者たちにたいする「野蛮」な冒瀆にすぎないのか？　あるいはその「極み」

に、私たちにとってなにか未聞の認識が、おぼろげなりとも彫琢《ちょうたく》されるのだろうか?

＊

ドイツを代表する近現代史家ウルリヒ・ヘルベルトは、作り物じみた登場人物や娯楽小説めいたストーリーに嫌悪感を示し、ナチスの迫害を真剣に論じるにはふさわしくない作品だとして、『慈しみの女神たち』をばっさり切り捨てている。フランス近代史を専門としながらホロコーストにも造詣の深いアメリカの歴史学者ジェレミー・ポプキンも、虐殺現場で哲学・文学的思索に耽り、姉を犯すばかりか実母と義父の殺害容疑で刑事警察《クリポ》に追われ、あげくの果てには敗戦間際の総統地下壕でヒトラーの鼻に嚙みつく奇行で逮捕されるアウエの異常なキャラクターには、どうにもリアリティが感じられないと苦言を呈している。

生存者たちへの膨大なインタビューを通じてユダヤ人絶滅の実相を浮かびあがらせた大作『ショア』の監督クロード・ランズマンも、『慈しみの女神たち』にすぐさま異議申し立てを行った。ランズマンの主張は、人物像や物語の不自然さを難ずるヘルベルトやポプキンらとは異なり、「虐殺者の言葉」それ自体の不可能性を主張する点で、『慈しみの女神たち』にたいするよりラディカルな批判だといえる。彼は、作品を埋めつくす歴史的記述の真正さと緻密さは認めつつも、「リテルは虐殺者の言葉を発明した。ところが私にとって、虐殺者とはリテルの作品のようにはしゃべらないものだ。虐殺者はけっしてしゃべらない」とそのナラティヴを疑問視し、かつてスピルバーグの『シンドラーのリスト』を批判したのと同じロジックで、ユダヤ人絶滅をフィクショナイズする危険について警告している。ランズマンによれば、ユダヤ人絶滅の真実には被害者の証言に基づくドキュメンタリーのみが漸近しうる。『ショア』がこうした信念によって生みだされた記念碑的労作であることは論を俟《ま》たない。

だが、『男たちの妄想』においてファシスト兵士たちの倒錯した心身を巨細《こさい》に分析したクラウス・テーヴェライトは、ランズマンにたいし「虐殺者は彼のカメラの前でしゃべるのを拒んだ、というのが真実だ」と反論する。そしてユダヤ人の虐殺を公言したヒムラーのポーゼン演説や、東部戦線に送られた兵士たちの手紙や報告書を取りあげて、「彼らはいつも多くのことを率直に語りあっていた」と主張する。なるほど、戦犯裁判での証言や尋問調書などを含めた「虐殺者の言葉」をぬきにしては、ハンブルグ在住の一般人がいかにして何千人ものポーランドユダヤ人の虐殺者になりえたのかを綿密にトレースしたクリストファー・ブラウニングの『普通の人びと』のようなすぐれた研究は生まれなかったろう。絶滅《ショア》を安直に「理解」することを拒むそれ自体は正当なランズマンの姿勢は、理性の彼岸で絶滅《ショア》を神秘化してしまう危険をはらんでいる。

そもそも『ショア』において最も衝撃的なシーンのひとつは、トレブリンカ絶滅収容所に配属されていた元SS伍長が、ランズマンの促しにより、殺戮されたユダヤ人たちが歌わされた「トレブリンカマーチ」を哀感たっぷりに口ずさむ場面ではなかったか。トレブリンカの巨大な施設図をバックに歌われる「虐殺のマーチ」を、秘密を約束しながら隠しカメラで撮影する、——ここには、すなおに〈真実〉と呼ぶにはあまりに過剰な演出が施されている。世界を別の穴から覗き見ること。これこそ〈虚構〉の定義であることを想起しておこう。

アウシュヴィッツの表象という難問に、証言をなしうるのは誰か？　という観点から斬りこんだジョルジョ・アガンベンの『アウシュヴィッツの残りのもの』は、ランズマンによる『慈しみの女神たち』批判を深く確かな理路で支えているように見える。「拙速に理解しようとするのでもなく、安直に神聖化してしまう者のように理解を拒否するのでもなく、その隔たりのもとに留まりつづけていること」と自らの立ち位置を見定めたあと、アガンベンは、「回教徒《ムーゼルマン》こそが完全な証人である」、すなわちもはや人格が完全に崩壊し主体として語ることができなくなった者こそがアウシュヴィッツについて唯一証言しうる者である、というプリモ・レーヴィのパラドクスから出発する。被害者の極北に位置する回教徒《ムーゼルマン》を凝視するアガンベンは、ランズマンの認識の正しさを思考の極北において試そうとしているといってよい。

「剝き出しの生」をめぐるアガンベンの議論に強い説得力がそなわっていることは、Ⅰの3節ですでに見たとおりだ。とはいえやはり、いくつかの疑問を禁じえない。なにも喋れないはずの回教徒《ムーゼルマン》が、なぜ証言できるのか？　生き残った者が彼らの代わりに証言するという構造がいかに人間と言語の根源的連関に基づくものであれ、そこに間接性や抽象性の曇りが滲んでくることは避けられまい。であれば簒奪や捏造といった湿地の植物が生い茂ってこないとどうして断言できよう？　いや、そもそも「物語」も「顔」も「考え」ももっておらず、「証言しようにも証言することができなかった」何十万人もの回教徒《ムーゼルマン》というカテゴリーは、一種の抽象の産物ではないか？　その証拠に、ほかならぬアガンベンの書物の末尾で、回教徒《ムーゼルマン》たちはつぎつぎに言葉を発しているではないか。なるほどアガンベンは証言行為に「主体のできごととしての言語《ラング》の発生」を見てとり、そこに証言できない者の証言のパラドキシカルな意義をつかみとっている。だが問題は、それら回教徒《ムーゼルマン》の証言がいずれも客観的に整理された物語を構成しており、要は私たちにとって理解可能であるということだ。「底を見た者」であり「沈んだ者」であり、死へと不可逆的に摩滅してゆくだけの存在である回教徒《ムーゼルマン》が、どうして自身の「死」を生者の論理で整序しえよう？

アガンベンが「回教徒《ムーゼルマン》こそが完全な証人である」というレーヴィのパラドクスにアリアドネの糸を認めると同時に閉ざしてしまった隘路を、やはり私たちはいまいちど覗《のぞ》きこむ必要があるのではないか。ひとつは、同じくレーヴィが「ナチズムのもっとも悪魔的な犯罪」と呼んだ特別労働班《ゾンダーコマンド》、すなわちSSの死のプロセスを補助することで自らの生を購《あがな》った被収容者たちによって縁どられる暗い穴、「グレイ・ゾーン」の問題である。さらにもうひとつ。アガンベンは考察の冒頭でアイヒマン裁判に触れ、「虐殺者の言葉」は「倫理のカテゴリーと法律のカテゴリーの混同」という誤謬に立ち、倫理的罪を認めることで法的責任を逃れようとする卑劣な虚妄にすぎないとあっさり斬り捨てている。だがランズマンのフィルム同様、アウシュヴィッツの論考にも、彼がまっさきに排除したはずのものが不吉な亡霊としてこびりついている。アウシュヴィッツを生きのびた特別労働班《ゾンダーコマンド》のひとりが証言している、「SSとゾンダーコマンドの代表者たちのサッカーの試合」がそれだ。

SSのほかの兵士と特別労働班の残りの者は、その試合を観戦し、選手たちを応援し、賭け、拍手喝采し、声援を送る。それは地獄の門の前でではなくて、まるで村のグラウンドで試合をやっているかのようだった。

この「試合」に参加し、観戦し、賭け、拍手喝采した者たちの存在をぬきにして、アウシュヴィッツの表象は――もしそれが可能だとして――いったい可能だろうか？　犠牲者たちのつらく厳しい沈黙の背後に跳梁する、この残虐な笑い、この異常な快活さ、この裏返された祝祭も、やはりなにかを証言しているのではないか？　主体と言語に回収されない絶対的残余としての回教徒《ムーゼルマン》を指す『アウシュヴィッツの残りのもの』、アガンベンの書物のタイトルがメタレヴェルにおいて黙示しているのは、彼の考察の肩越しに悪霊のごとくとり憑いている「虐殺者の言葉」ではないのか？

＊

正確を期そう。リテルは「虐殺者の言葉」を〈発明〉したのではない。彼は、ファシストたちの言葉をサンプリングして、アウエの語りを〈合成〉したのだ。

帝国《ライヒ》は戦争に負けた。しかし帝国《ライヒ》は完璧な勝者となりえたのだ。一九四五年まで、ヒトラーの勝利は可能だった。征服者ヒトラーは、私は確信しているが、わが民族が偉大な存在として生きる権利を認めたのだ。

すべてが失われたあとになお、この呪われた「確信」を白紙にひしひしと書きつける男の名は、レオン・ドゥグレル。ベルギー南部のフランス語圏におけるファシズム運動の指導者《フューラー》としてヒトラーのヨーロッパ支配を翼賛するばかりか、SS将校として自らベルギー人兵団を指揮しロシア各地を転戦した、生粋のファシストである。『慈しみの女神たち』の発表前に執筆した『乾いたものと湿ったもの』[3]において、リテルは、ドゥグレルがスペイン亡命後に書きあげた冗長な回想録『ロシア戦役』をとりあげ、このファシストの行動様式と言説形態をつぶさに分析しているが、そこにはアウエの造型につながるいくつかの興味深い特徴が見出される。

たとえば、死の恐怖を遠ざけるため、ドゥグレルは自己と外界の間に緩衝材としてのキッチュを必要とした。彼が同郷の漫画家エルジェの『タンタンの冒険』を愛読していた事実をリテルはこの観点から説明する。一方アウエはE・R・バロウズの火星シリーズに魅せられており、総統暗殺未遂事件の衝撃に周囲が沸騰する戦争末期、SSが主導する社会改革はバロウズの描いた火星人共同体を範とすべしなどという噴飯ものの論文をヒムラーに送っている。あるいは、ドゥグレルは戦後数十年を経た晩年においてなお、きちんと手入れしたSSの制服を誇らしげにまとって写真に収まっているが、アウエの黒い制服に対する偏愛やそれを清潔に保つことへの執着も随所に書きこまれている。とりわけ、そのサヴァイヴァルの帰趨において両者はぴたりと重なる。赤軍の包囲下に部下たちを見棄て、シュペーアから拝借したハインケルに飛び乗ったドゥグレルは、背後に迫る敗北をきわどく振り切り、スペイン亡命に成功する。そして半世紀の長きにわたり、ファシズムの亡霊として戦後ヨーロッパ史にとり憑いたフランコのスペイン、枢軸軍の勝利のために参戦すべきだったのにそれを怠った裏切り者の領土に引きこもり、ＳＳの大義やガス室の不在を「ヒトラーの息子」の名において主張しつづけたのである。このような生きざまは、唯一の友人であり幾度も窮地を救ってくれた恩人でもあるトーマスを殺害し、彼の偽造した身分証明書を盗んでフランスに逐電したアウエ、どす黒い粉塵まみれのレース織工場の一室に引きこもり、「私は私の仕事をやった、それだけのことだ」、そういけしゃあしゃあと言ってのけるアウエと、その厚顔な卑劣さにおいて通底している。

　次なるサンプリングソースとして、アウシュヴィッツ収容所長のルドルフ・ヘスをあげよう。死刑囚となったヘスが獄中で記した回想録を、リテルが執筆のさいに参照したのはまちがいない。ユダヤ人収容者の労働配置をよしとせず、あくまで絶滅にこだわる頑迷な男として描かれるヘスにアウエはほとほと手を焼き、旧世代に属する役立たずだと手厳しく批判する。しかしその舌鋒の鋭さは強い憧憬と表裏一体なのだ。アウエがおのれの理想を投影し、失踪していなければ総統の側近に、いや総統その人にすらなりおおせていただろうと夢想する父親に、ヘスとまったく同じ経歴が付与されているのだから。アウエの父は、帝政ドイツの息の根をとめた〈背後からのひと突き《ドルヒシュトース》〉に怒り狂い、鉤十字のシンボルのもと革命派の労働者たちを片っぱしから殺戮したロスバッハ義勇軍に参加した人物と設定されているのだ。

　さらに注目すべきは、ヘスの回想録に刻印された特異な情態性と、アウエの語りがあからさまな目くばせを交わしていることである。

一九四二年春のこと、今を盛りの若者たちが、農家の中庭に咲き乱れる果樹の下で、大方はそれと知らずに、ガス室に向って、死へと歩いていった。生成と消滅のこの情景は、今なおありありと私の目に浮かぶ。

冷ややかな観察眼と破廉恥な無責任さが審美的な感傷癖にぬるりと融け入った、ヘスが残した文章のなかでもとりわけおぞましいこの一節は、読む者を戦慄させずにはおくまい。他方アウエは、口ではヘスを罵倒しつつも、

夕方になってもなお、女子供と老人たちのいつ果てるとも知れない列が、鉄条網で囲われた長い廻廊沿いに降車場を《火葬場《クレマ》》三号と四号までのぼってゆき、白樺のたもとで辛抱づよく自分の番を待つのであった。そして、日没の美しい光がビルケンヴァルトの山頂をかすめて、建ちならぶバラックの影を果てしなく伸ばし、暗灰色の煙をオランダ絵画の乳白色を帯びた黄色に輝かせるとともに、水たまりと池に柔らかい夕映えを投げ、《司令部》の煉瓦塀を清新で陽気なオレンジ色に染めあげた。

死の収容所を破廉恥な感傷で染めあげんとする描写において、ヘスの身振りをそのままなぞっている。弾丸が急所を逸《そ》れて苦悶するユダヤ人少年を見てゴッコ遊びで死んだふりをした友人を想起するアウエ、母親を殺されたばかりの幼女に手を握られて不意に泣きだしたくなるアウエ

は、七歳の誕生日に贈られた小馬のハンスとの交情をしみじみふりかえるヘス、人懐こいロマたちをあろうことか「最愛の抑留者」と呼ぶヘスを髣髴とさせる。だが両者の絆の決定的証拠は、ヘスの回想録の末尾とアウエの回想録の冒頭の、〈シリーズ物〉を意図して書かれたかの一致ぶりに見出されよう。

世人は冷然として、私の中に血に飢えた獣、残虐なサディスト、大量虐殺者を見ようとするだろう。――けだし、大衆にとって、アウシュヴィッツ司令官は、そのようなものとしてしか想像しえないからである。そして彼らは決して理解しないだろう。その男もまた、心をもつ一人の人間だったこと、彼もまた、悪人ではなかったことを。

なぜSSオーバーシュトゥルムバンフューラーが、誰でもいいふつうの男と同様に内面生活を、欲望を、情熱をもってはいけなかったのだろう？……私は他の人びとと同じく人間であり、あなたがたと同じひとりの人間なのだ。そうとも、私はあなたがたと同じだといっているではないか！

『慈しみの女神たち』は処刑をまぬかれたヘスによって書かれた回想録の続編なのだ。

もうひとり、アドルフ・アイヒマンを忘れてはならない。「最終解決《エントレーズング》」におけるその重大かつ特異な役割と、潜伏さきのアルゼンチンからモサドによって拉致され、エルサレムでその罪を裁かれたいわゆるアイヒマン裁判によって、この貧相な元ＳＳ将校は巨悪の象徴にまつりあげられることとなった。作品に登場する無数の歴史的人物のうち、アウエが最も頻繁に出会うのはこの男であり、他の大物ナチが往々にして短い寸評で片づけられているのにたいし、その行動と精神についてくりかえし考察がくわえられている点でも異例の登場人物である。アウエはアイヒマンを、「人類の敵」や「魂も顔も欠いた一個のロボット」でないのはおろか、アーレントのいう「凡庸な悪の体現者」でもなく、中間管理職としては非常に有能だが、出世欲に凝りかたまった狭量な人物だと評する。つまりアウエがいわんとするのは、アーレントの規定から「悪」を取り去ること、アイヒマンはただの凡庸な人間であり、「私」や「あなたがた」と「同じひとりの人間」にすぎないということだ。

だが『エルサレムのアイヒマン』で、アイヒマンに協力したユダヤ人評議会を批判した結果、激しい論争に巻きこまれたアーレントは、あるジャーナリストに自らの真意を説明するなかで、「common」と「banal」の相違に触れ、前者は〈普通の、ありふれた〉という意味であるのに対し、後者は〈表層的で、深みがない〉という含みを持つことに注意を喚起している。すなわち「the banality of evil」という言葉で彼女が表現したかったことは、根源へ遡行する思考によって善はその真理を開示するが、表層に過激に固着する悪について思考することは困難だ、という非対称性なのだ。したがってアーレントにとって〈誰もがアイヒマンでありうる〉などという皮相なテーゼは、それが深遠な思考によって見出された真理だと錯覚されたそのぶんだけ、「banality」という反思考のカビに侵された愚かしいクリシェとなる。[4]

この観点から見れば、アイヒマンは凡庸な人間にすぎないとくりかえすアウエは、いかにアイヒマンの愚劣や狭量を上から目線であげつらったところで、結局は「凡庸な悪」を体現する同じ穴のムジナにすぎない。じっさいアウエの弁明は〈善悪の相対性〉と〈勝者による正義の占有〉の陳腐《バナル》な告発に終始しており、たとえば「ガスで殺されるか銃殺されるかしたユダヤ人の子どもと焼夷弾爆撃で殺されたドイツ人の子どもとのあいだには手段の差があるにすぎず、どちらの場合にも子どもを殺した人間たちはそれが正当であり必要であると信じていた」という彼の主張は、英米空軍の〈死の旋風〉を引きあいに自らの罪を相対化しようともくろみ、自分は義務を遂行しただけだが、悪い政府に属した（すなわち敗者に属した）のが運の尽きだったと嘆くエルサレムのアイヒマンの二乗された戯画にすぎない。

＊

ではアウエは、これら三人のファシスト――ドゥグレルの卑劣な行動、ヘスの破廉恥な感性、アイヒマンの凡庸な論理――の混合《ミクスチャー》に尽きるのか？　否である。アウエにはドゥグレルやヘスやアイヒマンが持ちあわせなかった、より一般的にはファシストの概念そのものとまっこうから矛盾する性格が付与されており、それがこの人物のイメージを奇怪な分裂に陥れている。同性愛、ユダヤ性、そしてカメラアイがそれである。

アウエの性的嗜好――後腐れのない男どもをひっかけ、みじんの愛情も感じぬまま「女」となった自らの肛門を貫かせる――は、幼少時の近親相姦にどこまでも固着し、擬似的にであれ姉の快楽を味わおうとする、二重の倒錯から生じている。だが『乾いたものと湿ったもの』で、リテルはハンス・ブリューアやエルンスト・レームの名をあげ、アナルセックスによる脱領域化はファシストを自己解体の不安に陥れるとして、両者の不協和を指摘していた。じっさいヒムラーの激しい同性愛嫌悪は、それを犯したSS隊員は死罪に処すという総統命令を求めるにまでいたった。この極度の厳格さを、ギムナジウム教師の父をもちカトリックの家風で育ったヒムラーの潔癖症に帰することはできない。ここには、あらゆる問題を政治的観点と生物学的観点の交叉においてとらえる、SS固有のロジックが作動している。ヒトラーとSSを「長いナイフの夜」における突撃隊（SA）幕僚長レームの粛清へ衝き動かしたのは、ただに正規軍・SA・SSの三つどもえの角逐という政治力学の結果ではない。そこには、ホモセクシャルという〈愛の秘密結社〉が、たゆまぬ生殖によって人口増大に貢献するという人種的義務を怠るばかりか、政体の内奥に裏切り者の膿疱を糜爛《びらん》させ、その腐敗を周囲の正常な細胞へひろげることへの生物学的不安があった。

とはいえSSにとって同性愛の問題は根源的なアンビヴァレンスをはらんでもいた。SSは厳格な男性原理に貫かれた〈男性同盟〉であるが、作中アウエも古代ギリシアを例にとって衒学的に弁証しているように、強固な同志愛の行きつく果てにはほのぐらい性愛の領域がひらけている。ヒムラーの神経症的な拒絶はこの逆説に気づいていたからだとしか考えられない。同性愛はSSにとって危険きわまる陥穽《かんせい》であると同時に、自らの純化の不可避的な産物でもあるのだ。つまりアウエは、極点に達したSS原理がまさに反転する、その閾《いき》にひそんでいるのだといってよい。じっさい学生時代に同性愛嫌疑で取り調べをうけたアウエは、危ういところを救ってくれたトーマスにSD（国家保安部）に勧誘され、行きずりの男の精液で直腸をみたしたまま、後もどりのできぬ一歩を踏みだしたのだ。同性愛者たるアウエは、SSの腹中にひそむクリティカルポイントとして、この犯罪組織がこの世に排泄したすべてのおぞましい出来事を、そこから覗き見ることのできる穢《けが》れた穴＝肛門なのである。

したがってアウエはSSの同僚を同性愛へと誘惑せずにはいない。そのときアウエの身体に刻まれた驚くべき秘密が露見する。休暇中のクリミアで、アウエはパルテナウという若いSS将校に狙いをつけ、春の黒海へ連れだす。裸になってともに海で泳いだあと、パルテナウはアウエの性器を見て「割礼を？」と叫ぶ。アウエは「若いころの感染症のせいでね、よくあることだよ」と受け流すが、SS的世界観における「割礼」と「感染症」の重要性はいまさら指摘するまでもない。作中でもくりかえし嘲笑されているが（「ズボンを脱がせてみればいい、割礼を受けているのがわかるだろう」）、「割礼」は滑稽さや猥褻さを存分になすりつけられたうえでユダヤ性の穢れた証憑とされたものであり、かたや「感染症」は、のちに見るように、ユダヤ人を〈病原体〉と規定して駆除に血道をあげるSSのキーコンセプトであると同時に、その躓《つま》ずきの石にほかならない。

SSに所属しながら同性愛者でありユダヤ性を分有するというこの危険な分裂は、ときにアウエを思いもよらぬ奇天烈な行動へと駆り立て、ストーリーに大きな断絶を刻むこととなろう。カフカスでの作戦中、言語学者フォスとの同性愛疑惑を捏造されたアウエは、ユダヤ人に酷似した容貌をもつがゆえにサディスティックにユダヤ人を虐待する讒言者《ざんげん》トゥレクに決闘を申しこみ、それが包囲下のスターリングラードへ飛ばされる遠因となる。また小説の掉尾でアウエは、ナチがユダヤ＝ボルシェヴィズムの卑劣さの証しとしてさかんに喧伝した〈背後からのひと突き《ドルヒシュトース》〉によって親友のトーマスを殺害し、自らの身分証明書と彼の偽造したそれをすり替えることで、死者たちの世界へ生きながら紛れこんでゆく。ただ一方で、かくも激しい分裂は、世界との修復しがたい異和感を招きよせ、アウエを病的なアパシーに追いやることにもなる。たえず疎外感を口にするアウエが自らを形容するさい好んで用いる比喩、それがカ、メ、ラ、ア、イ、である。

私は休むことなく自分を観察していた。――まるで、私の上方にカメラが設置されているかのようで、私は同時にこのカメラであり、それが撮影している男であり、事後にフィルムを調べる男でもあった。

こんなふうにたえず自分を外部からの視線で観察し、批判的なカメラで撮影していると、どうしてほんのわずかなりとも真実を口にできようか？　いささかなりとも本物の身振りをなしえようか？　私のすることはすべて自分のための見世物になってしまう。

ＳＳの掟は意志と行動の媒介なき一致だ。したがってこのような自意識は、たとえばドゥグレルとは対極をなすものだろう。なるほどアウエは小説における一人称のナレーターであり、その意味で小説世界を眺めるカメラアイにちがいないが、通常、小説の主人公は自らが虚構内に挿《さ》しこまれた潜望鏡であることを隠蔽することで、虚構内のリアリティを担保する。自分がカメラアイにすぎない、あるいはその哀れな被写体にすぎないという意識は、現実の世界にあっては離人症や統合失調症の病態にほかならないからだ。だがアウエは、スターリングラードで頭部に受けた銃創を、世界を別の穴から覗き見ることを可能にする「顱頂眼《ろちょうがん》」「第三の眼」に読みかえることで、カメラアイとしての自意識に、焼け落ちる世界のまっただなかに投げこまれた魔鏡のごとき存在感をあたえている。

　ひと言でいおう。アウエは狂っている。解離性障害や虚言症の徴候があるというだけではない。多形倒錯や数々の奇行によってだけではない。アウエ自身がそのことを自白している。「トッカータ」でアウエは読者に「狂人は別にして、誰がおのれの意志で殺人を選んだりするだろう?」と反問する。だが読者は知っている。〈特別行動《ゾンダー・アクツィオーン》〉で強いられたユダヤ人へのとどめの一撃《クー・ド・グラス》や、破かれたページのようにそこだけ空白となっている南仏での親殺しは除外しても、アウエはすくなくとも四人の人間を自らの意志によって殺害していることを。赤軍が接近するなかバッハを弾きつづけるユンカーの老人、かつて関係をもったルーマニアの外交官ミハイ、総統への反逆罪でアウエを刑場へ連行する警官、そしてトーマス。四人のうち恣意的な殺害でないといえるのは、自分を殺そうと迫ってきた護送警官だけだ。思いだそう、ガラスの箱に幽閉されたアイヒマンが、あたかも裁判における唯一の争点であるかのように、自分の恣意によって殺した者は誰ひとりとしてない、と死にもの狂いで主張したことを。ドゥグレル、とりわけヘスは夥しい人間を殺したが、彼らはいずれも「敵」を除去したのだった。それにたいしてアウエの殺人はある病状を指し示している。オルガンでバッハを荘重に奏でる老人、すばらしい肉体をもったバイセクシャルの若者、親友であるSSの勇士。彼らはそれぞれアウエが愛してやまない〈芸術〉〈性愛〉〈闘争〉の象徴である。つまりアウエは、自らの欲望そのものを殺しているのだ。ここには自らの欲望がそのまま絶滅すべき「敵」となるというねじれた構図がある。最大限に現実化された欲望からすべての快楽を吸いあげることと、その欲望自体の物理的かつ徹底的な破壊が、同時に要請されているのである。その沸騰する廃墟に置き去られた極限的なアパシーこそ、一個のカメラアイにすぎないという自意識なのだ。私たちはここに、ナチス千年王国の輝ける象徴だったアウトバーンをはじめあらゆるインフラを徹底的に破壊せよという、戦争末期に麻薬中毒の廃人と化したヒトラーの、祖国ドイツに対する「最終解決《エントレーズング》」を重ねあわせることもできよう。

　ベルリン陥落直前、父がわりの庇護者マンデルブロートの事務室へ駆けこんだアウエは、彼がソ連に寝返ろうとしているのを知って、「あなたたちはみんな狂ってる！」と絶叫する。この叫びは、「ヒトラーの言葉は信じるくせに、私の言うことは信じようとしないあなたたちはみんな狂ってる！」と主張して精神病院に隔離・断種されたという〈狂人〉のエピソードを髣髴とさせる。「トッカータ」冒頭の「人間らしい兄弟たちよ」という頓呼法が回帰してくるのは、おそらくここだ。この呼びかけは、狂人が、あなたたちもみんな狂人だと手招いているのではないか？狂人に双子の兄弟のごとく呼びかけられることによって、ひとはいくばくか狂わずにおれないのではないか？

　ブラウニングが詳細にその言動をトレースした「普通の人びと」は、なるほど平均的な理性と境遇の人びとであったが、そのあいだには狂った言葉が飛び交っていた。彼らはいわば〈感染〉していたのだ。ここでアウエは、読者を〈感染〉させようともくろんでいるのだ。知らないうちに脳髄に忍びこみ、欲望の実現と欲望の破壊をあらゆるリミットを超えて追求させる、「虐殺者の言葉」に。伊藤計劃の描いた「虐殺器官」とは、まさにこのような言葉ではなかったか？[6]

＊

〈病原体〉、〈伝染病〉、〈感染〉。――虐殺者たちに限界を突破させたのは、まずはこれらの疫学的比喩の実体化である。ラウル・ヒルバーグはその浩瀚《こうかん》なホロコースト研究の冒頭で、ルターとヒトラーの反ユダヤ主義を照合し、ユダヤ人は世界支配をもくろむ犯罪者であり、ヨーロッパにとり憑いた疾病にほかならないとする中世の概念を、ヒトラーはたんに復活させただけだと指摘する。ヒトラーの反ユダヤ思想自体は超歴史的な紋切り型にすぎないのだから、古めかしいポグロムと二十世紀の絶滅作戦を切り分けるのは、彼が強国の近代的機構を総攬する独裁者として、一時的にせよヨーロッパ全土を征服したという歴史的／社会的文脈にもとめられることになる。

　ドイツ民族に染みついた凶暴な反ユダヤ感情がナチスの犯罪の第一原因《カウサ・プリマ》であるという、物議をかもしたゴールドハーゲンの超歴史的な説や、ユダヤ人とは反ユダヤ主義者のでっちあげた幻像にすぎない以上、差別を産出する社会的基盤を革命によって爆砕すればユダヤ人問題は解決されるというサルトルの、明快ではあるがやはり超歴史的な説にくらべ、膨大な歴史史料を読みぬいてその微細な襞を慎重にたどってゆくヒルバーグの分析はなるほど地に足のついたものだ。だが、ルターとヒトラーの言説がある地点で決定的に断絶していることを、彼は見逃しているように思われる。ユダヤ人を疾病そのものと決めつけるルターに対し、すでに『わが闘争』において「一番大切なことは、ここでもまた病原体を、それによってひきおこされた病状から、区別することである」と揚言していたヒトラーは、アーリア人の健康な身体を伝染病に感染させる、細菌やウイルスとしてユダヤ人をとらえたのである。十九世紀の医療革命、すなわち病原体の特定や感染メカニズムの解明や伝染病ワクチンの開発によるパラダイムシフトが、両者の言説構造を截然と隔てているのだ。

ルターはユダヤ人をペストと罵倒したが、ペストが地から湧きでる黒い災厄でしかなかった彼の時代にあっては、それはたんなるメタファー以上のものにはなりえない。だが『ユダヤ菌』の発見は世界の一大革命だ。今日我々が戦っている戦争は、実は前世紀のパスツールやコッホの闘いと同種のものなのだ」そう言い放つヒトラーにとって、ユダヤ人はペストに類比される厄介者ではもはやなく、人間の顔をした〈病原体〉であり、その脅威をあらかじめ防ぐためには、隔離や滅菌といった医学的措置が不可欠となる。

見落としてならないのは、ナチスドイツの絶滅機構全体が、比喩による事物の審級の簒奪《さんだつ》のうえに、しかもそれを隠蔽する形で組み立てられていた事実だ。[7] ユダヤ人と〈病原体〉を結びつけるメタファーの力が、その恣意性を隠蔽し、〈科学的事実〉として現実を深く侵蝕したときにはじめて、突発的で局所的なポグロムにかわり、近代国家が管理／統制する〈病原体〉の絶滅を見すえた合理的措置の巨大な水路が忽然と姿をあらわす。高い壁に囲われたゲットーや窓も扉もない移送列車や気密ドアをそなえたガス室や山なす死体をすぐさま灰にする焼却炉といった装置の整然たる行進は、予防・隔離・消毒・駆除・殺菌・焼却といった一連の医学的タームぬきには、けっして理解できない。

疫学的比喩を実体化することによって〈科学的根拠〉を横領した虐殺者たちが、限界を超えて突きすすんだことに関して、さらに見逃してはならない論点がある。『慈しみの女神たち』において、それは、ハンガリー作戦の指揮をまかされたアイヒマンが、ワルシャワゲットー蜂起の衝撃を報告するトーマスに応じたつぎのような言葉のうちに端的にあらわれている（引用文中の傍点は原文イタリック）。

> 最初の十万人のユダヤ人を抹殺するのは、最後の五千人よりもずっと簡単だ。（中略）ユダヤ人のうち最も強靱で、しぶとく、ずる賢く、ぬけめない者が、ありとあらゆる選別を逃れ、最も破壊しがたいものとなるだろう。ユダヤ共同体の再構成につながりかねない生命の貯蔵庫、ユダヤ再生のバクテリア細胞を形成するのは、まさしく彼らである。われわれの闘いはコッホとパスツールの闘いの延長であり、とことんまでやるほかはない。

この発言を聞いたアウエは、「彼の実践的なコメントは愚かというにはほど遠く、過去の経験をくまなく精査して本質的な教訓を引きだした」ものだと評価する。ここで「本質的な教訓」と呼ばれているのはこういう逆説だ。一方でアウエらは、ドイツを包囲しようと迫りくるユダヤ＝ボルシェヴィキの大軍の跫音《あしおと》を背中にひしひしと感じている。他方で彼らは、完全に自らの掌中におさめていたはずのワルシャワゲットーで蜂起したユダヤ人たちの、しぶとくぬけめない闘いぶりに極度の不安を掻きたてられている。外と内の両面から包囲されたSSは、ユダヤ人の抹殺と破壊にいっそう血道をあげるが、その攻撃が激しくなればなるほど「ユダヤ再生のバクテリア細胞」はかえって抵抗力と生命力を増し、いよいよ破壊しがたいものとなってゆく。

これと同様の不安を、すでに私たちは「被包囲強迫」の名のもとでくりかえし分析してきた。「被包囲強迫」とは、外部から押しよせる敵に圧迫されると同時に、内部にひそむ敵にも脅かされているという不安から、過激な暴力が発生するメカニズムを指している。この機制は、自分の内奥にひそむ引き受けがたいものを他者の本質として投影し、外部化された恥辱めがけて激しい攻撃をしかけるという、ヘイトクライムの根底にひそむロジックと重なりあうこともIの3節で指摘しておいた。〈病原体〉は民族共同体《フォルクスゲマインシャフト》の外部から攻めよせてくるだけでなく、内部でもひそかに〈感染〉を広める機会をうかがっている。むしろ内部のそれのほうが、ありとあらゆる選別をかいくぐって増殖する生物学的な強靱さを秘めている。その恐怖がさらに苛烈な暴力を呼びこむ。だがその暴力の究極の相手は、他者ではなく自らの内奥にひそむ「剝き出しの生」なのだ。——SSでありながら同性愛者であり、ユダヤ性を分有するばかりか解離症めいたアパシーを病むアウエが、史上最も激しく「被包囲強迫」に駆動された暴力である、独ソの殲滅戦とホロコーストの語り手として選ばれた理由は、まさにここにある。アウエの「虐殺者の言葉」はこう告げている。SSが同性愛に死をもって報いたのは彼らが同性愛に強く誘惑されていたからであり、ドイツ人がユダヤ人を殺戮したのは自らの社会に巣くう〈病〉を彼らに投影したからであり、ヒトラーが意志の力をあれほど強調したのは、自分の内奥にひそむ「動物的な生」の絶対的な受動性から全力で逃亡しようとしたからだ、と。

欲望の最大限の実現と、その徹底的な破壊を同時に要請するアウエの狂気も、自らの弱みを投影した他者を迫害することで優位を確保しようとするヘイトクライムのロジックの、一つの亜型として解釈できる。愛してやまない〈芸術〉〈性愛〉〈闘争〉に同一化することを夢みるアウエは、それらを体現する者らの見事な演奏や巧みな性戯や勇敢な戦闘に恍惚となりながらも、その陶酔の頂点で、本来は自分のものだったはずの理想を盗みとった他者が自らを無力なカメラアイへ貶《おとし》めたのだと激昂し、自分から理想を剝ぎとった「敵」にたいする殺意をほとばしらせるのだ。「退廃芸術展」で印象派以降のアートを全否定したゲッベルスや、ユダヤ人の性的能力の卓絶を強調するシュトライヒャーや、自軍を蹴散らす赤軍の熱狂的な戦いぶりに魅惑されたヒトラーは、アウエの狂気と同じ軌道を走っている。

だが、この闘争には終わりがない。自分の内奥にひそむおぞましいものを外部に投影して迫害する、あるいは自分から理想を盗みとった他者を憎悪し破壊するという自己言及的な罠に囚われている以上、すでにⅠで見たように、テロリストは死ぬまで暴力をふるいつづけなければならないからだ。アイヒマンがいうように「とことんまでやるほかはない」からだ。もし途中でくじけるようなことがあれば、すべてはチャラになるどころか、かえって自らの手で巨大な脅威を養ったことになってしまう。それは開始された瞬間から崖っぷちに立たされている闘いであり、いわば無限にたいする闘争にほかならない。

〈耐性菌／変異ウイルスとの永遠化された戦争〉。——虐殺者が駆り立てられているのは、そして彼らが大衆を駆り立てようとしているのは、これである。〈耐性菌／変異ウイルス〉は、大量の抗生剤や強力なワクチンに攻囲され、夥しい骸をさらして収縮しつづけるコロニーの深奥で秘かに突然変異をくりかえすことで、激しい攻撃をかいくぐって増殖する生物学的な強靭さを獲得する。アイヒマンが作中で語っているのはまさにこのイメージだ。ただし、ペニシリンを精製できず、待ちぶせ攻撃で負傷したハイドリヒの敗血症すら治療できなかったSSが、〈耐性菌／変異ウイルス〉の脅威を明確に認識していたというのはアナクロニズムだろう。むしろ逆である。〈耐性菌／変異ウイルス〉が新型の恐怖を「発明」したのではなく、人間の心に巣くう「被包囲強迫」の不安が、〈耐性菌／変異ウイルス〉を新たに「発見」したのだ。

　あらゆる攻撃をきわどくすりぬけ、いつのまにかアモルフな大波に変じてすべてを呑みつくしてしまう、理解を絶したもの。しかもそれは、そもそも自らの内奥にひそむ「動物的な生」とひそかに手をつないでいるのだ。「被包囲強迫」がもたらすこの不気味なイメージを、細胞や分子といったミクロなレベルで受肉するものとして「発見」されたから、〈耐性菌／変異ウイルス〉は激越な不安を煽りたてる。かつては自然や蛮族が、近年では癌やエイズや原理主義的テロリズムが、この破滅的なイメージを刺激してきた。二〇一九年以降、世界をパンデミックの悪夢にたたきこんでいる新型コロナウイルスが各地に生みおとしているレイシズムの狂奔は、ホロコーストの暗黒の歴史と地続きである。

＊

〈生物学的／病理学的比喩の実体化〉。そして、〈被包囲強迫が昂進させる暴力〉。さらには、〈耐性菌／変異ウイルスとの永遠化された戦争〉。――『慈しみの女神たち』がセンセーショナルに告発する、これら「虐殺の言語学」から身をもぎ離すのは、ではいかにして可能なのか？

背をむけることによって、ではけっしてない。虐殺者は自らの言葉に背をむける者の存在をすでに計算に入れている。これは狂人のタワゴトだ、理性ある人間は聞くべきではない、と耳をふさぐ者は、その時点で犠牲者になるか、さもなければ傍観者になるか、いずれかに運命づけられる。どちらを歩んでも、ふさいだ耳ごと狂気の世界にとりこまれ、虐殺の体制に構成因子として組みこまれるほかはない。

ならば「虐殺者の言葉」を聞くほかない。いちど聞けばよいというものでもない。〈耐性菌／変異ウイルス〉の恐怖を煽りたてるアイヒマン／アウエの言葉は、それ自身がいわば〈耐性菌／変異ウイルス〉にほかならず、滅ぼされたかに見えてはつねに新たな大波となって押し寄せる執拗な再生力をもつからだ。それらに何度でも耳を傾けつつ、その感染力や転移力から、くりかえし身をもぎ離すことが必要だ。アウエの殺人が、欲望を最大限に現実化しつつ、同時にそれを徹底的に破壊するという狂気に駆動されていたことを思いだそう。だとすれば私たちに求められているのは、「虐殺者の言葉」に〈感染〉し、欲望の実現とその破壊が極大へむかって振り切れてしまう前に、動揺の芽をすばやく摘《つ》むことだ。これをアリストテレス以来の中庸と呼んでもよい。しかしそれはたんなる諸情動の凪《なぎ》ではなく、アクセルとブレーキの壊れた暴走車を制御するような細心かつ大胆なふるまいによってようやく達成されるはずの難事なのだ。しかも相手が〈耐性菌／変異ウイルス〉である以上、終生免疫はありえない。いつのまにか自らも「虐殺者の言葉」に〈感染〉し、「SSとゾンダーコマンドのサッカーの試合」にすすんで参加してしまう――その愚を避けるには、生あるかぎり何度でもおぞましい言葉に耳を凝らし、そのつどそれをきっぱりと拒絶してゆくほかはない。

トロイア戦争の帰路、オデュッセウスは、聞く者を惑わして数多の船を難破させたセイレーンの歌を聞こうと、船員たちに耳栓をさせたうえで、自らをマストに縛りつけたという。私たちはここに、英雄オデュッセウスの狡知ではなく、彼の人間的弱さを見るべきだ。そのうえでやはりこのエピソードを、好奇の念に駆られた冒険ではなく、殺戮の荒野から人間の世界へ帰還するための不可欠な試練と受けとめるべきなのだ。なるほど、私たちには耳栓をした船員もいなければ、身を縛りつけるべきマストもない。しかしいかに孤独で危険であれ、怪鳥の歌に耳を傾け、その誘惑と闘わなければならない。耳をふさいだとたん、「虐殺者の言葉」は、すでに私たちを内と外から包囲している。

1　Jonathan Littell, *Les Bienveillantes*, Gallimard, 2006. 邦訳はジョナサン・リテル『慈しみの女神たち』菅野昭正・星埜守之・篠田勝英・有田英也訳、集英社、二〇一一年。引用したテクストは、邦訳に学びつつ、原文を参照して多少の変更をくわえた。

2　著者のジョナサン・リテルはユダヤ系である。一九六七年にアメリカで生まれ、三歳でフランスに移住した彼は、アメリカに戻ってイェール大学を卒業後、ボスニア・ヘルツェゴヴィナ、チェチェン、コンゴ、シエラレオネ、アフガニスタンなど、法もモラルも溶解した国々で人道救援組織のメンバーとして十年近く働いたキャリアをもつ。その間ずっと『慈しみの女神たち』の構想をあたためていたリテルは、ホロコースト関連の膨大な史料や研究書を徹底的に読みぬき、その地道な努力は、作品の批判者らも認めざるをえない歴史的考証の正確さに結実している。

3　リテルによると、『渇いたものと湿ったもの *Le sec et l'humide*』は、テーヴェライトが『男たちの妄想』でドイツ語圏のファシストたちのテクストから抽出したテーゼを、ドゥグレルの回想録に適用することで生まれたものだが、『慈しみの女神たち』の発表以前の二〇〇二年にはすでに書かれていたという。

4　『エルサレム以前のアイヒマン』(*EICHMANN VOR JERUSALEM*, Bettina Stangneth, Arche, 2011) においてカント研究者のベッティーナ・シュタングネトは、アーレントの時代には参照しえなかったアルゼンチン潜伏時のアイヒマンに関わる膨大な一次資料を精緻に読みこみ、アイヒマンが無思想な一官僚などではなく、自らの苛烈な反ユダヤ主義にもとづいて虐殺計画を実行した確信犯であり、アルゼンチン逃亡後も狂信的なナチ・イデオローグでありつづけたことを実証している。この立場から見れば、全体主義的な官僚制の凡庸な歯車として無思想なままに上官の命令を実行したという装いはアイヒマンの法廷戦術にすぎず、アーレントはまんまとそれに騙されたということになる。だが「悪の凡庸さ」という概念の命運が尽きたと決めつけるのは早計だ。根源を求めようとする「善」とひたすら表層に広がるだけの「悪」という、アーレントが強調する「善／悪」の非対称性を、アイヒマンという一個人から切り離して内在的に検討しなおすべき時がきたととらえるべきではないか。

5 「サラバンド」で、負傷の癒えたアウエはスターリングラードの破局以後はじめての総統演説を聞きにいくが、そこで見たのは「頭と肩、そして灰緑の簡素な軍服の上に、ラビの着る青白縞の大きな肩掛けをまとっている」総統の姿だった。ショックをうけたアウエは「いったいあの弾丸は私の頭になにをしたのだろう。取りかえしのつかないほど世界をかき混ぜてしまったのだろうか、それともほんとうに第三の眼をひらいて、暗がりのむこうが透けて見えるようにしてくれたのだろうか」と思い悩む。アウエの頭部に開いた貫通創は、虚構と現実を見わけがたく二重露出するカメラアイにほかならない。

6 「この虐殺の文法は、ヒトの攻撃性を個体レベルではっきりと増長させるようなものではない。前にもジョン・ポールが言っていた。ナチス政権下のドイツでは、ユダヤ人もそれを喋っていた、と。つまりこれは、個人レベルでなく、ある程度の個体に感染した段階で、社会的にその機能を発揮するモジュールなのだ。脳の中の価値判断がある方向に捻じ曲げられ、虐殺が起こるよ、皆殺しが起きるよ、そういうムードを醸成する。そしてそれが社会的なある閾値に達したとき、『良心』に関わる特定のモジュールを抑制された人々の手で、さまざまなかたちの虐殺が行われるのだ」（伊藤計劃『虐殺器官』ハヤカワ文庫、二〇一〇年、三六六頁）。

7　このことに関連して注目されるのは、次のようなアウエの述懐である。「『最終解決《エントレーズング》』。なんと美しい名だろう！　……まるでその最終的な意味がつねにこの言葉の中心で生きていたようであり、事物はその言葉の重み、そのはかりしれぬ重力によって、精神の黒い穴へと引きよせられ捕らえられてしまったかのようであり、そうして人は事物の地平を越え、もはや後戻りできなくなってしまったのだ」。ここでは、「最終解決」という名詞と人種の絶滅とを括りつける現実的な暴力が、「言葉の重力」という比喩によって結びつけられたうえで、官僚的合理性の下に隠蔽されている。このような隠蔽のメカニズムこそ、虐殺を「解体」「転居」「移送済み」「特別処置」などと言いかえるナチ特有の婉曲語法を発達させた、ひとつの要因であった。

謝辞

本書におさめた論考の初出をあげておく。いずれも加筆・訂正をくわえた。

Ⅰ　テロリストが、生まれる　『群像』二〇一九年十一月号
Ⅱ　暴力の二つのボタン　『群像』二〇二〇年二月号
Ⅲ　日本近代文学の敗戦　『群像』二〇一八年三月号
Ⅳ　歪められた顔、奪われた言葉　『群像』二〇一七年二月号「不可視の遭遇」を大幅に改稿
Ⅴ　二つのフィリピン戦　『群像』二〇一九年七月号
Ⅵ　虐殺の言語学　『群像』二〇一五年十一月号「ケセルの想像力」を大幅に改稿

デビュー以来ずっと、『群像』で担当いただいた嶋田哲也さんにお世話になりつづけた。書きあげた原稿を次々に送りつけてくる新人に、困ったものだと感じておられただろうが、嶋田さんは誠実に対応してくださった。
拙作「ケセルの想像力」を、新人評論賞優秀作に選んでくださった、選考委員の大澤真幸さん、熊野純彦さん、鷲田清一さんにもあらためて感謝したい。いま読みなおしてみると、この論

考の後半は趣旨が不鮮明で混濁している。それでも、なけなしの可能性を見てくださったのはありがたかった。贈呈式では大澤さんに、早く本を出せるように頑張りなさい、と声をかけていただいた。早くとはいかなかったが、ひとまず励ましに応えられてホッとしている。

「暴力の二つのボタン」が掲載された時、『群像』編集長の戸井武史さんからお手紙をいただいた。リニューアルされた『群像』の斬新さと分厚さ、「文×論」を掲げる志の高さに感銘を受けていただけに、面白かったという戸井さんの評価は本当に嬉しかった。

単行本化に際しては、講談社の松沢賢二さんにお世話になった。本書がはじめての著作となる私に、構成からなにから、つねにプロ仕様のアドバイスをいただいた。とりわけ「はじめに」は松沢さんの的確な助言なしには書き得なかった。

私の文章が雑誌に載るたびに、わけがわからんとボヤきつつも毎回最後まで読んでくれる父母と義母の存在にも支えられた。息子と娘は、予備校講師としての仕事と批評の執筆の両端を行き来することに疲れたとき、安息の場をあたえてくれた。日本史研究と大学の学務に忙しい身ながら、物を書きたいという私の妄念を若いころから一途に後押ししてくれた妻がいなければ、本書は書かれていなかっただろう。あらためて妻に感謝の念をおくりたい。

二〇二一年八月　　京都にて　　高原　到

高原 到（たかはら・いたる）
1968年、千葉県生まれ。京都大学文学部社会学科卒業。2015年、「ケセルの想像力」で第59回群像新人評論賞優秀作を受賞してデビュー。以降、「戦争の『現在形』——七〇年代生まれの作家たちの戦争小説」、「失われた『戦争』を求めて——中上健次と村上春樹」、「日本近代戦争の起源と終焉——『肉弾』から『特攻』へ」（以上、『群像』掲載）他、文芸誌を中心に旺盛な批評活動を続ける。

暴力論《ぼうりょくろん》

二〇二一年九月二四日　第一刷発行

著者　高原《たかはら》　到《いたる》
発行者　鈴木章一
発行所　株式会社講談社
〒一一二―八〇〇一　東京都文京区音羽二―一二―二一
出版　〇三―五三九五―三五〇四
販売　〇三―五三九五―五八一七
業務　〇三―五三九五―三六一五
印刷所　凸版印刷株式会社
製本所　株式会社若林製本工場

定価はカバーに表示してあります。

本書のコピー、スキャン、デジタル化等の無断複製は著作権法上での例外を除き禁じられています。本書を代行業者等の第三者に依頼してスキャンやデジタル化することはたとえ個人や家庭内の利用でも著作権法違反です。
落丁本・乱丁本は購入書店名を明記の上、小社業務宛にお送り下さい。送料小社負担にてお取り替えいたします。なお、この本についてのお問い合わせは、文芸第一出版部宛にお願いいたします。

ISBN978-4-06-524450-0　Printed in Japan
©Itaru Takahara 2021

KODANSHA